ИРОНИЧЕСКИЙ
ДЕТЕКТИВ

Дарья Донцова

Москва
ЭКСМО-ПРЕСС
2 0 0 1

ИРОНИЧЕСКИЙ ДЕТЕКТИВ

УДК 882
ББК 84(2Рос-Рус)6-4
Д 67

Разработка серийного оформления
художника *В. Щербакова*

Серия основана в 1999 году

Д 67
Донцова Д. А.
Несекретные материалы: Роман. — М.: Изд-во ЭКСМО-
Пресс, 2001. — 432 с. (Серия «Иронический детектив»).

ISBN 5-04-004489-5

Беда никогда не приходит одна. Кто-то подсовывает труп в багажник «Вольво» Дарьи Васильевой, а затем бесследно исчез ее приятель
Базиль Корзинкин. Отчаянная любительница частного сыска, Даша
бросается ловить убийц и похитителей. Преступники ловко заметают
следы, обрывая все нити, которые ей удается нащупать. Но когда два
этих дела неожиданно сплетаются в одно, Дарья понимает, какой
змеиный клубок она разворошила...

УДК 882
ББК 84(2Рос-Рус)6-4

Глава первая

Октябрьский день плавно приближался к вечеру. Солнце еще довольно ярко светит, но в воздухе уже чувствуется дыхание зимы. Я стояла в пробке на Волоколамском шоссе и соображала, успею ли приехать домой к восьми. В 20.00 НТВ собиралось показать детектив с моим обожаемым Пуаро. Следовало вознаградить себя за часы, бесцельно проведенные в магазинах. Невестка отправила меня купить новые гардины для столовой, но, несмотря на все поиски, ничего подходящего на глаза так и не попалось.

Вереница машин продвигалась вперед черепашьим шагом. Справа показался вещевой рынок, и в ноздри внезапно ударил запах жарящихся чебуреков, тех самых — с начинкой из собачатины. Желудок жалобно сжался, и ужасно, просто невыносимо захотелось проглотить отвратительное кушанье. Я запарковалась у входа и, вылезая из «Вольво», попробовала урезонить бунтующий аппетит. Небось готовят на машинном масле и тесто хватают немытыми руками... Полная угрызений совести и тихо злясь на себя за чревоугодие, я уже хотела захлопнуть дверцу, как началось нечто, напоминающее киносъемку гангстерского фильма.

Откуда ни возьмись появились мужики в камуфляже и черных шапочках-шлемах. Над площадью зазвучал отборный мат. Торговцев словно ветром сдуло. Кто укрылся в железном вагончике, кто забрался под столики-прилавки.

Когда послышались первые выстрелы, я, долго не раздумывая, юркнула за «Вольво» и растянулась на грязном асфальте, стараясь стать как можно более незаметной. Авось пронесет и останусь жива. Из-за низкого автомобиля трудно наблюдать за побоищем. А оно развернулось не на шутку. В узкую щель были видны только бегающие взад и вперед ноги в фирменных ботинках, слух услаждался невероятными выражениями.

Одна из схваток завязалась прямо около «Вольво», машина задергалась. От ужаса я закрыла глаза и принялась возносить молитвы к богу почему-то на латинском языке. Но тут завыли сирены. Ботинки унеслись, на их место примчались другие — попроще и подешевле, зато мат остался прежним — густым и крепким. Наконец воцарилась относительная тишина, прерываемая отдельными выкриками. От ужаса почти перестала соображать. Тут к «Вольво» подошли черные сапоги, и раздался молодой звонкий голос:

— Эй, есть кто живой?

— Здесь! — крикнула я из-за машины.

— Вылазь, — велел мужчина.

Кое-как, кряхтя и сопя, я поднялась на ноги и обозрела пейзаж. На площади царил погром. Большинство торговцев отряхивались и пытались собрать разбросанный товар. Возле будки с чебуреками лежала убитая собака и виднелись непонятные кучи: то ли вещи, то ли трупы. Стараясь не смотреть в ту сторону, я почесала грязной рукой нос и сказала стоящему рядом милиционеру:

— Здравствуйте.

— Документики предъявите, — не пошел на контакт страж закона.

— Зачем? — возмутилась я. — Вы должны охранять покой мирных граждан, а не требовать у них документы. Что же такое делается, просто чебуреков захотелось, вот и остановилась здесь...

— Документы на машину, права и паспорт, — продолжал оставаться неприступным милиционер.

— Не дам, — обозлилась я.

— Ну, тетенька, — неожиданно по-детски заныл проверяющий, — вам жаль, что ли? Служба такая...

Я поглядела на его по-детски круглое лицо, покрытое мелкими веснушками. Тощенькая шейка выглядывает из широкого воротничка форменной рубашки... И чего я на него обозлилась?

Вздохнув, влезла в «Вольво» и подала мальчонке требуемое. Парнишка взял синенькую книжечку и протянул:

— Так вы иностранка, француженка.

— Как видишь...

— Здорово по-русски говорить научились, — восхитился мальчишка, — без акцента...

Потом, очевидно, решил соблюсти дипломатический этикет и церемонно произнес, отдавая честь:

— Можете проезжать, приношу извинения за инцидент.

— Что тут произошло? — спросила я, пряча бумаги.

— Да вот, братки территорию делили, — вздохнул милиционер, — спор у них вышел.

— Ладно, — пробормотала я, захлопывая дверцу.

— Тетенька, — поскребся в стекло патрульный, — вы бы умылись тут в туалете, а то грязные — жуть.

Проигнорировав дельное предложение, завела мотор и покатила домой, в поселок Ложкино.

Милиционер, милый мальчик, заблуждался. Я русская, хотя имею в сумочке паспорт гражданки Французской Республики. Впрочем, на французском говорю, как по-русски, бегло, без ошибок и акцента, ибо всю свою сознательную жизнь преподаю студентам бессмертный язык Золя и Бальзака.

Долгие годы моя преподавательская деятельность уныло протекала в заштатном техническом институте, на кафедре иностранных языков. Платили мало, постоянно подрабатывала частными уроками. Приходилось все время думать о том, как прокормить семью. А домашних много — сын Аркашка, невестка Оля, дочка Маша, парочка собак, три кошки, несколько хомяков, белая крыса и ближайшая подруга Наташка. Давно заметила, что родственниками становятся по жизни. Родные сестры не бывают так близки, как мы с Наташкой. Поэтому, когда после развода свекровь выгнала ее из дома, а мачеха не пустила в родную квартиру, Наталья перебралась к нам в двухкомнатную «распашонку» в Медведково, и все домашние восприняли это как нечто совершенно естественное.

Жить бы нам в нищете, считая копейки, но

неожиданно случилось чудо. Наталья вышла замуж за француза и укатила в Париж. Следом за ней отправилась вся семья погостить. Но не успели мы подивиться Наташкиному благополучию, когда ее мужа, барона Жана Макмайера, убили. В одночасье подруга оказалась невероятно богатой дамой.

Трехэтажный дом в предместье Парижа, коллекция уникальных картин, отлично налаженный бизнес, километровый счет в банке — вот далеко не все, чем она стала единолично владеть, потому что у Жана не оказалось никаких родственников, кроме законной жены.

Сгоряча все решили остаться в Париже и целый год вели бездумную жизнь рантье. Но ностальгия — болезнь неизлечимая, и все чаще домашние стали вспоминать милый сердцу слякотный ноябрь, даже колбаски хотелось, нашей, родной, с примесью туалетной бумаги.

И тут появился закон о двойном гражданстве. Это разом решило все наши проблемы. Теперь каждый член семьи имеет в кармане два паспорта: красный — российский и синий — французский. Мы вернулись в Москву и поняли, что богатому человеку везде хорошо. Построили двухэтажный дом в поселке Ложкино, завели кухарку, домработницу и принялись заниматься тем, о чем раньше могли только мечтать.

Аркашка стал адвокатом. Конечно, пока он не Генри Резник, но все же вполне грамотный специалист. Правда, клиентура его сплошь мелкие жулики. Но даже пьяного дурака, укравшего у лоточника два куриных окорочка, сын страстно защищает, делая ссылки на римское право.

Судьи только посмеиваются при виде такого пыла. Но смех приносит хорошее настроение, поэтому обвиняемые получают минимальные сроки.

Его любимая жена Ольга, впрочем, дома мы предпочитаем звать ее Зайчик, штурмует иняз. Три европейских языка плюс арабский.

Не так давно у супругов родились близнецы — Анька и Ванька, поэтому Зайка на какое-то время выпала из учебы. Но сейчас у проказников есть нянька Серафима Ивановна, и Ольга вновь посещает занятия.

Маша ходит в лицей, а по вечерам бегает на подготовительные курсы в ветеринарную академию. Девочка твердо решила стать «собачьим доктором».

— Правильно, — одобряет ее выбор брат, — нам такой специалист необходим.

Что верно, то верно: в доме живет огромное количество животных — питбуль Банди, ротвейлер Снап, пуделиха Черри, мопс Хуч, йоркширская терьерица Жюли, две кошки — трехцветная Клеопатра и белая Фифина, парочка мышей, несколько ящериц и попугай Коко.

Нашла свое призвание и Наташка. Подруга принялась с бешеной скоростью строчить любовные романы на французском языке. Все ее герои — люди искусства и диссиденты, переживающие самые невероятные приключения в лагерях и тюрьмах. Стоит ли говорить, что испытания благополучно заканчиваются пышной свадьбой, причем не где-нибудь, а в Париже. Естественно, продать подобный «салат» на российском рынке просто невозможно, зато француженки приходят от ее продукции в телячий восторг. Наталья разом стала популярна и любима, а про гонорары и говорить нечего.

— Деньги к деньгам, — вздохнула одна знакомая, окидывая завистливым взглядом полку с Наташкиными бестселлерами.

Конечно, со стороны все выглядит крайне просто — сиди себе да води ручкой по бумаге... Но я-то знаю, что Наталья пишет каждый день по пятнадцать страниц, и такая работоспособность вызывает уважение. Попробуйте просто переписать столько листов из любой книги — и поймете, как это трудно! К тому же совершенно не понимаю, откуда она берет сюжеты и как увязывает концы с концами.

Наверное, и не пойму никогда, так как мне господь не отсыпал никаких талантов и я, честно говоря, ничего не делаю. Что у меня отлично получается, так это вляпываться во всякие истории. Ну, например, когда хочешь съесть чебуреки, а попадаешь на бандитские разборки...

Ровно в семь подрулила к Ложкину и, бросив «Вольво» во дворе, со всех ног кинулась в гостиную. Но не успела влететь в комнату, как поняла: телевизор посмотреть не удастся.

На диване, мило улыбаясь, сидела рыжеволосая женщина неопределенного возраста. Незнакомке можно было дать как тридцать, так и пятьдесят. Круглое, до умиления российское лицо, мелкие грязно-зеленые глаза, небольшой нос и рот без четких очертаний. Казалось, кто-то сначала нарисовал немудреные черты, а потом начал стирать ластиком да и бросил на полдороге. Лишь яркий цвет волос выделял женщину. Такого пронзительно-рыжего оттенка я, пожалуй, не встречала.

— Мамуля приехала, — завопила Маня, — смотри, у нас гости. Угадай, кто?

Я вздохнула и попыталась изобразить радость. У каждой медали есть оборотная сторона. В нашем случае — постоянные приезжие со всех концов необъятной Родины и ближнего зарубежья. Как только слух о свалившемся на нас богатстве пронесся по Москве, тут же отыскалось невероятное количество родственников.

Я выходила замуж четыре раза. Соответственно, имею в багаже четырех бывших супругов, их матерей, братьев, сестер... Все мужья, разойдясь со мной, начинали благополучно вступать в новые браки, и в родственниках постепенно оказывались их нынешние и брошенные жены, дети от разных союзов... У Наташки примерно та же картина, но в России она успела побывать в браке лишь дважды. А ведь еще есть приятели, приятели приятелей... список продолжается до бесконечности. В результате и во Франции, и в Москве просто невозможно пожить без гостей. Однажды у нас в Париже полгода жил совершенно очаровательный юноша лет девятнадцати. Я думала, что он Наташкин родственник, а подруга считала, что мой. Недоразумение выяснилось лишь после его отъезда, но мы так и не знаем, как он попал к нам. Интересно, кто на этот раз?

— Меня зовут Галя, Галя Верещагина, — пробормотала женщина, поднимаясь с дивана.

«Меня зовут Бонд, Джеймс Бонд», — пронеслось у меня в голове, и я хихикнула.

Гостья занервничала и принялась объяснять:

— Я дочь ближайшей подруги матери Ляли, второй жены первого мужа Лены, супруги Кирилла.

Я в обалдении уставилась на даму. Без поллитра не разобраться. Понятно только одно — каким-то образом гостья связана с одним из моих бывших мужей — Кириллом. А в остальном и копаться не станем.

— Приехала ненадолго, — продолжала оправдываться Галя, — на пару месяцев всего.

— Конечно, конечно, нет проблем, — постаралась я изобразить улыбку, — места много.

— Ваша девочка такая милая, — вздохнула Галя, — уже показала мне мою комнату. Просто неудобно, столько хлопот.

И она оглушительно чихнула, потом еще раз...

Только больных нам тут не хватает.

— Не волнуйтесь, — поспешила сообщить гостья, — это у меня аллергия на домашних животных.

— Вам у нас тяжело придется, — заявила я, тихо надеясь на то, что дама испугается и съедет.

— Ничего, — успокоила Галочка, — супрастин приму. Кстати, вот письмо от Кирилла.

И она протянула розовый конверт. Сразу узнав крупный четкий почерк бывшего супруга, я развернула листок и углубилась в чтение.

«Дарья, привет!

Как живешь? У меня все нормально. Посылаю тебе Галочку Верещагину. Она милая, но глубоко несчастная женщина. В свои двадцать девять ни разу не была замужем, боюсь, ты не поверишь такому. Живет не так далеко — в Качалинске, но там не городок, а ужас: сплошная химия, кругом одни бабы. Мужика просто не найти, сплошь пенсионеры. Моя Ленка страшно хочет ей помочь, вот и дали твой адресок. Будь другом, там вокруг тебя полно всяких людей, подыщи ей пару. Галя интеллигентный человек, но, к сожалению, соображает не слишком быстро, да и денег особых у нее нет....

Ей бы подошел какой-нибудь полковник. Кстати, твой близкий знакомый, милицейский начальник Дегтярев вроде холостяк... Может, сведешь их? Если Галку приодеть, ничего будет. Извини, что нагружаем, но нам с Ленкой сейчас недосуг заниматься ее устройством — уезжаем отдыхать. Впрочем, на тебя, моя радость, всегда можно положиться. Нежно люблю, твой Кирюшка».

Я сложила послание и, мило улыбаясь, велела принести чай. В душе бунтовали гадкие чувства. Видали, сами уехали отдыхать, а сюда подбросили убогую, которая даже мужика себе самостоятельно найти не может! К тому же ее требуется одеть, причесать, покрасить, хорошо хоть мыть не надо. Представляю, какую рожу скорчит мой лучший приятель полковник Дегтярев, когда представлю ему «невесту». К тому же еще и больная, вон как чихает и носом шмыгает. Но делать-то нечего, придется заниматься проблемой.

Я вздохнула и оглядела стол. Совсем забыла

про пирожные. Коробочки с эклерами, корзиночками и трубочками преспокойненько лежат в багажнике.

— Пойду принесу из машины сладкое...

— Давайте помогу, — услужливо предложила Галочка, и мы вместе вышли во двор.

Почти стемнело, но прямо перед входом стоит фонарь, к тому же в «Вольво» зажигается свет. Я подняла крышку багажника и остолбенела. Вместо белых кондитерских коробочек увидела там труп довольно упитанного мужчины. Широко раскрытые голубые глаза, не мигая, смотрели мне прямо в физиономию. Породистое, даже красивое лицо, единственный дефект — маленькая, аккуратная дырочка между бровями. Крови почему-то почти нет.

Галя издала какой-то странный, клокочущий звук и кулем свалилась на землю. Я продолжала рассматривать мужика. Интересно, как он попал в багажник? Абсолютно точно помню, что сама не засовывала туда ничего подобного.

Глава вторая

Вожделенный фильм по Агате Кристе так и не посмотрела. Сначала крикнула Кешу, и он вместе с Машей и Ольгой отволок бесчувственную Галю в гостиную. Домашним пришлось нелегко. На вид милая гостья весит около центнера. Затем вызвала Дегтярева. Полковник старый, испытанный друг. Нашим отношениям столько лет, что и вспомнить страшно. Познакомились еще в те времена, когда Александр Михайлович, стройный, кудрявый и белозубый, учился в Академии МВД, а я подрабатывала там на полставки приглашенным преподавателем французского языка.

С тех пор пролетели годы. Полковник пополнел, растерял часть шевелюры и обзавелся коронками, я тоже не помолодела. Но неизменной осталась дружба. Поэтому в случае неприятностей сразу звоню ему. Александр Михайлович дослужился в системе МВД до звания полковника и стал какой-то шишкой. Я плохо разбираюсь в милицейских чинах, но знаю, что к нему на стол попадают сложные дела.

Минут через сорок после звонка во двор влетели микроавтобус и черная «Волга». Из недр машины выбрался еще один приятель — Женька — и закричал:

— Всем привет, давненько у вас в гостях не был!

— Замолчи, — велел появившийся следом полковник, и Женюрка помчался к «Вольво».

Он эксперт, хотя не уверена, что правильно называю профессию человека, который самозабвенно копается в трупе, чтобы определить причину смерти.

Вокруг багажника запрыгал фотограф, потом прибежали еще какие-то мужики, нас вежливо, но настойчиво отправили в гостиную. Домработница Ирка предусмотрительно заперла всех животных в кухне, и теперь они исступленно царапали дверь, издавая жуткие вопли.

Александр Михайлович сел на диван и принялся заполнять бесчисленные бумажки.

— Где подобрала труп?

— Он сам оказался в багажнике.

— Интересно, — поднял кверху брови приятель, — сам пришел, сам залез, сам стрельнул себе в лоб... Знаешь его?

Я покачала головой.

— Первый раз вижу.

Вошедший сотрудник протянул начальнику довольно пухлое портмоне. Александр Михайлович принялся выкладывать на журнальный столик содержимое. Пять бумажек по сто долларов, три по пятьсот рублей, горсть железной мелочи, штук десять визитных карточек... Я моментально схватила одну: «Никитин Алексей Иванович, генеральный директор издательства «Свеча». Проезд Прямикова».

— Положи на место, — велел полковник.

— Интересно, за что этого Никитина пристрелили? — задумчиво спросила я. — Да еще запихнули ко мне в багажник.

— Может, его вовсе не так зовут, — отметил приятель.

— А карточки?

— Кто-нибудь дал.

— Десять штук сразу?

Александр Михайлович глянул мне в глаза.

— Солнце мое, только не вздумай заниматься частным розыском, все твои, так сказать, расследования обычно плохо заканчиваются.

И он принялся задавать дурацкие вопросы. Машинально отвечая ему, я погрузилась в раздумья.

Вообще-то полковник прав, есть у меня одна страсть. Просто обожаю детективы и пару раз сумела выручить своих друзей из пикантных ситуаций. Вытащила из тюрьмы своего бывшего мужа

Макса Полянского, нашла убийцу Ларисы... А тут судьба подсовывает такой шанс! Наверное, следовало в свое время идти учиться не в иняз, а в Академию МВД. К тому же я умна, логична, бесстрашна, абсолютно неподкупна...

— Слушай, — обозлился полковник, — ты о чем думаешь?

— Наверное, пирожные пропали, — быстренько сообщила я.

Александр Михайлович хмыкнул:

— Скорей всего, но даже если они целы, навряд ли твои домашние захотят съесть эклерчики, на которых лежал незнакомый труп.

Я вздохнула — он, как всегда, нелогичен. Мои откажутся прикоснуться к сладостям, даже если на них покоилось знакомое тело.

На следующее утро, спустившись в районе десяти в столовую, я обнаружила за огромным круглым столом лишь отчаянно чихающую Галю. Аркашка, конечно же, на работе, Зайка с Машей учатся, понятное дело, что гостьей придется заниматься мне.

— Какие планы? — фальшиво бодро осведомилась я, наливая традиционно чуть теплый кофе.

Галя пожала плечами:

— Даже не знаю.

— Сейчас подкрепимся и поедем по магазинам, купим кое-какую одежонку, — предложила я.

Верещагина стала пунцовой.

— Не надо, у меня все есть.

— Вот и хорошо, будет еще больше, и потом, скажи, ты же хочешь замуж?

Галя кивнула.

— Значит, надо сразу дать понять возможным объектам, что у тебя особых проблем нет. Отлично одетая женщина с качественной косметикой и хорошей стрижкой имеет больше шансов.

— Мне не нужен человек, который смотрит на платье. Хотелось найти такого, для кого главное — душа.

— Обязательно поищем душевного, а сейчас давай допивай, и поехали.

Галочка положила в небольшую чашку четыре куска сахара и принялась методично размешивать. Под мерный стук ложечки я вышла из столовой. Пожалуй, следует потом объяснить ей, что весить в двадцать девять лет сто кило — это слишком. Но сначала позвоню Алене Кислицыной. Она работает в Институте имени Курчатова, если где и есть холостые мужчины, так это там.

Аленка схватила трубку после первого звонка.

— Кислицына у аппарата.

— Ну даешь, — восхитилась я, — представляешься по полной форме. Скажи, у тебя в отделе есть хорошие женихи?

— Ты чего, — захихикала подруга, — решила на старости лет еще разок под венец сбегать, а болтала — никогда, никогда...

Я вкратце объяснила суть дела.

Алена пришла в восторг.

— Правильно мыслишь, сначала одень, потом своди в парикмахерскую. Что у нее на голове?

Я помолчала секунду, пытаясь подыскать достойное выражение.

— Воронье гнездо.

— Ладно, — окончательно воодушевилась Алена, — конечно, наши мужики все убогие, но можно попробовать. Созвонимся вечером. Кстати, помнишь, что свахе шаль положена? — И она, прихихикивая, положила трубку.

В ГУМе Галя начала обалдело крутить головой по сторонам, но я знала, куда идти. Не прошло и пятнадцати минут, как щебечущие продавщицы подобрали пару платьев, несколько блузок, три юбки, два костюма и элегантное демисезонное пальто. Стараясь, чтобы гостья не увидела чек, я схватила ее за руку и поволокла в обувной отдел.

Там меня поджидал сюрприз — у толстой, неповоротливой гостьи оказался тридцать пятый размер и очаровательная узенькая ножка с крутым подъемом.

— Такая красота просто требует шпильку, — заявил парнишка-консультант.

Несмотря на протесты женщины, я все же приобрела элегантные лодочки на каблуке, туфли для сырой погоды, коротенькие сапожки и прехорошенькие домашние тапочки — уютные красивые башмачки на белом меху.

Следующий визит нанесли в салон «Лиза». Директор, стилист и хозяин в одном лице — это хорошо известный в Москве Леня Котов. Надо отдать ему должное: мужик обладает великолепным вкусом, правда, непонятно, почему у самого мастера на голове не прическа, а стог сена.

Леня сердито глянул на съежившуюся Галю и грозно спросил:

— Химию делали?

— На крупные палочки, — проблеяла несчастная.

— А это однофигственно, какого размера палочки-хреналочки, — завел Леня, — волосы все равно погибли...

Зная его жуткую манеру изъясняться в основном матом, я быстренько постаралась ввести стилиста в курс дела.

— Сделайте что-нибудь. Видите ли, мы выдаем Галю замуж, и надо, чтобы...

— Она выглядела целкой, — моментально докончил Котов.

Бедная провинциалка стала такого красного цвета, что я испугалась. Давление у бабы небось до двухсот подскочило. Но мастер, не замечая произведенного эффекта, несся дальше.

— Уж извините, но сорокалетнюю бабу делать под инженю-пипи просто глупо! Не ставьте мне таких условий. И вообще, Даша, вы же знаете, я могу работать только по вдохновению. Если хотите завивку дурацкую, топайте в парикмахерскую.

И он глянул на нас откровенно сердито. Я заверила его, что целиком и полностью доверяю вкусу художника.

— Ну ладно, — смягчился стилист и поволок слабо сопротивляющуюся добычу в глубь помещения.

Зная, что одним часом тут не обойдется, преспокойно поехала искать так и не купленные гардины. Звонок мобильника настиг в момент отчаянных колебаний: какой выбрать бархат — желтый или зеленый. Я вытащила мерно пищащий аппарат и услышала голос подруги из Парижа.

— Алло, — кричала Сюзетта, — алло, слышишь меня?

— Просто чудесно, что стряслось?

Сюзетта вот уже двадцать лет замужем за Базилем Корзинкиным. Род Корзинкиных древний, его истоки теряются где-то в петровских временах. Вроде бы в те далекие годы один из крестьян крайне угодил скорому на расправу и награды Петру I. Во всяком случае, дед Базиля всегда рассказывал, как царь якобы взял потрясающе сделанную его предком корзину и провозгласил:

— Мастер великий, быть с нынешнего дня на Руси боярам Корзинкиным.

По мне, так очень похоже на правду. Но как бы там ни было, в 1918 году дедушка Базиля, тогда молодой парень, ухитрился удрать из большевистской России, причем не голым и босым, как многие, а вывезя за рубеж огромное количество фамильных драгоценностей. Дедуля оказался предприимчивым и, великолепно понимая, что у эмигрантов на границе отнимут все, заливался слезами, отдавая красногвардейцам чемоданы.

— Все забрали, — причитал Николай Корзинкин, прижимая к груди любимую охотничью собачку, спаниеля Фоку. Старый пес, завернутый для тепла в байковое одеяльце, апатично сопел. Прихватив у отъезжающих все, что можно, пограничники ушли. Поезд медленно вкатился на территорию сопредельного государства. Коля Корзинкин перевел дух и размотал поистине драгоценного пса. На животе у собаки, в густой шерсти таилось бесценное жемчужное ожерелье. В уши были засунуты мешочки с мелкими камнями. Самыми крупными брильянтами, изумрудами и рубинами Фоку просто накормили перед границей. Дали собачке нафаршированные драгоценностями куски мяса. Еще кое-какая мелочь была спрятана в складках одеяльца — так, чистая ерунда — около килограмма разнообразных золотых украшений и три яйца Фаберже...

За день до отъезда хитрый Николай выбрил на морде и голове Фоки несколько участков и густо замазал их зеленкой, а в глаза бедолаге закапали сахарную воду. Веки покраснели, у кобелька начался картинный конъюнктивит.

Когда плешивого пса с текущими гнойными глазами увидали красноармейцы, один, брезгливо поморщившись, спросил:

— Чего это с ним?

— Да сифилис, — не раздумывая долго, сообщил Корзинкин.

Пограничник отскочил в сторону как ошпаренный и заорал:

— Пристрелю заразу.

— Ой, милый, — принялся рыдать хозяин, — тогда уж и меня вместе с ним. Пожалей нас, возьми что хочешь, только беднягу Фоку оставь.

То ли предложение взять все подействовало, то ли красноармейцы оказались не такими уж злыми, но песик благополучно провез «золотой запас». Стоит ли говорить о том, что собачку дед потом называл не иначе как «мой спаситель» и баловал чрезмерно.

Так Корзинкин осел в Париже и принялся весьма удачно заниматься бизнесом. В семье всегда говорили по-русски, поэтому Базиль, или Василий по-нашему, приезжая в Москву, никому не казался иностранцем. Да и Сюзетта за два десятилетия брака поднаторела в родном языке мужа и стрекотала как сорока, практически без акцента. Но сейчас она в страшном волнении верещала на французском, проглатывая окончания и предлоги.

— Даша, Базиль пропал!

— Куда попал?

— Не попал, а пропал, ты чем слушаешь! — возмутилась Сюзетта.

Оказалось, что вот уже три недели, как Корзинкин уехал в Москву. Базиль владеет крупным издательством «Голос». Долгие годы поддерживал советских диссидентов, поэтов, писателей, печатая запрещенные в СССР произведения. После перестройки переключился на издание современных российских авторов, отдавая предпочтение молодым, открывая новые имена.

Последнее время Базиль зачастил в Москву — у него были там какие-то дела, связанные с бизнесом. Но никогда не задерживался надолго. В этот раз отсутствовал почти месяц. К тому же Корзинкин нежно любит Сюзетту и, где бы ни находился, в одиннадцать вечера по парижскому времени всегда звонит жене и желает спокойной ночи. Но последнюю неделю никаких звонков не поступало. Сюзетта испугалась и попробовала найти человека, с которым Базиль вел дела. Но женский голос ответил, что хозяев уже неделю нет дома. Тогда страшно обеспокоенная Сюзи связалась с гостиницей «Интурист», где Базиль снимал номер. Ей сообщили, что господин Корзинкин отбыл на родину, в Париж, семь дней назад.

И вот теперь, трясясь от ужаса, она кричала в трубку:

— Даша, попробуй найти хоть какие-нибудь следы! Мне не доехать.

К сожалению, у Сюзетты такой полиартрит, что руки и ноги похожи на птичьи лапы и передвигается она с трудом. Лет женщине немного, мы одного возраста, но болезнь сделала ее почти инвалидом.

— Конечно, все будет в порядке, — принялась я утешать подругу, — говоришь, гостиница «Интурист»? А как зовут мужика, с которым он встречался в Москве?

— Никитин Алексей Иванович, хозяин издательства «Свеча», — сообщила Сюзи, и связь прервалась.

Я принялась тыкать пальцем в мобильник, но бесстрастный женский голос без конца повторял: «Абонент находится вне зоны приема».

Я присела в небольшом кафе при магазине и попыталась собрать в кучку расползающиеся, словно муравьи, мысли. Базиль связан с этим Никитиным! Вот это да! Ведь именно его я обнаружила вчера мертвым в багажнике «Вольво».

Один убит, а другой пропал!

Снова затрещал телефон, и я нервно закричала:

— Говори, Сюзи.

Но это оказался Котов.

— Ты что, мне это сокровище подарила? — возмущался стилист. — Приезжай немедленно, здесь народа полно.

Наплевав на шторы, я покатила в салон.

Котов и впрямь постарался на славу. Уж не

знаю, какие усилия он приложил для достижения цели, но Галка смотрелась более чем прилично. Лицо приобрело благородный матово-белый оттенок, а веснушки пропали неизвестно куда. Глаза, подкрашенные умелой рукой, неожиданно засверкали, рот стал четким и аккуратным, брови приобрели иную форму... Но самая невероятная метаморфоза произошла с волосами. Кудри, ранее напоминавшие прошлогоднюю солому, были аккуратно подстрижены и красивой шапочкой облегали голову. Цвет их остался по-прежнему рыжим, только оттенок другой — не медная проволока, а свежая морковь.

После всех изменений Галя стала походить на молодую, но, к сожалению, чрезмерно полную женщину.

— Значит, так, — сообщил Леня, вручая мне километровый счет, — слушайте сюда. Самое красивое у данной дамы — ноги, поэтому никаких домашних тапочек и удобненьких мокасин. Только каблуки.

— Да я никогда на них не ходила, страшно неудобно, — попробовала сопротивляться гостья.

Но она не знала, с кем имеет дело. Робкие попытки Котов подавил в зародыше.

— Только каблук. Станешь повыше, и жопа меньше покажется. Краситься запомнила как?

Верещагина кивнула, не в силах выдавить ни слова.

— Купи ей грацию, — крикнул нам вслед Леня, — и затяни жиры потуже, а еще лучше, если бабенка не пожрет неделю-другую...

Это точно. У меня была тетка, полька по имени Кристина, сестра отца. В 1941 году бедняга попала в лагерь смерти «Освенцим» и ухитрилась выжить в нечеловеческих условиях. Тетя Кристина обладала своеобразным юмором и не терпела разговоров про диеты. Когда в ее присутствии заводили песню: «ничего не ем, а все равно толстею», старая дама сдвигала очки на кончик носа и заявляла:

— В нашем бараке тучных не было.

Впрочем, иногда она становилась совсем уж категоричной и советовала:

— Жри меньше, должно помочь.

Провожаемые любезным напутствием стилиста, мы отправились домой. Измученная наведением красоты, Галя отказалась от обеда и, выпив только стакан кефира, пошла наверх.

И тут позвонила Алена. Новости выливались из нее буквально потоком.

— Нашла страшно милого мужика, — щебетала она, очевидно, одновременно жуя орехи, потому что в мембране слышалось почавкивание и похрустывание.

Кандидат и впрямь казался замечательным. Около сорока лет, доктор наук, безумно талантлив, никогда не имел жены и к тому же еще и круглый сирота. По мне, так такое случается только в сказках, поэтому тут же спросила:

— Как познакомим?

— Все чудесно складывается, — заверещала Алена, — пригласишь его к себе пожить месячишко. В твоем замке места на всех хватит!

— С какой стати он вдруг ко мне поедет?

— Говорю же, — радостно тарахтела подруга, — все просто чудненько. У него сгорела квартира, сейчас там ремонт, находиться в помещении невозможно, вот Миша и попросил подыскать ему пристанище на время, чтобы недорого...

— Он что, снять не может? Пусть газету купит!

— Слушай, — возмутилась Аленка, — ты хоть знаешь, сколько получает сотрудник в Курчатнике?!

— Нет!

— И не надо, все равно не поверишь. Потом, никто из хозяев не хочет сдавать квартиру на небольшой срок — невыгодно, в гостинице дорого... Так что давай я скажу ему, что ты хочешь помочь. Лучше повода для знакомства не придумаешь. Станут каждый день видеться, а там уж ты постараешься...

— А квартира почему сгорела? — подозрительно осведомилась я. — Он не алкоголик?

— Вообще не пьет, — заявила «сваха», — там какой-то случай вышел. Ну что, посылаю его к тебе?

— Давай, — со вздохом решила я.

Похоже, Аленка права, и лучшего способа познакомить этого Мишу с Галей нет. Придется потерпеть в доме постороннего мужика. Надеюсь, он регулярно моется и любит животных.

Глава третья

Утром разбудил трубный вопль близнецов. Анька ухитрилась удрать от Серафимы Ивановны, доковыляла до лестницы и кубарем полетела вниз. К счастью, у подножия преспокойненько поджидал завтрака Банди. Пит явно не ждал ничего плохого и мирно дремал, вдыхая аромат жарящихся оладушек. Пятидесятикилограммовый Банди нежно их любит. Анька плюхнулась на него и заорала не от боли, а от ужаса. Бандюша тоже завопил и, как водится, моментально описался.

Няня, ворча, выудила Аньку из лужи и потащила в детскую, где заливался криком покинутый Ванька. Через секунду истошные вопли умолкли, очевидно, Серафима Ивановна дала близнецам печенье.

Воцарилась тишина. Но поспать все равно не удалось. Сначала послышались шлепающие звуки и скрип входной двери. Это Ирка убирала лужу, походя поддавая Банди за хулиганство. Следом разнесся Машин крик:

— Мой кофе! Опаздываю, проспала...

Дочь с топотом поскакала по лестнице, и моментально раздался визг. Манюня вообще редко смотрит под ноги, поэтому наши животные, завидя ее, как правило, поджимают хвосты, но бедняга Хучик сегодня замешкался, и Маняшина ножка тридцать девятого размера отдавила ему лапу.

Немедленно закричала Ирка:

— Нет, это что же такое делается! А ну пошли в сад писать, надоели!

Собаки погалопировали на улицу. Маня бушевала в холле, разыскивая сумку, куртку, ботинки, кошелек...

— Вчера положила все в шкаф! — шумела девочка. — Ну какой идиот переложил!

— Где ключи от машины? — вплелся в ее вопль голос Аркадия. — Сколько раз говорил, чтобы ничего не трогали. И кто сунул мои перчатки в ботинки! Ольга, где телефонная книжка и зажигалка?

— Здесь, — сообщила Зайка со второго этажа, — лежат на подоконнике.

— Неси скорей.

— Не могу, — ответила Ольга, — глаза крашу.

— Черт-те что, — возмутился Кеша, — Маня, сбегай...

— Некогда, опаздываю, — проорала Маня, натягивая куртку, — слышишь, уже школьный автобус гудит.

Со двора и впрямь раздавались противные звуки, шофер созывал припозднившихся.

— Ну погоди, — пообещал Кеша, — попросишь меня о чем-нибудь, ни за что не сделаю!

— Сам дурак! — выкрикнула ласковая сестра и хлопнула дверью.

Сын полетел в спальню, и опять раздался жалостный визг, потом оглушительный грохот, звон... Послышался высокий голос Ольги... Пару минут супруги отчаянно ругались, и воцарилась тишина.

Я натянула халат и спустилась в холл. Собак не видно, очевидно, убрались от греха подальше и бегают по саду. Большой стеклянный столик, на который обычно кидают газеты, ключи и перчатки, перевернут. Пол усыпан осколками. На вешалке мирно висит черная сумка Аркадия. Представляю, как он примется ругаться, обнаружив, что забыл ее дома.

В столовой на огромном столе среди чашек и тарелок мирно спала кошка Клеопатра. Я согнала наглую киску и налила себе совершенно остывший кофе. Прямо перед глазами оказалась коробка с мюсли. Ее украшала идиллическая картинка: папа, мама, двое детей и бабушка, ласково улыбаясь друг другу, едят из мисочек смесь, которую Кеша называет сухим кормом для взрослых. Радостные, светящиеся лица... «Наши мюсли принесут вам хорошее настроение» — гласила надпись. Я вздохнула. Ну бывают же такие семьи, где дети послушны, а старики не капризны... Хорошо хоть у нас нет бабушек!

Базиля Корзинкина можно отыскать двумя путями. Побывать в семье покойного Никитина и порасспрашивать сотрудников гостиницы. Выбрав первое, я набрала телефон издательства «Свеча». Трубку сняла женщина.

— Издательство «Ворт» беспокоит, — объявила я.

— Слушаю, — не удивилась собеседница.

— Хотим прислать цветы и выразить соболезнование семье Алексея Ивановича, но не знаем адрес.

— Пишите, — коротко сообщила сотрудница, — Налимовское шоссе, дом 6.

Вот так, просто и быстро.

«Кто бы мог предположить, что издание книг — такое выгодное дело», — подумала я, разглядывая дом Никитина.

Впрочем, домом такой особняк не назовешь, он скорей тянул на замок. Три этажа из красного кирпича гордо возвышались у самой Кольцевой дороги. Сбоку пристройку украшала башенка с остроконечной крышей и узкими окошками-бойницами. «Стиль бешеной мавританки» — называл мой первый муж-художник подобную красоту. Представляю, сколько стоит его содержание. В воротах, естественно, торчала телекамера. Я нажала на звонок. Объектив повернулся в мою сторону, и тоненький детский голосок спросил:

— Кто там?

— Хочу поговорить с женой Алексея Ивановича, я из Парижа, близкая подруга Корзинкиных.

Ворота распахнулись, я въехала в безукоризненно ухоженный сад. Даже сейчас, поздней осенью, на дорожках не лежало ни одного листочка. Клумбы закрыты какой-то пленкой, кусты укутаны в черные мешки. Да, похоже, наш садовник зря получает деньги, к тому же он все время уверяет, что палую листву невозможно убрать до конца.

На пороге стояла тоненькая девочка, не ребенок, а шнурок какой-то. Но, вглядевшись, заметила скромный макияж, довольно крупные серьги и поняла, что ей никак не меньше двадцати. Никогда не встречала девушки с такой ангельской внешностью.

Огромные голубые глаза приветливо обозревали мое лицо. Чистый, прозрачный взгляд. У человека с такими глазами нет никаких постыдных тайн. Белокурые волосы ниспадали на плечи аккуратными волнами. Если такая прическа — всего лишь результат ловких рук парикмахера, она все равно вызывает зависть. Мои волосы, как ни старайся, так не лягут. Рот девушки красиво изгибался. «Лук Амура» — так называли подобную форму в девятнадцатом веке. И вся она такая маленькая, хрупкая, беззащитная...

— Я дочь Алексея Ивановича, — нежным дет-

ским голоском пропела девушка, — только сам
он здесь давно не живет.

Мы вошли в просторную гостиную, обстав-
ленную в суперсовременном стиле. Снежно-бе-
лые стены, черная мебель, ковер цвета угля и
пара довольно неплохих картин неизвестных мне
современных художников. Я бы не хотела жить в
такой комнате, но девушка чувствовала себя тут
абсолютно комфортно.

— Господин Никитин, — вздохнула дочь по-
гибшего, — ушел от нас с мамой к другой женщине.

— Но справочная дает ваш адрес...

Девушка улыбнулась.

— Он не оформлял развод, и охотно верю, что
по документам числится здесь.

— То есть не встречаетесь с ним и не в курсе
его дел?

— Абсолютно, — заверила девушка.

— А мама?

— Она сейчас в Карловых Варах, но, насколько знаю, никаких отношений родители не под-
держивают, а что случилось?

Вкратце изложив мою проблему, я поинтересовалась:

— Где же он живет?

— Жил, — совершенно спокойно поправила
дочь, — Алексей Иванович умер.

Я постаралась изобразить крайнее удивление.

— Может, сходить туда, где...

— Находится любовница? — без тени смуще-
ния спросила девушка. — Конечно, вдруг Лола
знает что-нибудь. Я же, увы, ничем не могу помочь.

Она вежливо проводила меня до машины. Ворота лязгнули. Такая приятная, хорошо воспитанная девушка, а мы даже не представились друг другу. Она не спросила мое имя, а я — ее. Надо же, живет, похоже, одна, в гигантском здании, просто как принцесса из сказки.

В окне башни показалась чья-то рука и замахала платком, так в средние века дамы провожали своих рыцарей. Я уселась в «Вольво». Нет, Кеша прав, у меня буйная фантазия. С чего взяла, что девчонка одинока? Скорей всего там полно народу — прислуга, родственники, друзья...

Я въехала в Москву и, устроившись в «Авто-Макдоналдс», принялась разглядывать полученную бумажку с адресом. «Лола, улица Габричевского, 18» — было написано на листке. У милой девушки оказался совершенно мужской почерк: четкий, твердый, без завитушек и крендельков. Лола! Интересно, как зовут даму на самом деле? Знавала я Зюку, чье имя в паспорте значилось — Татьяна, и Коку, которую родители назвали Светланой.

Но когда на пороге квартиры возникла хозяйка, стало понятно, что кличка Лола подходит ей чрезвычайно. В проеме двери стояла высокая статная брюнетка со смуглым лицом и кровавой помадой на губах. В огромных карих глазах не плескалось ни единой мысли. Так глядит на траву тучная корова.

— Чего надо? — неожиданно тонким, даже визгливым голосом спросила красавица.

Такому экземпляру по душе придется француженка, прибывшая из самого Парижа. Изобразив на лице сладкую улыбку, я мило прощебетала:

друга. Так же молча Соня встала и выглянула за дверь, потом поплотнее прикрыла створку и прошептала:

— Кто вы?

— Люба Гаврюшина, близкая родственница Лени, — усмехнулась я.

Госпожа Рогова дернулась и внимательно оглядела брючный костюм от «Диора» и туфли от «Гуччи».

— Что-то не слишком похоже, — пробормотала она, — хотите денег?

— Своих девать некуда, — утешила я ее.

Привыкшая решать все проблемы посредством кредитной карточки, госпожа Рогова слегка растерялась. За дверью послышался шорох. Софья Николаевна моментально заулыбалась и светским голосом произнесла:

— Музей современного искусства просто потрясающ!

— Божественен! — откликнулась я. — Но Сен-Дени более впечатляет!

Другая горничная, тоже молоденькая и хорошенькая, разлила по тонким фарфоровым чашкам ароматный напиток, потом выжидательно замерла.

— Идите, Марина, — бросила Соня, небрежно взмахивая рукой.

Девушка почтительно поклонилась и испарилась. Да, нам такое и не снилось. Интересно, как достигается подобное поведение. Огромной зарплатой, наверное.

— В Москве такая скука, — капризно протянула хозяйка, предостерегающе поднося ко рту палец, — сейчас покажу итальянские фото, вот уж где можно отлично развлекаться, так это в Риме!

Она порылась в антикварном секретере и вытащила роскошный альбом, я принялась перелистывать страницы. На колени упал листок: «Здесь нельзя разговаривать, слуги подслушивают».

— Как мило, — процедила я, быстро комкая бумажку, — но хотела пригласить тебя в гости. Знаешь, Базиль купил новый дом, маленький, правда, всего одиннадцать комнат, но уютный!

— Чудесно, — воскликнула Соня, и мы пошли в холл.

Эсфирь Григорьевна с деловым видом поправляла цветы в огромной напольной вазе.

— Вернусь к ужину, — бросила хозяйка, набрасывая кожаное пальто, подбитое мехом леопарда.

Мы выскочили на мокрый двор, Соня ринулась к «Мерседесу», я к «Вольво». Через секунду красный автомобиль рванулся к воротам и резво покатил по шоссе, я поехала за ним. Немного странная очередность, если учесть, что мы ехали в мой «новый» дом. Но, очевидно, Софья Николаевна знала, куда направляться, потому что весьма уверенно кружилась по почти деревенским улицам и проулкам, пока наконец не притормозила у театрально отделанной в стиле «рашен клюква» избушки. Из дверей выскочил парень, одетый под трактирного полового: синяя сатиновая косоворотка, черные плисовые брюки, белое полотенце за поясом. К такому костюму полагаются мягкие сапожки из сафьяна, но на мальчишке красовались самые обычные черные полуботинки. Зато густые волосы были щедро намаслены и разделялись посередине головы аккуратным пробором.

— Здравствуйте, здравствуйте, — радостно за кричал парнишка, — проходите, сделайте милость.

— Тут абсолютно надежно, — сообщила Соня, когда мы уселись за большим деревянным столом с пузатым самоваром. — Живу в гадюшнике. Слуги все как один муженьку наушничают, а он...

Она безнадежно махнула рукой. Неожиданно стало ее жаль. Сама я выбегала замуж четыре раза, но в конце концов твердо решила, что лучше жить одной. Некого бояться, не перед кем отчитываться, не надо выслушивать упреки...

Может, где-то по полям и лугам бродят настоящие мужчины: честные, умные, добрые, ласковые, понимающие, но мне такие не попались ни разу.

Выходя замуж, я всякий раз искренне считала, что иду под венец в последний раз. Никогда не искала себе выгодного, богатого супруга, и наличие денег у жениха не являлось решающим фактором. Наверное, мне всегда казалось, что абсолютная зависимость, пусть даже от любящего и любимого человека, чревата необратимыми последствиями. А вот Соня Рогова так не считала и теперь пожинает плоды своего легкомыслия.

— У меня жуткая жизнь, — жаловалась она «сестре» любовника, — просто живу в золотой клетке. Ни друзей, ни подруг, даже поговорить не с кем!

— Отчего же? — совершенно искренне удивилась я.

— С кем попало муж не разрешает водить-
ся, — по-детски сообщила Соня, — только с же-
нами его приятелей, а они дуры и пираньи.
Только и думают, как бы денег побольше из мужиков своих вытянуть. Мой Сергей не жадный,
баксы не считает, купить могу абсолютно все,
что пожелаю... Зато ревнив, как Отелло.

Очевидно, бедной бабе и впрямь не с кем пообщаться, раз вываливает все первой встречной.
К тому же глаза Сони лихорадочно блестели, а
крылья тонкого породистого носа нервно разду-
вались. Казалось, она не очень-то испугалась и
удивилась визиту посторонней женщины...

— Нанял Эсфирь Григорьевну, — жаловалась
Рогова, — просто сыщица. Все видит и слышит,
горничные тоже докладывают, стараются. И вы
еще явились, ну какого черта домой? Не могли,
что ли, у Лени встретиться? Денег за молчание
хотите, сколько? Брат ваш мне нравится, хороший мальчик, боюсь только, Сергей пронюхает.
Знаете, под каким предлогом уезжаю из дому?

Она еще сильнее задергала носом и рассмеялась.

— Учусь на живописца. И ведь как здорово
придумала! Наняла бабу безработную, одела под
себя, причесала... Та и бегает на занятия, жуткие
пейзажи малюет. Я их потом Сергею демонстри-
рую, очень хвалит...

Она принялась истерически хохотать, ухватила сумочку и пошла в туалет. Я осталась сидеть в
полном недоумении. Ну кем надо быть, чтобы
так разговаривать с незнакомым человеком? На
дуру вроде не похожа, так в чем же дело?

Госпожа Рогова вернулась спокойной и рассудительной. Нервное подергивание носом тоже исчезло.

— Итак, чего вы желаете? Денег?

Вот ведь какая страшная дама: абсолютно без памяти, да еще настроение меняется каждую секунду.

— Вы знаете Майю Колосову? — задала я встречный вопрос.

— Мышку? — удивленно переспросила банкирша. — Конечно, мы с ней в одном классе учились. Не повезло ей, бедной, живет просто в ужасающей нищите. Мы с Алькой ходили к ней на день рождения, так ушли просто в шоке...

«Что же ты не помогла подружке? — подумала я. — Оставила бы ей пару сотен баксов, небось пожалела?»

Софья Николаевна продолжала ужасаться.

— На столе, представляете, стоял салат из крабовых палочек, селедка с картошкой и жуткий торт с маргариновыми розами.

Вспомнив, с каким восторгом Майя описывала приготовленное угощение, я прервала Соню:

— Помните, куда отправили ее подрабатывать прислугой?

— Ну, — отозвалась дама, — к Никитиным, а что?

— Мне надо попасть к ним в дом и поговорить с хозяйкой.

Софья Николаевна перегнулась через стол, и ее умело накрашенное лицо оказалось прямо перед моим носом. Ноздри собеседницы вновь начали ходить ходуном, огромные, бездонные зрачки воткнулись в мои глаза.

— Странно все это, — протянула Соня, — очень странно...

Она задергала кончиком носа, и я заметила над верхней губой мельчайшие белые пылинки. Все разом встало на свои места. Рогова нюхала кокаин. Отсюда резкая смена настроения, немотивированная болтливость, сексуальная невоздержанность и истеричность. Интересно, ревнивый супруг в курсе?

— Зачем вам Ванда Никитина? — продолжала вопрошать Соня. — Если хотите у нее подработать, так берет только замужних.

Интересно, на мне что, стоит клеймо одинокой женщины?

— Майя Колосова тоже не имеет супруга, — напомнила я, — вы же сами подругу на учет в брачное агентство ставили, а ее наняли...

Рогова оглядела мои брильянтовые серьги, подарок Кеши на день рождения, и тихонько уточнила:

— Вы-то ведь не прислугой хотели пойти...

— Как же еще у Никитиных можно заработать, ну секретарем, компаньонкой, назовите как угодно, все равно суть одна — горничная.

Соня истерически захохотала.

— Так ничего не знаете? Господи, ну до чего смешно!

Подождав, пока она успокоится, я обиженно спросила:

— Чего не знаю?

Софья Николаевна опять впилась в мое лицо своими глазищами. Очевидно, у нее наступил самый кайф, потому что она выглядела расслабленной, довольной и какой-то сытой, хотя и не прикоснулась к аппетитному салату из курицы.

— Слушай внимательно, — перешла она со мной на «ты», — у Никитиных дома бардак, то есть бордель.

— В каком смысле?

— В прямом, публичный дом, только необычный...

Сонечка вытащила из золотого портсигара самодельную папироску, и характерный сладковатый дым поплыл над нашим столиком. Так, она еще и травку курит. Если и дальше станет продолжать в том же духе, скоро перейдет на колеса, сядет на иглу и просто не дождется вожделенного наследства от своего банкира! Но подобные мысли, очевидно, не приходили в голову Софье Николаевне, потому что дама блаженно глотала дым и окончательно растеклась.

Ванда, бывшая жена Алексея Никитина. Вернее, не бывшая, а брошенная. Алексей Иванович не развелся с ней, а просто ушел к другой бабе. Дочке и супружнице оставил роскошный особняк, машину, но денег не дал.

— Хватит с вас того, что имеете, — категорично заявил Никитин.

Не привыкшие ни в чем себе отказывать, избалованные дамы сначала впали в транс, потом Ванде пришла на ум весьма плодотворная мысль.

В огромном трехэтажном здании проживают всего три человека, не считая прислуги, конечно. Сама Ванда, ее дочь от первого брака Юля и семилетняя Риточка, плод супружеской жизни Никитиных. Места в особняке полным-полно, комнат без счета, коридоров и ванных немерено...

Ушлая Ванда знала, что многие жены «новых русских», супербогатых людей, страдают от двух вещей — невнимательности супругов и, как ни странно, безденежья. Чаще всего это молодые девушки, всяческие «misски», манекенщицы, неудавшиеся актрисочки, выскочившие замуж за мешок с долларами. Дурочки думали, что теперь смогут позволить себе все, и часто оказывались глубоко разочарованными. Мужья покупали им драгоценности, машины, шубы, селили в роскошных домах, но желанной наличности не давали. Скорей всего справедливо считали, что неразумные транжирки потратят сотни тысяч на глупости.

Вот и ездили красавицы на роскошных автомобилях, в эксклюзивных нарядах, но без копейки в эксклюзивных сумочках. При этом мужья, как правило, являлись с работы глубокой ночью и кулем валились в кровать, сжимая в кулаке сотовый телефон. Секс с любимой женой почти все воспринимали как ненужную докуку, что-то вроде гимнастики. Естественно, что никакой радости или удовольствия это дамам не приносило...

Бедные жены пытались заполнить бесконечные дни в меру способностей: кто прикладывался к бутылке, кто пытался завести любовников... Но иногда в некоторых домах появлялась Ванда, богато одетая дама неопределенного возраста. Распространяя удушливый аромат французской парфюмерии, Никитина предлагала крайне простой выход из создавшейся ситуации. Обалдевших от скуки девчонок приглашали к Никитиным. Одновременно, совершенно случайно, подъезжали импозантные мужчины, все как на подбор сановные и богатые. Приятный разговор в уютной, затемненной комнате с отличной выпивкой, тихая музыка... Заканчивалось все в соседнем помещении на удобной двуспальной кровати. В финале их ждал небольшой конвертик с шуршащими зелеными бумажками. Суммы, лежавшей внутри, как правило, хватало ненадолго, и вновь приходилось ехать к Никитиным.

Все действие происходило в атмосфере абсолютной тайны. Обслуживавшая прислуга подбиралась из глухонемых. Во всяком случае, горничные не умели разговаривать и объяснялись жестами. Охрана по большей части тоже молчала. Мужчин приглашали только из провинции, чтобы по Москве не пополз слушок. Клиентов хватало, в первопрестольную частенько наведывались мэры крупных российских городов, губернаторы и их замы, высшее военное руководство... Многие хранили номер сотового Ванды, передавали его друзьям и коллегам. Но Никитина совершенно не собиралась пускать к себе всех. Вход в особняк открывался только самым проверенным, богатым и чиновным.

Неверные жены никогда не встречались друг с другом, «сеансы» были расписаны, как в бане. Женщины крепко держали язык за зубами, предпочитая потихоньку зарабатывать на булавки. Многие из них до замужества вели более чем свободный образ жизни и теперь не испытывали угрызений совести.

— А вы откуда все это знаете? — поинтересовалась я.

— Так она меня к себе приглашала, — пояснила Соня, — долго убеждала, что бояться нечего, дескать, за столько лет ни один муж ничего не узнал, но я все равно отказалась. Сергей дает деньги без счета, и мне, слава богу, нет необходимости зарабатывать телом. Лучше уж сама любовника куплю, проще как-то...

Софья Николаевна наотрез отказалась стать «девушкой по вызову». Однако, побывав в гостях у нищей Майи, решила составить подружке протекцию и позвонила Ванде. А у той как раз свалилась с гриппом одна из горничных, вот Колосову и взяли на один день.

Рогова снова суетливо задвигала руками, схватила сумочку и побежала в туалет. Я без аппетита ковыряла вилкой салат. Интересное дело! Алексей Иванович Никитин был обнаружен мертвым в багажнике моей машины. Приехавший к нему для каких-то профессиональных дел Базиль исчез. А паспорт Корзинкина лежал в сумочке одной из фифочек, ублажающих мужиков. Дело за малым, определить, чей это был ридикюльчик, и порасспрашивать хозяйку.

Глава девятая

Домой я летела словно на крыльях, хотя устала, как молотобоец.

Вернувшаяся в очередной раз из туалета Соня, абсолютно не удивляясь, зачем «сестре» Гаврюшина понадобилось проникать в дом Ванды, позвонила Никитиным и моментально составила протекцию. Оказалось, для семилетней Риты ищут гувернантку со знанием языка, и я могу попытать счастья в роли воспитательницы.

— Наверное, нужны рекомендации, — задумчиво протянула я, соображая, кого из подруг можно попросить о подобной услуге.

— Ритка — просто катастрофа, — спокойно резюмировала Соня, захлопывая крышечку телефона, — раньше и правда от всех чуть ли не родословную до десятого колена требовали, нанимали только через агентство, да чтобы по двадцать рекомендаций, специальное образование, справка от врача... Только ни одна нянька там больше недели не продержалась... Сколько денег ни предлагают, все равно убегают в ужасе.

— Почему?

— Увидишь сама, — загадочно сообщила Соня. —Так что теперь согласны на любую кандидатку, лишь бы хоть немного с девкой посидела. В школу-то она не ходит!

— Отчего?

Соня захихикала:

— Из четырех выгнали, да чего рассказывать, сама поймешь. Ждут завтра к часу дня. Раньше не приезжай, там только в полдень завтракать садятся.

Выкурив еще один косячок, госпожа Рогова в превосходном настроении уселась за руль «Мерседеса» и благодушно сказала:

— Ну давай, если что надо, звони, рада помочь.

Взвизгнув тормозами, роскошная машина исчезла за поворотом. Я влезла в «Вольво». А ведь неплохая баба, только наркоманка. Недолго, наверное, ей осталось ходить в леопардовом пальто. Господину банкиру скоро надоест ее более чем свободный образ жизни. Думаю, что богатый Сергей Рогов в полном курсе развлечений своей женушки. Нужна она ему, наверное, для представительских целей, вот и не прогоняет, пока новую не нашел...

Следующие два часа я как ошпаренная носилась по всевозможным магазинам и бутикам, торгующим кожаными изделиями. Продавцы разглядывали сумку и качали головами. Такой товар не поступал. Наткнувшись в очередной раз на отказ, закурила и попыталась собрать мысли в кучку. Может, ее привезли из-за границы? Во всяком случае, надежда на то, что дама, прикупившая ридикюль, является постоянной посетительницей какого-нибудь «шопа», лопнула. Значит, все же придется ехать к Никитиным.

Утро прошло в мучительных раздумьях: как должна выглядеть гувернантка? До сих пор мне не приходилось сталкиваться с представителями этой профессии. И еще — ведь приезжала уже один раз к Никитиным и беседовала со старшей дочерью Ванды. Мы тогда не представились друг другу, но девушка могла меня запомнить, значит, следовало максимально изменить внешний облик.

После долгих колебаний выбрала костюм от «Шанель». Дорогая, но очень просто сшитая вещь, абсолютная классика — узкая юбка, прикрывающая колени, и пиджак с костяными пуговицами, вниз надела неброскую блузку и осталась довольна результатом. Этакая дама неопределенного возраста.

Теперь займемся лицом, но для этого нужно заглянуть к Зайке — у нее полно всяких прибамбасов...

Ольга рано утром уехала в институт, а Аркадий, очевидно, на работе, поэтому, абсолютно не таясь, я влезла в их ванную комнату. Полочки, как всегда, ломились от пузырьков, флакончиков, баночек... Я принялась разглядывать ассортимент. Накладные ногти, парики, карандаши, маскирующие дефекты кожи, тональные пудры всех оттенков, автозагар, искусственные ресницы, цветные линзы, лифчики, увеличивающие бюст; штанишки, утягивающие попу; тушь для волос и глаз; разнообразные помады...

Нет, наверное, мужчины правильно делают, что не ходят с женщинами в магазины, иначе все их иллюзии разом бы лопнули. И ногти, и волосы, и даже цвет глаз могут оказаться в оригинале совсем другими... Вспомнилось, как много лет тому назад маленький Кеша гостил на даче у Полянских. Очередная жена Макса только что закончила постирушку и развесила на веревках красивое нижнее белье. Сынишка ткнул пальцем в кружевной бюстгальтер на поролоне и бесхитростно поинтересовался:

— Почему у тети Жени такие странные лифчики?

— Это для того, чтобы грудь казалась больше, чем она есть на самом деле!

— Какое безобразие! — пришел в негодование честный ребенок. — А Макс знает, что жена его обманывает?

Прихихикивая от этого воспоминания, я примерила паричок темно-каштанового цвета, представляющий из себя слегка растрепанный пучок. Лицо моментально стало круглым. В глаза вставила линзы цвета шоколада и почти не узнала себя в зеркале. Просто великолепно, теперь намажемся темным тоном, выберем перламутровую помаду... Результат превзошел все ожидания. Весело насвистывая, я пошла вниз и у входной двери налетела на Банди и Снапа, мирно устроившихся на креслах в холле.

Я начала гладить шелковые морды, но тут распахнулась дверь и вошел Кеша. Увидав происходящее, он моментально сказал:

— Не бойтесь, собачки не кусаются, просто лают, когда видят незнакомых. Вы к кому?

Я растерянно молчала. Надо же, он, оказывается, возился в гараже...

Кеша в нетерпении повторил:

— Вы кто?

— Ты меня не узнал?

Сын подскочил на месте.

— Мать?! Что за идиотский маскарад?

— Вот, решила слегка сменить имидж, — пробормотала я, бегом кидаясь во двор, — извини, жутко опаздываю на работу.

— На какую работу? — взревел за спиной Кешка, но я уже влетела в гараж и со всей возможной скоростью принялась заводить «Вольво».

На самом деле спешила, потому что до визита к Никитиным нужно было еще заехать в магазин «Ваша безопасность».

Милый продавец, очевидно ровесник Кеши, спокойно выслушал проблему и, ничуть не удивляясь, уточнил:

— Хотите проследить за мужем?

Я радостно закивала. Следующие полчаса мальчишка показывал всевозможные приспособления. Чего там только не было: фотоаппараты и даже видеокамеры, выполненные в виде пуговиц, часов, перстней и портсигаров... Разнообразные «жучки», как записывающие разговоры, так и передающие их на довольно большое расстояние... Работа шпиона или шантажиста теперь упростилась до безобразия. Ставишь в комнате абсолютно невинного вида вазочку, а на следующий день забираешь записанную пленку. Дело за малым — незаметно проникнуть в нужное помещение...

Двор Никитиных вновь радовал глаз патологической ухоженностью, а в дверях опять возникла худенькая девушка. Однако голос ее звучал надменно: так разговаривает человек, привыкший, что ему безоговорочно подчиняются. К тому же девица освоила фокус, которым давно пользуются хитрые руководители, — говорила еле слышным шепотом, и приходилось изо всех сил напрягать слух, чтобы уловить фразы.

— Вас прислала Софья Николаевна Рогова?

— Да.

— Хорошо, — констатировала девица и представилась: — Юлия Матвеевна.

На мой взгляд, она совершенно не тянула на «Матвеевну», но не говорить же это «хозяйке». В ответ я сообщила:

— Любовь Павловна Бодрова.

— Прекрасно, значит, слушайте, Любочка, — приказала наглая девчонка, опуская отчество и давая этим понять, кто есть кто, — надеюсь, вы у нас проработаете хотя бы месяц. Рита очень избалована, с ней следует обращаться построже. А сейчас идите на второй этаж, девочка у себя в комнате. Лена проводит.

На зов явилась молодая горничная в синем

форменном платье и повела наверх. По дороге девушка сочувственно вздохнула и шепнула:

— Если уж очень доставать начнет, заприте в кладовую на время.

— Думаю, родители не одобрят меня за такие методы воспитания...

— Ванды сейчас нет, а Юля ее терпеть не может, — пожала плечами Лена. — Рита боится только силы. Слава богу, я с ней постоянно не сталкиваюсь, но того, что вижу, вполне достаточно.

Она отворила дверь и громко произнесла:

— Маргарита Алексеевна, к вам новая гувернантка.

— Я сплю, еще рано, — донеслось из темной комнаты, — пусть на кухне подождет.

Лена выжидательно глянула на меня, я шагнула внутрь. Глаза не сразу привыкли к полумраку, но постепенно стала различать меблировку. В огромном — метров сорок — помещении повсюду валялись игрушки. Возле одного из окон большой письменный стол с компьютером, в правом углу телевизор с видиком, в левом музыкальный центр. Одна из стен полностью занята шкафами, очевидно сделанными на заказ; у другой стоит невероятных размеров кровать под розовым балдахином, штук пять кресел, два дивана, стулья. Пол закрыт пушистым ковром, окна занавешены тяжелыми портьерами. Я подошла к одному из них и отдернула занавеску. Серенький ноябрьский свет проник в детскую. Куча одеял вяло зашевелилась, и из-под нее донесся капризный голосок:

— Какого черта! Говорила же, что сплю. Пошла вон немедленно!

Не обращая внимания на хамские речи, я выглянула в окно. Дом стоял буквой «п». Два крыла и серединная часть плюс дурацкая башенка. Скорей всего в здании чертова уйма комнат, комнатушек и темных уголков. Мне же надо найти помещение, в котором проходят тайные свидания, и оставить замаскированный фотоаппарат, только так можно вычислить хозяйку сумки...

— Эй, ты, — раздался за спиной противный детский писк, — чего застыла, поди сюда.

Я обернулась. Рита сидела на кровати, абсолютно голая, спустив ноги. Девочка явно крупновата для семи лет, но мордашка хорошенькая и волосы красивые — густые, вьющиеся.

— Ну же, — закричала воспитанница, — давай одевай меня! Или думаешь, я так весь день сидеть стану?

— Это как тебе захочется, — мирно ответила я.

— Хватит, — завопила девчонка, — тащи белье...

— Где у вас дают кофе? — спросила я.

— Тебе на кухне, а мне в столовой, — неожиданно мирно ответила Рита.

— Пойду горяченького хлебну, — сообщила я.

— Что? — изумилась капризница. — Да как ты смеешь уйти и бросить меня тут голую, ведь замерзну!

— Залезь под одеяло, — посоветовала я и двинулась к двери.

Рита зарычала от злости и швырнула в меня подушкой. Но довольно тяжелый мешочек, набитый пухом, не долетел до цели и шлепнулся посередине детской. Я аккуратно подобрала спальную принадлежность, походя отметив, что кружевная шелковая наволочка великолепного качества, и с силой метнула ее назад. Подушка угодила противной девчонке прямо в лоб. От неожиданности Рита упала на спину.

Я, благополучно поплутав по коридорам, нашла кухню. У большого стола сидели две женщины и мирно пили чай. Увидев непрошеную гостью, они насторожились, и я поспешила их успокоить:

— Давайте познакомимся. Люба, новая гувернантка.

— Остается только вам посочувствовать, — вздохнула более пожилая и полная, — присаживайтесь, я — повар, зовут Настей, а это горничная Вера. Хотите чайку?

Я радостно согласилась, и приветливые женщины начали вводить новенькую в курс дела.

Дом поделен на две половины. Одна принадлежит Ванде и Рите, другая — Юле. У женщин разная прислуга. Ванда набрала себе самых обычных женщин, а Юля — глухонемых.

— Прямо оторопь берет, — делилась Вера, — ходят, как тени, вы не пугайтесь, если встретите, да они, впрочем, сюда не заглядывают, а нас на другую половину охрана не пускает.

— Почему? — изумилась я.

— Из-за коллекции, — серьезно пояснила Настя. — Юлин отец оставил собрание старинных статуэток, бешеных денег стоит, вот и боятся, что кто-нибудь украдет. Мы ведь приходящие, возьмем и убежим...

— Трудно, наверное, работать в таком доме...

— И не говорите, — махнула рукой Вера, —

одно радует — ровно в шесть все по домам расходимся, ни разу не задержали, и зарплата, конечно, потрясающая. За такие деньги на все согласишься, хотя вот няньки не выдерживают. Рита такой фрукт!

Не успела она договорить фразу, как в кухню влетела моя подопечная. Девочка все-таки решила не тосковать в одиночестве на кровати, а одеться самостоятельно.

— Да как ты посмела, — завизжала она с порога, — тебя наняли, чтоб все мои прихоти исполняла.

— Красивый у вас сад, — обратилась я к Насте, проигнорировав вопли.

— Летом вообще чудо, — ответила та.

Обозленная до крайности, Рита подлетела ко мне и дернула за руку. Чашка с чаем опрокинулась. Я взяла со стола бутылку с минеральной водой, медленно открутила белую пробочку и меланхолично вылила жидкость на темечко малолетней истерички. От неожиданности Рита заорала, а Настя с Верой отвернули довольные лица к окну.

— Сейчас же пойду к Юле и велю, чтобы тебя выгнали, — зарыдала мокрая Риточка.

— Сделай милость, только побыстрей, не задерживайся нигде по дороге, — велела я.

Побежавшая было к двери девчонка притормозила и спросила:

— Ты не боишься?

— Наоборот, только обрадуюсь!

— Интересно знать почему? — осведомилась нахалка.

— Да очень просто, — объяснила я, — мне

уже заплатили за три месяца вперед, и, если уйду раньше, только выиграю!

Маленькая мерзавка остановилась и, потряхивая мокрыми волосами, протянула:

— Могу простудиться, кофта сырая...

— Пойди переоденься.

— Есть хочу!!!

— Садись к столу, попроси Настю налить тебе чай.

— Я что, прислуга, на кухне есть? Мне подают в столовую.

— Прекрасно, отправляйся туда и попроси завтрак.

— Я никогда не прошу, я приказываю, вы тут за это деньги получаете.

— Сколько платишь в месяц Насте?

— Не знаю, — слегка растерялась Рита, — мама дает, но много, мы дешевым не пользуемся.

— Значит, мама и будет приказывать, а ты — просить!

— Три ха-ха-ха, — сообщила негодница, — больно надо, сама возьму...

И она, подскочив к огромному холодильнику, вытащила баночку «Виолы», затем достала батон и сунула мне нож.

— Отрежь!

— Сама режь!

— Не умею.

— Ходи голодная или попроси по-человечески.

— Не пошла бы ты на хрен, — заявило милое создание и, неумело орудуя тесаком, принялось уродовать белую булку.

Мягкий мякиш проминался, и ломтик никак не хотел отрезаться. Неумеха поднажала, по кухне разнесся дикий вой. Произошло неизбежное: нож, соскользнув, обрезал палец.

— Ай-ай-ай, — вопила Рита, — ай, как больно...

Я подождала, когда крещендо смолкло, и попросила:

— Потряси рукой.

— Зачем? — оторопела девочка.

— Сделай милость, потряси!

Рита послушно помахала кистью.

— Ну и что?

— Если палец сейчас отвалится, то плохо, а так — ерунда, зальем йодом и забудем.

— Не хочу йодом, щипать будет, — затопала ногами Рита.

— Не надо, — тут же согласилась я и мирно налила себе еще чашечку изумительного чая.

Настя и Вера, затаив дыхание, следили за разворачивающейся баталией.

— И ты не станешь настаивать? — неожиданно мирно спросила Рита.

— Нет, твой палец — тебе и решать, хочешь, чтобы нарывал и гнил, пожалуйста, кто бы спорил, но не я.

Мы продолжали прихлебывать ароматный напиток. Риточка притихла. Для нее, привыкшей, что няньки и гувернантки, боясь потерять место, со всех ног кидаются выполнять любые ее прихоти, такое поведение оказалось явно в новинку.

В конце концов девчонка пробормотала:

— Наверное, и правда надо помазать.

Я сделала вид, что не слышу.

— Ты оглохла? — взвизгнула воспитанница. — Мажь немедленно!

Я сидела, как сфинкс.

— Не слышишь?!

— Никогда не слышу, когда не говорят «пожалуйста».

Рита обиженно засопела. Наконец в ее капризной голове что-то щелкнуло, и она протянула:

— Ладно, если так хочется, пожалуйста, помажь рану.

Это была первая победа, следующие дались легче.

Перед обедом мы вышли в сад и погуляли вокруг дома. Юле принадлежало левое крыло, и в его задней части имелась дверь. Прямо от нее вела асфальтированная дорожка к небольшой калитке.

Я подошла к забору. С той стороны удобная парковочная площадка. Да, здорово придумано. «Гейши» и гости могут совершенно спокойно проникать в здание незамеченными.

— Пойдем, — дернула меня Рита, — Юлька ругается, когда здесь стоят.

— Почему?

— Она у нас ненормальная, — пояснила девочка, — все от кого-то прячется, кругом охранников понаставила. Самой дома целыми днями нет, а секьюрити дежурят...

— Никого к ней не пускают небось!

— Меня запросто, — гордо сообщила Рита, — но только до шести часов.

— Вот уж не думала, что тебе можно что-то запретить, — усмехнулась я.

— Никто и не запрещает, — пояснила Рита, — просто в 18.00 меня отвозят на занятия в психологический центр. А домой возвращаюсь только к одиннадцати. У Юльки по вечерам гости, там неинтересно, все о политике говорят. Хочешь, покажу ее половину?

— Нас не заругают?

— Мама в Карловых Варах, Юлька уехала, сейчас я здесь хозяйка, — гордо отрезала Рита.

Я нащупала в кармане фигурку таксы и сказала:

— Пошли.

Рита подошла к задней двери и позвонила. Звонка я не услышала, но нам моментально открыли.

Глава десятая

Домой попала только к восьми часам. Ровно в 18.00 Риту увезли в психологический центр и гувернантке велели отправляться домой. Я вышла из ворот и пошла по направлению к шоссе, пройдя метров триста, завернула за угол и хотела было понаблюдать за задней калиткой, но вовремя заметила спрятанную в ветвях дерева видеокамеру. Пришлось сделать вид, что просто пытаюсь поймать такси.

«Вольво» ради конспирации оставила дома, в гараже.

«Ну ничего, — утешала я себя, — зато как ловко поставила фотоаппарат!»

Что верно, то верно. Риточка протащила меня по всем комнатам, принадлежащим старшей сестре. Их оказалось на самом деле не так и много — всего пять, не считая кухни.

Юля занимала три. Для меня наибольший интерес представляли помещения для гостей — гостиная и комната с огромной двуспальной кроватью и ванной.

— Наверное, часто у Юлии Матвеевны бывают гости? — спросила я Риту.

— Не знаю, — отмахнулась девочка, — честно говоря, она меня терпеть не может, а я ее. У нас только мама общая, а отцы разные. Мой — Алексей Иванович, богатый человек, это он все купил и построил, а Юлькин — голодранец, вечно у Ванды деньги выклянчивает, до сих пор шляется...

— А твой папа где? — задала я провокационный вопрос, разглядывая роскошные покрывала на кровати в «гостевой» спальне.

— Его убили партнеры по бизнесу, — спокойно пояснил ребенок, — но отец все равно успел деньги спрятать, мы их и проживаем.

«Удивительное бездушие для семилетней девочки», — подумала я, незаметно ставя фигурку таксы на комод. Там уже теснились похожие изделия — пастушок с пастушкой, несколько фарфоровых коров и коз, такса пришлась как нельзя кстати. Не удалось мне заглянуть только в башенку.

— Что здесь? — спросила я, указывая пальцем на маленькую дверку в самом углу лестницы.

— Ерунда, — ответила Риточка и дернула ручку, — опять Юлька заперла, вот ненормальная, все кого-то боится... Там такая малюсенькая комнатенка, в ней держат постельное белье, ничего интересного. Да там вдвоем-то и не поместиться.

«Ясно, — подумала я, вспомнив болтавшуюся из окна белую тряпку, — прислуга вытряхивала наволочку».

— А где Юлина знаменитая коллекция?

Рита хихикнула.

— Нет никакой коллекции. Юлечка у нас психопатка, ненормальная, никого сюда из слуг не пускает, только своих, глухонемых. Вот мама и придумала про коллекцию, чтобы горничные не сплетничали о Юлькиной дурости. А так всем ясно: не пускают, потому что боятся воров.

Дома опять толклись дети, Манюня, похоже, решила обучать математике весь колледж, но сегодня эти милые, хорошо воспитанные ребята только радовали. Интересно, откуда берутся такие дети, как Рита? Ни Маруся, ни Аркадий ни при каких условиях не стали бы так разговаривать с людьми. Впрочем, не стану воспитывать гадкую девчонку, мне нужны только фотографии...

Но пленку удалось выручить лишь через три дня. Просто голову сломала, думая, как снова попасть в «гостевую» комнату. В конце концов предложила Рите:

— Давай поиграем в интересную игру. Рассказываю тебе приметы какого-нибудь предмета, а ты бегаешь по дому и ищешь его.

— Давай! — радостно взвизгнула Рита.

Несмотря на обилие игрушек, компьютер и прочие штуки, девочка совершенно не умела себя занять и маялась от скуки, приставая к горничным и охранникам.

— Большая, красная, в белый горошек, стоит на кухне!

Риточка унеслась и довольно быстро приволокла банку для муки.

— Прекрасно, теперь плоское, серое, находится в столовой!

С боевым кличем Рита бросилась вниз и минут через пять вернулась с подносом.

— Ладно, — протянула я, — вижу, задание оказалось слишком легким, теперь слушай внимательно, задача усложняется. Это находится на Юлиной половине, в одной из комнат для гостей, рыжее, с четырьмя ногами, маленькое, на шее ошейник!

Подпрыгивая на ходу, бедный обманутый ребенок ринулся опрометью в другое крыло. На этот раз девочка отсутствовала довольно долго. Через полчаса я стала волноваться, вдруг охрана нашла фотоаппарат... Но тут послышался довольный смех, и растрепанная воспитанница внеслась в детскую, сжимая в кулачке таксу.

— Чудесненько, — велела я, — теперь нужно вернуть вещи на место.

— Вот еще, — дернула плечом Риточка, — горничная на что?

Но мне все же удалось убедить ее оттащить хотя бы банку из-под муки. Пока девчонка бегала на кухню, я быстренько запихнула принесенную фигурку в сумку, а на ее место водрузила точно такую же, купленную в самом обычном магазине. Оставалось только дождаться вечера.

Время, как назло, тянулось томительно, так и хотелось подтолкнуть стрелки на часах — казалось, они замерли на месте.

Наконец со двора послышалось бибиканье, шофер вызывал Риту. Тихо радуясь, что рабочий день окончен, я свела девочку вниз. Внезапно Риточка повернулась ко мне и сказала:

— Садись, довезу до метро, тут такси не поймать, будешь пешком пять километров плюхать.

Удивленная такой заботой, я влезла в обитый кожей салон и преспокойненько добралась до подземки.

Продавец из магазина «Ваша безопасность» сказал, что я смогу проявить у них пленку. Парнишка взял таксу и пообещал отдать через час готовые снимки. Нетерпение оказалось так велико, что я никуда не пошла, а просидела все это время в кресле возле двери в лабораторию. Наконец пухлый конверт в руках. С трудом сдерживая любопытство, я понеслась в Ложкино.

Сделать у нас дома что-нибудь тайно просто невозможно. Не успела я потихоньку приоткрыть дверь, как с оглушительным лаем вылетел Банди.

— Тише, тише, милый, — зашептала я, бегом кидаясь к лестнице.

Тот примолк, зато разозлился ротвейлер.

— Замолчи, Снап, — велела я, быстренько стягивая паричок.

Пес, проследовавший вместе со мной в спальню, разинув пасть, наблюдал за моими превращениями. Умывшись, плюхнулась на кровать и разложила перед собой фото. Всего их было двадцать четыре, и восемь запечатлели пустую комнату. У волшебного фотоаппарата был один весьма существенный изъян. Он срабатывал согласно заданной программе, не особо задумываясь, что находится перед объективом...

Есть такие специальные будильники для кормящих матерей. Заводишь только раз в сутки, а он исправно звенит через каждые три часа, напоминая о кормлении. Фотоаппарат работал по такому же принципу. Можно было выбрать режим съемки, и я поставила на последнее деление. Раз в час такса, тихо мигая глазом, запечатлевала на пленке происходящее. Восемь раз она сработала зря, зато остальные... Просто эротические фото! Кое-где тела, сплетенные на кровати, но десять снимков представляли особую ценность. На одном из них я с огромным удивлением узнала депутата Заокского, не устававшего кричать о моральной и нравственной деградации общества. Только в этот раз он был без пиджака и галстука, если уж на то пошло, на нем вообще не было никакой одежды, а на его коленях сидела молодая обнаженная девушка с удивительно красивым лицом. Женщина мило улыбалась прямо в объектив, и цветная пленка отлично воспроизвела огромные зеленые глаза, каштановые волосы, красиво изогнутый рот и милую ямочку на правой щеке. Безупречной формы шея и грудь свидетельствовали о том, что красавице не больше двадцати пяти. Такой свежей кожи не бывает у тридцатилетних, даже если они будут с утра до ночи обмазываться самыми дорогими кремами. Подобным нежным свечением тела обладают только очень молодые женщины. Даже Зайка уже утратила эту особенность.

Другая дама была намного старше, и внешность кавалера мне незнакома — полный, лысоватый, с кривыми волосатыми ногами. Впрочем, волосы росли по всему тучному телу, и я передернулась. Очень противно выглядит, просто урод, и явно «лицо кавказской национальности». Дама же блондинка, уже слегка увядающая, но сохранившая изумительную фигуру. Скорей всего тут не обошлось без подтяжек и дорогого косметолога. Возраст в таком случае определить трудно — может быть, тридцать, а может, и около пятидесяти. Кавалер курил на краю постели, партнерша вытянулась во весь рост на одеяле, демонстрируя безупречную форму длинных ног...

При виде третьей «гейши» я чуть не свалилась с кровати. Повернувшись вполоборота, абсолютно одетая, даже в элегантной красной шляпке, передо мной стояла... Лола, любовница убитого Алексея Ивановича Никитина.

Ничего себе порядочки в милом семействе! Муж уходит из дома, а жена не теряется и нанимает свою заместительницу в качестве платной партнерши.

Еще раз перебрав снимки, решила поехать завтра к Майе Колосовой. Покажу женщине фото и спрошу, не этих ли дам она обслуживала.

Ноябрь разбушевался не на шутку. Когда около одиннадцати утра запарковалась у дома Колосовой, на улице стояла темень, почти как ночью. Над Москвой повисло низкое серое небо, из мрачных туч сыпался мелкий снег.

Не успела вылезти из «Вольво», как запел телефон.

— Дашенька, — плакала в трубку Сюзетта, на этот раз она почему-то решила объясняться по-русски. — Господи, несчастье какое!

— Что случилось? — испугалась я, сразу вспомнив, что паспорт Корзинкина у меня в сумочке.

— Базиль сошел с ума! — рыдала Сюзи. — Просто окончательно. Конечно, слышала, что у мужиков в пятьдесят случаются сдвиги, но думала, с нами такого не произойдет!

— Объясни по-человечески, — разозлилась я.

Всхлипывая и сморкаясь, Сюзи принялась излагать новости. Сегодня рано утром пришло письмо из Москвы. Корзинкин очень вежливо сообщал жене, что разлюбил ее и намерен остаться на какое-то время в России. Здесь он встретил другую, молодую и прекрасную. Через несколько месяцев вернется в Париж и займется разводом, а пока просит не волноваться и не искать его. Он живет у дамы сердца и окончательно счастлив.

Сюзи просто задыхалась от отчаяния.

— Господи, столько лет вместе, ну что ему в голову ударило?

По мне, так ему ударило не в голову, а намного ниже. Слышала от своих подруг, какие фортели выделывают вполне положительные супруги в предпенсионном возрасте. В погоне за уходящей молодостью пускаются во всевозможные авантюры. Как правило, подобное поведение заканчивается для безобразников инфарктом или разводом с женой. Может, я бы и поверила, что Корзинкин тоже решил попастись на свободе, но вот как он без паспорта обходится?!

Сюзи продолжала плакать.

— Так и знала, что деньги эти до добра не доведут, ну разве нам мало было того, что имели? Нет, захотел больше, поехал, и вот результат. Он просто с ума сошел! Какая любовь с его простатитом и остеохондрозом?

— Погоди, — прервала я поток причитаний, — при чем тут деньги?

Сюзетта примолкла, сообразив, что сказала лишнее, но я уже вцепилась в нее, как терьер.

— Интересное дело: просишь меня найти Базиля и утаиваешь информацию. Как дура, высунув язык, бегаю по Москве в поисках твоего благоверного... Ну-ка рассказывай по-быстрому, зачем муженек прибыл в Москву — или сама его разыскивай.

Сюзи горестно всхлипнула. С моей стороны, конечно, нехорошо так с ней разговаривать. У бедняжки жуткий артрит. Весной и осенью гадкая болячка обостряется, и несчастная Сюзетта скорей всего сейчас передвигается по дому при помощи двух палок. На улицу в сырую погоду она и высунуться не рискует. Какие уж тут путешествия в Россию.

Помедлив немножко, Сюзетта решила все же рассказать правду.

Базиль и впрямь вел дела в Москве. У него здесь несколько партнеров. Бизнес шел не слишком оживленно, Корзинкин издавал не очень известных авторов, но издательское дело для него — просто хобби. И у Базиля, и у Сюзетты достаточно средств, полученных от родителей в наследство, чтобы жить, вообще не работая. Но Корзинкин по натуре деятельный человек, праздное существование не для него, вот и баловался книжками.

Но в последнее время, к громадному удивлению Сюзи, милое хобби стало приносить просто потрясающий доход. Началось это после того, как Базиль свел знакомство с Никитиным.

— У Алексея крупнейшая фирма в Москве, — кричала Сюзи, — огромное издательство, свой книгопечатный комбинат...

Правда, теперь Корзинкину приходилось гонять в Россию чуть ли не раз в месяц, но все неприятности и сложности окупались просто баснословными деньгами.

— А тут еще дурацкая идея с кладом! Базиль так загорелся!

— Какой клад? — Я окончательно перестала что-либо соображать.

— Помнишь отца Базиля?

Разве можно забыть этого старика! Николай Корзинкин дожил до ста двух лет и приходился Базилю не отцом, а дедом. С отцом вышла какая-то темная история. Вроде бы дочка Николая родила ребенка сразу после свадьбы, а молодой муж скончался при странных обстоятельствах. Я никогда, естественно, его не видела, знала только, что звали его Андрей Обнорский. Он был тоже из семьи русских эмигрантов и, как злопыхал иногда дедушка, не имел ни гроша. Умер молодым, едва двадцать исполнилось. Мать Базиля тоже скончалась рано, и мальчишку воспитывал дед. Он усыновил его и завещал ему все имущество.

Конечно, Николай был редким человеком и жизнь прожил полную приключений. Авантюрист по натуре, он постоянно во что-то ввязывался, но в отличие от большинства искателей приключений всегда оставался в выигрыше.

В 1918 году двадцатилетний Коля, как уже было упомянуто, благополучно добирается до Парижа, имея при себе фамильные драгоценности и собачку Фоку. Согласитесь, такое удавалось далеко не всем. Ровно через год в него влюбляется сорокалетняя Аманда Рашель и делает мальчика своим любовником. Аманда ввела юношу в свет и перезнакомила со всей элитой — хозяевами крупных банков, богатыми землевладельцами, промышленными магнатами. Связь длилась вплоть до смерти Аманды в 1941 году.

Во время Второй мировой войны Николай самый активный участник Сопротивления. Руководил отрядом французских партизан — маки.

За его голову немцы назначили огромную награду, но никто из друзей не выдал Николя. Корзинкин был любимцем генерала де Голля, оказывавшего ему всемерное покровительство. В 1951-м, в возрасте пятидесяти четырех лет, он стал дедом. Внука обожал до беспамятства. Дочь родилась у него в тридцать первом не от Аманды, а от законной жены, и, честно говоря, Николай не слишком любил девочку. Наверное, потому, что Аманда велела ему приличия ради жениться в 1930-м на Наталье Водовозовой. Николай послушался приказа, но супругу никогда не любил, только содержал ее и дочь. Смерть жены мало тронула мужика, а кончина Аманды подействовала так сильно, что он даже на время покинул Париж. Дочь подрастала в стороне от отца, а вот от внука мужик просто обезумел. Заменил ему отца и мать, лично водил в школу и никогда не расставался с ребенком.

Скончался Николай этим летом на руках Базиля. И теперь выясняется, что перед смертью дед открыл внуку тайну. Когда в восемнадцатом году Корзинкин бежал из России, он прихватил с собой наиболее ценные камни, но отнюдь не всё, чем обладала богатая семья. Отца и мать Николая еще в семнадцатом году убили крестьяне, разгромившие усадьбу. Коля же в это время был в Москве. Понимая, что всего богатства не увезти, спрятал часть драгоценностей. И вот перед кончиной сообщил внуку, где находится заветная шкатулочка.

— Думал, сам поеду и привезу тебе, да, видно, не судьба, — вздыхал дед.

— Небось все давным-давно пропало, — протянул Базиль.

— Не должно, — категорично заявил старик, — отлично захоронено.

Вот Базиль и отправился за кладом.

— Где тайник? — спросила я.

Сюзи примолкла.

— Ну! — поторопила я ее.

— Деревня Горловка в сорока километрах от Москвы. Там на окраине кладбище. Нужно найти могилу младенца Земцова. В изголовье стоит камень, если повернуть его — откроется ниша, внутри сундучок.

— Ладно, — решительно сообщила я, — проверю. А имя своей пассии тебе Базиль написал? Может, телефон дал или адрес, как с ней связаться?

— Ничего, — опять зарыдала Сюзи, — просто сообщил в конце письма: «Если будешь нужна, позвоню». Дашенька, милая, найди этого дурака, умоляю...

— Хорошо, хорошо, — начала я, и тут связь прервалась.

Мало какой телефон выдержит такое количество разговоров, к тому же вчера снова забыла сунуть мобильник в зарядное устройство, и сейчас у меня в руках просто бесполезный кусок пластмассы.

Пытаясь успокоить гудящую голову, я закурила. Интересное дело, зачем Базиль обманывал Сюзи? А он ей врал. Маловероятно, что Корзинкин ни разу не был в фирме Никитина. Видела я это «преуспевающее» предприятие. Одна малюсенькая комнатенка и плохо одетая сотрудница. Если партнеры и впрямь делали огромные деньги, то их источник находился отнюдь не в издательстве «Свеча». А где? Что за бизнес у Никитина и Корзинкина? Покойный Алексей Иванович, судя по замку с башней, отнюдь не нуждался. Базиль, по словам Сюзи, загребал огромные барыши. Такую прибыль не получишь, публикуя книги малоизвестных авторов. Так где пропал Базиль? Нашел ли он клад? Почему его паспорт оказался в дамской сумке? Какую любовницу завел Корзинкин? И в чем причина смерти Никитина? И, наконец, интересно было бы узнать, каким образом тело издателя попало в багажник моей машины?

Помусолив в уме вопросы и не найдя ни на один из них ответа, я вздохнула. Пойду к Майе, покажу снимки, а там решу, как действовать дальше.

Дверь никто не открывал. Странное дело, может, она устроилась на работу? На всякий случай позвонила еще раз и услышала тихий шорох. В квартире кто-то был, но этот кто-то совершенно не собирался меня впускать. Шорох усилился, потом донеслось царапанье и собачий вой. Значит, все-таки никого, просто плачет брошенная в одиночестве собака.

— Звоните сильней, — послышался приветливый голос.

Дверь соседней квартиры распахнулась, на

пороге улыбалась милая старушка. Помнится, Майя говорила, что бабуля находится в маразме. Правда, внешне не похоже: одета аккуратно, хорошо причесана и разговаривает вполне нормально.

— Ждите, ждите, дорогая, — советовала бабушка, — Майечка на балконе сидит, небось не слышит!

— На балконе? — изумилась я. — В такую мерзкую погоду?

— Сама удивляюсь, — миролюбиво откликнулась бабушка, — и как только не замерзнет, в одном халатике со вчерашнего дня...

— Можно посмотреть? — спросила я, полная самых дурных предчувствий.

— Конечно, душечка, заходите, — пригласила бабушка.

Я зашла в чистенькую прихожую.

— Сюда, сюда, — приветливо приговаривала хозяйка.

Мы оказались в довольно просторной кухне, и бабуля открыла балконную дверь.

Ледяной ветер ворвался внутрь, я вышла на лоджию и увидела балкон соседней квартиры. В дальнем углу на стуле, абсолютно прямо, словно проглотив палку, сидела Колосова. На женщине был надет легкий ситцевый халат, голова упала на грудь, руки безвольно повисли.

— Майя, — позвала я, понимая безнадежность ситуации, — Майечка...

Ответа, конечно, не последовало.

— Кричите, кричите, — предложила бабушка, — видите, не слышит, и как только не замерзла!

Глава одиннадцатая

Милиция приехала лишь через два часа. Два сержанта, а может, прапорщика, я совершенно не разбираюсь в знаках различия на рукавах, петлицах и погонах, мирно спросили:

— Чего случилось-то?

Я поманила их на кухню и ткнула пальцем в сторону балкона. Мальчишки пару минут глядели на стул, потом один с надеждой произнес:

— Может, заснула?

Второй вздохнул.

— На таком холоде? К тому же уже вторые сутки, — развеяла я их мечты.

Милиционеры переглянулись и вызвали подмогу. Еще через полчаса явилась группа хмурых людей, впереди вышагивал длинный мужик с огромным чемоданом.

— Соседи будете? — спросил один из прибывших.

— Да, — хором ответили мы с бабкой.

— Понятыми пойдете, — велел начальник, — имя, отчество, фамилия...

— Не помню, сыночек, — ласково сказала бабуля, но я углядела на буфете паспорт и подала милиционерам.

Тот глянул в книжечку и, пользуясь тем, что старушка пошла ставить чайник, шепотом спросил:

— Бабушка, видно, того...

— Точно, — так же тихо подтвердила я, — только похожа на нормальную...

— Ладно, — согласился старший, — вас-то как зовут?

— Ольга Евгеньевна Воронцова, — не особо задумываясь, ляпнула я и тут же пожалела, что назвалась именем Зайки.

Сказать, что перепутала и на самом деле зовусь по-другому? Да после такого заявления двум идиоткам, живущим без присмотра, милиция психиатрическую перевозку вызовет!

За стенкой послышались глухие удары, очевидно, выламывали дверь. Что-то долго возятся, на мой взгляд, хватило бы просто хорошего пинка...

— Олег Михайлович! — раздалось с лестничной клетки.

— Сейчас, — крикнул начальник и продолжал меня допрашивать:

— Здесь прописаны?

— Нет, Сиреневый бульвар, дом 23, квартира 24, — бодро сообщила я вымышленный адрес и свой настоящий телефон в Ложкине.

— Кем приходитесь хозяйке квартиры?

— Племянницей, только она меня не узнает, считает посторонней женщиной, понимаете?

— Чего уж тут не понять, — вздохнул оперативник, которому до смерти не хотелось приступать к работе, — маразм он и есть маразм! Ладно, если боитесь, можете не ходить в квартиру...

— Закон надо соблюдать, — сообщила я и бодрым шагом двинулась в соседнее помещение.

Дверь на балкон стояла нараспашку, и холод заполнил комнату. Неожиданно проглянуло солнце. Слабый свет проник внутрь, и стала еще ясней видна ужасающая бедность.

— Бывает так иногда, — робким голосом сказал один из молоденьких милиционеров в форме, — пошла, может, белье вешать, выскочила из тепла в одном халатике, а сердце и прихватило...

Но сотрудники в штатском не отреагировали на это замечание. Конечно, никому не хочется получить на участке лишнее убийство. А то, что Майя умерла не своей смертью, стало ясно сразу. Во-первых, в квартире стоял жуткий беспорядок. Единственный шкаф распахнут, и скудное бельишко разбросано по полу, у входа в кухню красуется открытый чемодан, где в беспорядке свалены какие-то тряпки. Ящики выдвинуты, постель перевернута, скатерть под столом. Здесь явно что-то искали.

Когда же тело Майи втащили внутрь, стало понятно, что женщину перед смертью сильно избили, а потом застрелили, причем действовал профессионал. Один выстрел произведен в область сердца, другой, контрольный, — в голову...

— Как тебе кажется, когда она скончалась? — спросил один из оперативников у мужика в резиновых перчатках, присевшего возле трупа.

— Кажется, мажется, — пробубнил тот, — посмотрю желудок, скажу!

— Нет у нее ничего в желудке, — влезла я в профессиональные разговоры. — Майя жила на нищенскую пенсию, голодала...

— Ну мочевой пузырь-то у ней был? — вступил в дискуссию эксперт.

— Ольга Евгеньевна, — прервал милую беседу старший, — идите домой, ни к чему тут толкаться, позовем в случае необходимости.

Я попробовала сопротивляться, но оперативники ловко выставили меня вон. Делать нечего, пришлось подчиняться. В крошечной прихожей, за галошницей послышался шорох. Наклонившись, я увидела два блестящих глаза. Господи, бедная собака! Сначала просидела тут голодная и невыгулянная, теперь трясется от ужаса в темном углу. Как же ее называла Майя — Кока? Кика? Кука!!

Услышав имя, собачонка высунулась из-за галошницы. Я вытащила ее наружу, чувствуя, как под обтянутыми кожей ребрами быстро-быстро колотится сердечко.

В Ложкине в доме стояла звенящая тишина. Дети разъехались кто на учебу, кто на работу. Банди и Снап мирно дремали в столовой, увидав Куку, они шумно задвигали носами и бросились обнюхивать гостью. Несчастная собачка изо всех сил вжалась в ковер, а тут еще посмотреть на новое приобретение явились Хучик, Жюли, Черри и кошки... Даже миска с мясом не обрадовала Куку. Она вяло понюхала еду и отошла прочь.

— Странная какая, — сказала я Ирке, — вроде голодная, а не ест.

— Где вы ее взяли? — поинтересовалась домработница.

— На улице нашла, — соврала я, — сидела такая несчастная...

— Похоже, домашняя, чистенькая, — пробормотала Ирка, — знаете, многие ведь не могут сейчас собак кормить мясом, вот животные и не знают, что это такое. Надо дать привычную еду.

Я с изумлением посмотрела на женщину — ну просто зоопсихолог!

— Что же она, по-твоему, привыкла есть?

Ирка пожала плечами.

— Геркулес небось на воде, дам ей каши.

Получив тарелку овсянки, куда Ира для вкуса положила небольшой кусочек колбаски, Кука принялась с жадностью глотать угощенье. Я же пошла наверх. Просто не могу никуда больше ехать, перед глазами стоит мертвая Майя, зачем-то привязанная убийцами к стулу...

Лучше лягу спокойно на диван и почитаю книжку. Но и любимый Рекс Стаут не помог. Наткнувшись на фразу: «окровавленный труп смотрел в осеннее небо широко раскрытыми глазами», я захлопнула том. Нет, детективы сегодня не пойдут. Возьму лучше у Зайки в спальне любовный роман. Чужая страсть — вот что мне сейчас нужно.

На тумбочке возле двуспальной кровати обнаружилась пустая коробка из-под шоколадного мороженого и целая стопка журналов.

Так, значит, меня осуждает за съеденную перед сном конфетку, а сама втихаря лопает в кровати мороженое! Ну погоди, лакомка...

Я принялась перелистывать журналы. Издания походили друг на друга, словно близнецы. Глянцевые страницы, роскошные фото. Кулинарные советы, рубрика «Как удержать мужа», светские новости... Глаз зацепился за отчет о презентации нового клипа певца Викулова. Тощенький, лохматый мальчишка в окружении дам, девушек и девчонок радостно пялился в объектив. Вот уж чего никогда не могла понять, так это феномен популярности этого мальчишки. Взять хотя бы Филю Киркорова, так там есть на что посмотреть — огромный рост, сверкающие глаза... Да и голос, кстати, неплох... А Викулов? Маленький, наверное, едва дотянул до метра шестидесяти, сквозь толстый слой пудры проступают юношеские угри, жиденькие воло- сенки не спасает даже укладка, сделанная рука- ми известного стилиста... По сцене это непонят- ное существо передвигается в блестящих ботин- ках на огромных платформах и тихо шепчет в микрофон невероятные песни — «У тебя глаза, у тебя глаза, у тебя такие глаза, ну что за глаза»... Стошнит на третьем звуке. Но зал почему-то полон визжащей публики, клипы без конца кру- тят по телевидению, радиоэфир занят его дребез- жащим тенорком...

Нет, не понимаю я ничего в музыке... И ведь какие девушки вокруг недомерка! Особенно эта, с зелеными глазами и каштановыми волосами, просто картинка!

Внезапно на лбу выступила испарина. Краса- вица в элегантном черном платье, держащая Сте- фана Викулова под руку, это же та самая девуш- ка, что на фото сидит обнаженной на коленях депутата Заокского...

— И как тебе не стыдно! — раздался голос Зайки. — Разлеглась на моей кровати да еще ло- паешь мороженое.

— Ничего не ела, — принялась я оправды- ваться, — мисочка уже стояла тут.

— Не ври, — сурово заявила Ольга, — ни я, ни Кеша не имеем гадкой привычки жевать в кровати, такое делаешь только ты. Нравится спать на перемазанном белье — бога ради, но зачем харчиться у меня?

Она продолжала ворчать, я, вяло отбиваясь, пошла к себе, прихватив стопку журналов.

Подозрение подтвердилось. Девушка в журнале и на моих снимках — одна и та же особа. Я лихорадочно листала записную книжку. Где-то был телефончик Илюши, бывшего одноклассника. Сейчас он ведет на телевидении музыкальную программу, и на экране часто возникает его полное улыбающееся лицо.

У Илюши включился автоответчик. Выслушав традиционные слова, предписывающие говорить после звукового сигнала, я дождалась противного писка и принялась излагать проблему. Но тут ворвался веселый Илюшкин бас:

— Слышу, слышу!

— Ты дома? — удивилась я.

— Господи, — вздохнул приятель, — скоро забуду, где живу! Утром съемка — вечером эфир, утром эфир — вечером съемка. А ведь надо еще с людьми потусоваться, спонсоров найти. Ты, например, не хочешь вложить несколько тысчонок? Чудная девчонка есть...

— Дай телефон Стефана Викулова...

— И ты туда же! — в сердцах заорал Илюшка. — Во-первых, для своих он Степка, а во-вторых, ну зачем тебе это убоище? И так уж раскрутили сверх меры, всех перепел, даже «На-На» нос утер. Лучше погляди, какая девчонка у меня: красавица, умница, а голосок!

— Илюшенька, — принялась я на ходу придумывать объяснения, — совершенно не хочу ни в кого вкладывать деньги. Просто моя дочка Маша фанатка Викулова...

— Что ж ты ребенку вкус не привила, — разворчался Илюша, — купи абонемент в консерваторию, небось думает, что Моцарт — конфеты, а Чайковский — кетчуп.

Я терпеливо ждала, пока приятель прекратит издеваться. Наконец, вволю насмеявшись, он выдал номер, предварительно предупредив:

— Лови Степку днем. Вечером поет, а ночью по клубам и казино скачет.

Часы показывали три часа, и я быстренько потыкала пальцем в кнопочки. Наверное, тоже автоответчик включится. Но в ухо неожиданно ворвался жиденький тенорок:

— Аллоу.

— Будьте любезны господина Стефана Вику-лова.

— Кто спрашивает? — насторожился хозяин, услышав женский голос.

С таким количеством фанаток станешь шара-хаться от любой бабы.

— Беспокоит французская фирма «Голос его хозяина».

— Слушаю, — немедленно отреагировал Степа.

— Мы имеем к вам деловое предложение. Хотим сделать диск, — попробовала я подделать-ся под стиль музыкальной тусовки. — Хотелось побеседовать лично.

— Можете приехать ко мне? — тут же предло-жил Викулов. — Извините, что зову домой, но вечером концерт, и сейчас я репетирую.

«Ага, — думала я, записывая адрес, — пыта-ешься внушить зарубежной дуре, что поешь целый день гаммы и экзерсисы».

Но, похоже, Викулов и правда что-то делал. Во всяком случае, он провел меня в комнату, большую часть которой занимал огромный рас-крытый концертный рояль. Сам кумир, одетый по-домашнему в голубые джинсы и клетчатую рубашку, вблизи производил совсем жалкое впечатление. Он казался еще более тощим, чем на фотографии. Маленькое прыщавое личико и три волосенки на круглом черепе производили унылое впечатление.

Минут пятнадцать мы обсуждали его предстоящие гастроли в Париже. Я не особенно кочевряжилась и согласилась на условия капризника — личный «Кадиллак» с шофером, номерлюкс в «Отель де Виль», астрономический гонорар и десять концертов в «Мулен Руж». Надеюсь, этот идиот когда-нибудь узнает, что во всемирно известном кабаре никогда не выступают эстрадные певцы, там идут только постановочные шоу...

Но далекий от Парижа Викулов чрезвычайно разволновался, представляя, как ему изо всех сил рукоплещут французы. Поняв, что клиент созрел, я приступила к выполнению задания.

— Нам нравится, когда певец окружен на сцене красивыми девушками.

— Ну, с этим проблем нет, — заявил Степка, — у меня шесть припевок и восемь подтанцовок. Девчонки первый класс, две негритянки.

Вот уж чем не удивить Париж, так это чернокожими, но наивный Викулов просто раздувался от гордости. Еще бы, черненькая танцовщица — это круто.

— Моему хозяину, — вкрадчиво завела я, — особенно понравилась одна дама из вашего окружения, и он хотел бы заключить с ней контракт.

Степка уставился на фото в журнале, потом засмеялся:

— Нет, эта не пойдет.

— Почему? — фальшиво удивилась я. — Хорошо заплатим.

— Ей деньги не нужны, — отмахнулся Степка, — у нее муженек знаете кто? Арам Инджикян, владелец банка, да он ваш «Мулен Руж» с потрохами купить может!

— Красивая женщина, — продолжала я гнуть свое, — как же ее зовут?

— Вика, Виктория.

Мы поболтали еще чуть-чуть, и я ушла, оставив одураченного Викулова ждать звонка от господина Лорена. На самом деле совершенно не знаю, кто владеет «Красной мельницей». А вот с Арамом Инджикяном как раз хорошо знакомы. Именно через его банк мы получаем деньги из Парижа. В свое время вместе с другими выгодными денежными клиентами нас приглашали на всевозможные мероприятия, устраиваемые банком. Инджикян слывет меценатом, покупает картины русских художников, причем обставляет любую сделку с помпой. Приобретя полотно Айвазовского, он торжественно, в присутствии прессы и огромного числа приглашенных передал картину в дар Третьяковской галерее.

Потом устроил роскошный фуршет. Ублаженные журналисты несколько дней кричали о щедром банкире. Но, насколько помню, у него другая жена — сорокалетняя, довольно полная армянка Лиана. Хотя не встречала господина Инджикяна уже два года, а за такой продолжительный срок можно и жену поменять...

В квартире банкира трубку сняла пожилая женщина, очевидно прислуга.

— Позовите, пожалуйста, Викторию, — любезно попросила я.

— Кто ее спрашивает? — строго осведомилась собеседница.

— Ванда Никитина.

Воцарилась тишина, потом звонкий девичий голос пропел:

— Вандочка, милая, слушаю.

— Нужно встретиться.

— Вы кто? — изумилась Вика. — Что вам нужно?

— Это вам нужно, — усмехнулась я в трубку, — это вы заинтересованы, чтобы откровенные фото с господином Заокским не попали на стол Арама Инджикяна.

Надо отдать должное девчонке. Большинство дамочек на ее месте принялись бы бестолково всхлипывать и выяснять мое имя. Вика же помолчала секунду и деловито сообщила:

— Улица Соколова, кафе «Русалка», пять часов вечера, сегодня, успеете?

И, не дожидаясь ответа, шлепнула трубку. Я открыла атлас и обнаружила нужную магистраль бог знает где, аж в Лианозове.

Интересно, она привыкла там обстряпывать всякие делишки или просто назвала место, максимально удаленное от дома?

Без пятнадцати пять я вошла в маленький, темный и какой-то грязноватый зал. Положение не спасали нарисованные на стенах русалки с круглыми рязанскими лицами. Место явно не тянуло на первый класс. От пластиковых липких столов несло грязной тряпкой. В углу несколько работяг наливались после смены пивом. Официантки не было, получать заказ следовало у стойки и самой нести за столик. Я посидела минут пять, и барменша недовольно процедила:

— Здесь не парк. Сделайте заказ.

— Подругу жду, — принялась я оправдываться.

— Мне без разницы, — резко сказала девушка из-за стойки, — хоть английскую королеву. Покупайте ассортимент и сидите сколько влезет.

Пришлось взять напиток светло-коричневого цвета, гордо именовавшийся в меню «кофе по-восточному». К нему прилагалось отвратительное пирожное, по виду напоминавшее размокшую коробку из-под отечественной обуви.

Я отнесла яства на столик и с чувством закурила. Дверь приоткрылась, в кафе возникла Вика. Оделась девчонка под стать обстановке — черные простые джинсы, самая обычная куртка темно-зеленого цвета, на голове беретик, под который тщательно упрятаны роскошные каштановые волосы. Ни колец, ни серег, ни часов, только дорогая обувь выдавала ее истинное благосостояние. Не хотела нацепить дешевые ботиночки, пожалела ноги.

Девчонка безошибочно поняла, что подойти надо ко мне. Правда, я оказалась единственной женщиной в зале.

Быстрым шагом Вика приблизилась к столику, отодвинула непрезентабельного вида стул и весьма нелюбезно осведомилась:

— Сколько?

Ох уж эти богатые дамы, привыкшие все решать при помощи денег.

— Что сколько? — прикинулась я непонимающей.

Девица окинула взглядом мою одежду, потом глянула на сумку из крокодиловой кожи, выложенную на стол, и вздохнула:

— Хватит идиотничать. Сколько хотите за молчание? Что у вас, фотографии?

Я кивнула и протянула конверт. Виктория закурила и, хладнокровно проглядев снимки, заметила:

— Негативы, естественно, в надежном месте?!

Подивившись самообладанию этой особы, я опять кивнула.

— Ну, — нетерпеливо повторила Вика, — так сколько за все разом?

Интересно, как бы она поступила, услышь сумму в миллион долларов? Впрочем, следовало проучить нахалку, и я, тоже закурив, тихо произнесла:

— «Лимон». «Зеленью».

Виктория вздернула вверх тонкие нарисованные брови, прекрасные глаза разглядывали меня без тени удивления.

— Дешевле станет вас просто убить, — усмехнулась она. — Значит, слушайте. Арам вам не поверит. Просто объясню ему, что враги сделали ловкий монтаж. Заплатить хочу, чтобы избежать неприятных разговоров, к тому же мне в случае объяснения с мужем придется плакать, изображать невинную девушку, очень муторно. Так что называйте нормальную сумму, и разбежимся. Я вам денежки, вы мне негативчики.

Такая абсолютно уверенная в себе нахалка встретилась мне впервые.

— Деньги не нужны, — решила я сыграть ва-банк.

— Да ну? — издевательски переспросила девчонка. — Что так, планы поменялись?

— Лучше скажите, где забыли эту сумку?

Вика повертела в руках кусок крокодиловой кожи.

— У меня никогда не было подобной дряни.

— Точно помните?

Виктория пожала плечами:

— В шкафу болтается штук сорок сумок. К каждой паре обуви полагается своя. Все просто не вспомню, но не люблю изделий из кожи пресмыкающихся, предпочитаю антилопу или кенгуру. Видите?

И она вытянула вперед изящную ножку, украшенную светло-коричневым ботиночком без каблуков.

При небольшом росте я ношу обувь полного тридцать девятого размера, поэтому невольно позавидовала маленькой ступне Вики. Может, ей в детстве бинтовали ноги, как китаянке?

— Значит, не ваша... — разочарованно протянула я. — Тогда скажите, знаете эту даму?

Виктория задумчиво поглядела на фото престарелой красотки, сидевшей одетой у стола. Использовать такой снимок в качестве орудия шантажа невозможно, но почему бы не представить для опознания?

— Встречаемся иногда в гостях, — сообщила мадам Инджикян, — но близко не знакомы, так, здороваемся...

— Как ее зовут?

Вика подняла огромные зеленые глаза, помолчала, потом сообщила:

— Ну да это никакой не секрет. Карина, жена Владимира Соломатина.

— А он кто такой?

Виктория улыбнулась:

— Крайне полезный человек, гинеколог. Через его клинику весь свет прошел. Модный доктор. Будут еще вопросы?

Секунду поколебавшись, я вытащила из кармана маленький пакетик с негативами, демонстративно вложила его в конверт с компрометирующими снимками и медленно произнесла:

— Надеюсь, понимаете, что о нашей встрече рассказывать не следует?

Виктория сидела с каменным лицом. Ей-богу, девчонке следовало работать агентом ФСБ, просто уникальное самообладание.

Я швырнула конверт на столик.

— Здесь все, забирай!

— Сколько? — абсолютно спокойно осведомилась «жертва шантажа», вытаскивая портмоне и постукивая им по столешнице. — Тысяча, две, три?

— Засунь их себе в задницу, — мило посоветовала я и двинулась к выходу. Надеюсь, такое странное поведение вымогательницы хоть чуть-чуть озадачило непробиваемую леди. В дверях я не утерпела и оглянулась. Виктория преспокойненько курила «Собрание», глаза ее откровенно смеялись, но рот был упрямо сжат. Ну и фрукт, хорошо бы Карина Соломатина оказалась другой.

Домашний телефон модного доктора заполучить проще простого. Сначала заехала в принадлежащую ему клинику. Роскошный холл, дорогая мебель и сверхприветливая медсестра в регистратуре. Я подскочила к девушке и, закатывая глаза кверху, принялась щебетать голосом избалованной идиотки.

— Милочка, такая неприятность, только вы сможете...

Сестричка профессионально улыбнулась и успокаивающе сказала:

— Не волнуйтесь, в нашей клинике помогают абсолютно всем, любые проблемы решаемы.

Очевидно, девочка подумала, что даме надо сделать аборт на большом сроке, потому что взгляд ее довольно красивых глаз сфокусировался на моем абсолютно плоском животе.

— Ах как чудесно, страшно мило, — продолжала я корчить рожи, ненавязчиво потряхивая перед ее личиком золотыми часами от «Картье», — сегодня день ангела Карины, жены Володи Соломатина...

— Ну и что? — искренне удивилась регистраторша.

— А я потеряла записную книжку с их телефоном и адресом, ну как теперь цветы послать? Войдите в положение, душечка, Кариночка обидится, не получив от меня привета... Между нами говоря, пару лет назад Володя мне так помог! Сделал все тихо, быстро, ну понимаете? Так что, пожалуйста, деточка, дайте их координаты!

И я выложила на стойку милую зеленую бумажку. Медсестра глянула на драгоценности просительницы, оглядела куртку, подбитую изнутри норкой, и решила, что перед ней одна из экстравагантных, слегка ненормальных клиенток. А поскольку в этой клинике небось три четверти таких, спокойно произнесла:

— Владимир Михайлович, как правило, дает постоянным посетителям личный телефон, записывайте...

Подпрыгивая от радости, я понеслась к «Вольво».

Глава двенадцатая

Домой приехала рано. У Соломатиных никто не брал трубку, а на улице разыгралась настоящая буря. Пока бежала в дом, мокрый липкий снег моментально покрыл куртку со всех сторон. Предлагали же нам сделать вход в гараж прямо из холла, так нет! Вредные дети завопили, что негигиенично соединять жилое помещение с автомобильной стоянкой. Вот теперь и мучаемся.

Из столовой доносились возбужденные голоса. Кое-как пригладив торчащие во все стороны вихры, я бодрым шагом вошла в комнату и спросила:

— Что за шум, а драки нет?

— Драка уже завершилась, ты опоздала к раздаче, — усмехнулся Кеша, — Зайка тут всех убивала из тяжелых орудий.

— А что произошло?

— То, что неизвестный человек лежал в нашей кровати и пожирал там спокойненько продукты! — возмущенно крикнула Зайка. — Прихожу с занятий, просто ужас! На тумбочке два пустых стакана из-под китайского супа, и кто только может есть подобную дрянь?

Маруська постаралась спрятаться за бокал с

соком. Я-то знаю, что иногда поздним вечером, вернее даже ночью, девочка тихонько прокрадывается на кухню и заливает кипятком порошок с малосъедобными макаронами. Ну нравятся ей эти «грибные» и «мясные» супчики. Купить их проще простого, ларек в десяти шагах от ворот. Но, зная, что подобное обжорство вызовет гнев Кеши и Зайки, Манюня истребляет вожделенное блюдо только в своей комнате, старательно прячась от всевидящих глаз родственников. Ей бы в голову не пришло устраивать харчевню из спальни брата — за такое поведение и огрести можно по полной программе!

— На полу, — продолжала разгневанная Ольга, — рассыпана скорлупа от фисташек, валяются обертки от идиотских чипсов и леденцов! А на Кешкином столике целых три пустых коробочки из-под шоколадного мороженого и липкие пластмассовые ложечки!

— И теперь, — хихикнул Кешка, — на меня идет наезд. Якобы это я устроил весь бардак!

— Ну, только если спьяну, — ляпнула Маня и немедленно получила пинок от Ольги.

На самом деле дочка права. Ее обожаемый братец практически ничего не ест, а мороженое не переносит с самого детства. Когда другие дети, радостно приплясывая у ларька, выпрашивали у сопротивляющихся родителей «Ленинградское» или «Лакомку», Аркашка брезгливо морщился и отворачивал нос от брикетиков и трубочек.

— Если не он, то кто? — вопрошала Зайка. — Космические пришельцы?

Разгневанные глаза Ольги остановились на моем лице.

— Только что вошла, — поспешила я оправдаться, — целый день по городу гоняла.

— Знаю, — вздохнула невестка, — первым делом тебя заподозрила, но Ирка сообщила, что «Вольво» в гараже с утра нет...

В этот момент домработница внесла большое блюдо с жареными курами и водрузила его на стол. Миша с Галей, молчавшие все время, разом оторвали по ножке.

— А где Хучик? — спросила через пять минут Маня.

Мопс обожает курятину. Самое большое лакомство — кусочек птичьей грудки. Поэтому, почуяв запах готового бройлера, он несется в столовую и выжидательно поглядывает на стол. Однако сегодня возле нас толпились все псы, включая Куку, кроме него.

— Хуч, — позвала Оля, — иди сюда, цыпленка дают!

Ноль эмоций.

— Хучик, Хучик, — принялись мы завывать на разные лады, но собачка как сквозь землю провалилась.

— Может, случайно выскочил во двор и сейчас плачет под дверью? — предположила Маня и кинулась в холл. Вообще говоря, сомнительно. Обладатель маленьких кривых лапок, Хучик не большой любитель пеших прогулок. К тому же он очень не любит холодной, дождливой, ветреной погоды. По утрам мопсик, кряхтя, залезает на диван в кабинете и элегически глядит в окно. Если на дворе идет снег или моросит, он преспокойненько отправляется в кошачий туалет и, не обращая внимания на злобное шипение Фифины с Клеопатрой, меланхолично усаживается на гранулы «Пипи-кэт». После этого заползает в пледы и тихо дрыхнет, поджидая перемены погоды.

Маруська распахнула настежь входную дверь, и в прихожую со свистом ворвался ледяной ветер. Нет, такой пейзаж не для теплолюбивого мопса.

Следующий час мы носились по дому, разыскивая Хуча. Миша с Галей тихо сидели в столовой. Они не принимали никакого участия в поисках, сдвинули слегка в сторону тарелки и самозабвенно черкали какие-то значки в блокнотах.

Пробегая по столовой с воплем «Хучик, где ты?», я видела, как Миша руками отщипывает от курицы кусочки.

В конце концов, собравшись в гостиной, мы пришли к выводу: мопсик пропал.

— Как скажем про исчезновение песика Александру Михайловичу? — угрызлась Маня.

Все удрученно замолчали. На самом деле Хуч принадлежит полковнику. Его подарил приятелю французский полицейский комиссар Перье, с которым он когда-то подружился.

Но в Москве маленький мопсик день-деньской тосковал в пустой квартире, поджидая, когда хозяин наконец придет с работы. Потом Хуч начал хворать, отказываться от еды... Болезнь его именовалась тоской. Мы пожалели песика и взяли к себе, но он все равно считался собакой полковника.

— И как теперь глядеть в глаза Александру

Михайловичу? — продолжала, словно трагическая актриса, Манюня.

— Почему нельзя глядеть мне в глаза? — раздался веселый голос, и полковник вошел в гостиную.

— Хучик пропал! — всхлипнула Маша.

— Ну да? — удивился приятель. — В кладовке смотрели?

Пошел новый виток поисков. В конце концов полковнику пришла потрясающая идея — наверное, случайно заперли в гараже!

Все побежали гурьбой через дворик. Я пощелкала выключателем, но свет не зажигался, перегорела лампочка.

— Там на полке стоит фонарь, — сообщил Кеша.

— Пойду возьму, — миролюбиво предложил Александр Михайлович и шагнул в темноту, мерно вскрикивая: — Хучик, Хучик...

Мы остались дрожать у входа. Ни у кого не хватило ума надеть куртку.

— Слева, вверху, — крикнул Аркашка, и тут раздался шум, звон и такой звук, словно уронили на пол тяжелый мешок с зерном.

По гаражу пронесся крик, мы замерли от неожиданности и ужаса.

— Яма! — завопил Кеша. — Там же яма для машин!

Но, судя по всему, предупреждение прозвучало слишком поздно.

Аркашка, чертыхаясь, понесся в дальний угол гаража, за ним, спотыкаясь о железки и налетая на машины, последовали все домашние.

Сильный луч осветил внутренность довольно

глубокой ямы. На дне, в луже чего-то черного и вонючего сидел Александр Михайлович.

— Ты жив! — радостно удостоверилась я.

Приятель поднял вверх абсолютно черное лицо, впрочем, остатки волос из седых превратились отчего-то в вороньи перья.

— Мама моя, — прошептала Зайка, — негр!

— Нет, — также шепотом добавил Кеша, — просто опрокинул на себя огромную банку с солидолом.

Спустив вниз лестницу, мы достали несчастного и потащили в дом. Ирка приготовила ванну, и Кешка, запихнув полковника в пену, принялся отмывать липкую массу. В ход пошло все — шампунь, гель, скраб... Потом увидели, как Аркашка тащит в «химчистку» бутылку водки.

— Не лей мне это добро на лысину, — отбивался Александр Михайлович.

Вода журчала, слышался плеск и тихое ойканье. Солидол упорно не желал покидать тело.

— Кешик, попробуй растворитель для красок, — посоветовала прыгающая под дверью Маня.

— Тащи, — велел братец, — да прихвати бензин.

С криком команчей Маруся приволокла две большие бутылки и влезла в ванную комнату.

— Уйди, бога ради! — завопил Александр Михайлович.

Дверь приоткрылась, и мокрая Кешина рука выпихнула отчаянно сопротивляющуюся сестрицу.

— Ага, — вопила та, — как все подавать, так я! Зачем меня выталкивать?

И она яростно затрясла ручку.

— Манюня, — попыталась внести в ситуацию ясность Зайка, — бедный полковник там раздет!

— Что я, голого мужчину не видела, — фыркнула Маня, — эка невидаль! Не маленькая уже, помните, как про хвост рассказывали?

Мане было примерно лет пять, когда она, зайдя в ванную, где мылся Кеша, заинтересовалась строением его тела.

— Что это такое? — спросил ребенок, тыча пальцем в предмет особой мужской гордости.

Аркашка сначала от неожиданности прикрылся мочалкой, а потом, не зная, следует ли в столь юном возрасте посвящать сестрицу в половые различия между мужчиной и женщиной, не долго думая, ответил:

— Хвост.

— А у меня почему нет? — возмутилась Маруся. — Где мой хвост?

— Видишь ли, — принялся объяснять Кеша. — вообще-то, хвост иметь стыдно, просто позор. Вот тебе его и ампутировали при рождении.

— И что, — продолжала любопытствовать настырная девочка, — всем отрезают?

— Конечно.

— А тебе почему оставили?

Аркашка сел в ванну и закрыл лицо губкой. Он еле сдерживал смех, но Машке показалось, что брат заплакал.

— Кешик, — робко позвала она. — Кешунчик...

— Когда ты появилась на свет, — сдавленным голосом пробормотал гадкий мальчишка, — у мамы с Наташкой были деньги на операцию, а когда родили меня — решили сэкономить. Вот так и мыкаюсь с хвостом.

— Как только не стыдно! — завопила Машка, налетая на ничего не подозревающую Наташку. — Сейчас же отрежьте ему хвост!

Пришлось вынимать анатомический атлас и объяснять, чем мальчики отличаются от девочек.

То ли растворитель помог, то ли бензин оказал волшебное действие на солидол, но наконец из ванной комнаты появился Александр Михайлович, закутанный в Кешкин махровый халат. Лицо и лысина полковника радовали глаз темно-свекольным цветом. Подхватывая волочащиеся полы, приятель в изнеможении попросил:

— Чайку хочется.

В столовой в тех же позах продолжали сидеть Галя и Миша. Возле математика на тарелке громоздилось невероятное количество куриных костей. Подивившись аппетиту профессора, я громко сказала:

— Миша, Галя, познакомьтесь, это наш близкий друг, Александр Михайлович.

Ненормальная парочка оторвала глаза от бумаг. Секунду их лица выражали здоровое недоумение, словно люди возвращались с далекой планеты. Потом Галя тихонько пробормотала:

— Мы знакомы.

— Очень приятно, — вежливо отозвался Миша и, встав со стула, протянул полковнику руку.

Раздался глухой стук, и мы с изумлением уставились на упавшего Хучика. Мопс даже не проснулся от удара, его живот походил на огромный шар.

— Он спал у вас на коленях! — негодующе

воскликнула Зайка. — Как же так? Мы обыскались Хуча! Неужели не слышали?

— Нет, — совершенно искренне ответил профессор, — а ты?

Галя покачала головой.

— С ними все ясно, — закричала Манюня, — оба ненормальные, но почему Хуч не откликался?

— Да, — поинтересовалась Зайка, — почему?

— Потому что был занят поеданием курицы, которую кто-то услужливо засовывал ему в пасть, — вздохнул полковник, указывая пальцем на груду костей.

— Миша, — возмутилась я, — вы скормили мопсу почти двух кур!

— Не знаю, — растерянно пробормотал профессор, — случайно вышло, он просил, а я давал...

— Ладно, — вздохнул Александр Михайлович, — будем считать, что я просто хотел помыться!

На следующее утро я дозвонилась до Карины Соломатиной. Бедная женщина испугалась до потери пульса. Сначала она довольно глупо принялась отнекиваться:

— Не знаю никакой Никитиной!

— Неужто? — издевалась я. — Хорошо, отправлю фото вашему мужу, пусть сам разбирается, что к чему.

— Не надо, бога ради, не губите, — заплакала Карина, — сколько хотите за молчание?

И эта туда же. Ну не нужны мне деньги, но их мне просто насильно всовывают.

Бедная Карина обезумела настолько, что предложила встретиться в «Макдоналдсе». Я представила себе кишащий детьми зал и велела Соломатиной явиться в ресторан «Капитан» на Лесной улице. Насколько помню, в этом заведении никогда нет народа.

Я приехала по обыкновению на десять минут раньше, но Карина уже сидела за столиком. Красивое породистое лицо покрывали красные пятна, ухоженные руки, скорей всего не знавшие домашней работы, нервно теребили кружевной платочек.

Увидев меня, она подскочила и чуть ли не закричала:

— Фото с вами?

— Со мной, — успокоила я ее, демонстрируя снимки.

Соломатина залилась сначала какой-то фиолетовой краснотой, потом вдруг стала синебелой и жутким голосом произнесла:

— Знала, что так кончится. Всегда подозревала Ванду в нечистоплотности. Значит, теперь она хочет еще на шантаже заработать! Мало ей денег принесли...

Злые слезы покатились из умело накрашенных глаз. Но сейчас, слава богу, изобрели тушь, которой не страшна влага, поэтому по щекам текли прозрачные капли.

— Сколько она на мне заработала, эта бандерша, — причитала Карина, — небось озолотилась, а мне копейки совала, вот гадина...

Глядя на рубиновые серьги и легонькую шубку из нежной каракульчи, мне трудно было поверить в беспросветную нищету их владелицы. Но Карина продолжала ныть и стонать.

— Я абсолютно нищая, не имею ни копейки, но отдам все, что есть! Может, возьмете натурой?

— Чем? — испугалась я.

— Натурой.

— Что вы имеете в виду?

— Ну, вот сережки, например, — отчаянно выкрикнула тетка, показывая на свои уши.

Надо же так испугаться! Скорей всего драгоценности подарил муженек, и трудно будет потом объяснить любящему супругу, куда подевался презент.

— Мне не нужны деньги, — решила я успокоить истеричку, но та, наоборот, только еще больше испугалась.

— А что? Что вам нужно? — принялась она тупо повторять, клацая идеально изготовленными коронками.

— Кое-какая информация.

— Ничего не знаю, — быстренько проговорила Карина.

— Кто познакомил вас с Вандой? Как она набирает женщин?

Карина вздохнула.

— Хитрая сволочь. Не знаю, как с другими, никого там не встречала, но со мной поступила просто.

Ванда сталкивалась с Кариной на разных тусовках — всяческие презентации, премьеры и дни рождения общих знакомых. Обе вели светский образ жизни, постоянно вращаясь в обществе. Поэтому госпожа Соломатина абсолютно не удивилась, когда Ванда позвонила и пригласила ее на вечеринку по поводу празднования Дня святого Валентина. Постоянно ищущая поводы для встреч, светская тусовка выдумывала все новые и новые праздники.

Изумилась Карина, уже придя в гости. В большой столовой за стол сели всего три человека — Ванда, незнакомый мужчина с властным голосом и она. Ужин прошел мило. Хозяйка несколько раз надолго покидала гостей, и кавалер осыпал Карину комплиментами.

На следующее утро ни свет ни заря перезвонила Никитина.

— Дорогая, — запела она в трубку, — ты вчера произвела потрясающее впечатление на Льва Андреевича. Он только о тебе и способен говорить, просто остановиться не может, прямо заболел. Сделай милость, подъезжай сегодня к семи часам, попьем кофейку, поболтаем, знаешь, он просто влюблен.... Но у него такое высокое положение, что нельзя показываться на людях, моментально репортеры набегут, снимков понаделают...

Любой женщине приятны проявления чувств. Карина же была совершенно неизбалованной. Ее браку с Владимиром стукнуло двадцать пять лет, не так давно отметили серебряную свадьбу. Последние годы гинеколог, занятый исключительно клиникой и расширяющейся клиентурой, практически не бывал дома. Карина, никогда не работавшая и не имеющая никакой профессии, раньше занималась домашним хозяйством. Но свалившееся на самого богатство позволило нанять домашнюю работницу. Детей у Соломатиных не было. Карина завела персидскую кошку и тратила часы на расчесывание шерсти любимицы. Женщина не пропускала ни одной кошачьей выставки, самозабвенно коллекционируя медали и розетки, полученные Муркой...

Но все равно большую часть суток она проводила в бесцельном валянии на диване или перед телевизором, благо добрый муж купил антенну НТВ-плюс, и количество принимаемых каналов невероятно расширилось.

К сожалению, большие деньги оказали свое влияние и на Владимира. Раньше, когда мужик работал простым врачом в больнице и подрабатывал на абортах, он никогда не жадничал и отдавал жене заработанные рубли, оставляя себе копейки на сигареты. Теперь же положение резко изменилось. Домработница получала от господина Соломатина строго фиксированную сумму на хозяйство и обязана была представлять отчет о тратах. Карине Владимир выдавал деньги «на булавки», без конца повторяя, что у него нет в подполе печатного станка. Один раз жена не выдержала и сказала, что ей надоели бесконечные попреки. Детей нет, для кого копить?

— Не думаешь же ты, что я смогу работать до самой смерти? — парировал гинеколог. — Уже сейчас глаза не так хорошо видят, как раньше, с годами станет только хуже, а влачить жалкое существование на нищенскую пенсию не желаю. Бедность легко пережить в молодые годы, в старости она просто постыдна. И вообще ты, душа моя, за всю жизнь не заработала ни гроша, так что радуйся, что я разумный, экономный человек!

После подобной отповеди женщина перестала просить денег, но нуждалась в них по-прежнему. Было страшно неудобно принимать приглашения от подруг. Следовало хоть иногда приглашать их в рестораны и оплачивать обеды и ужины. И уж совсем унизительно ездить в Подмосковье к умелице Зиночке и выдавать потом ее изделия за фирменные эксклюзивные шмотки...

Короче, Карина опять двинулась к Ванде. И снова ужин при свечах, много вина, исчезнувшие куда-то хозяйки...

Дальнейшее она вспоминала с трудом. Случившееся воспринималось, словно сон. Госпожа Соломатина не понимала, как оказалась в роскошной спальне в объятиях ласкового Льва Андреевича.

Пробуждение было ужасным. Около десяти часов вечера Карина очнулась от того, что кто-то резко трясет ее за плечи. Перед глазами возникло улыбающееся лицо Ванды.

— Выспались, милая?

Госпожа Соломатина помотала нестерпимо болевшей головой и почувствовала укол совести. Но Ванда Никитина протянула ей довольно пухлый конверт.

— Возьми, дорогая. Лев Андреевич оставил подарок.

Внутри оказалась довольно крупная сумма. Сначала Карину чуть не стошнило. Ей заплатили, как проститутке! Но на следующий день случившееся уже не казалось ей трагическим. Госпожа Соломатина пригласила в ресторан трех подруг и купила роскошные туфли.

Но деньги имеют одну неприятную особенность — они очень быстро заканчиваются. Поэтому, когда через неделю Ванда перезвонила снова и ласково сказала, что Лев Андреевич приехал в Москву, Карина со всех ног понеслась к Никитиной, предвкушая конвертик. Потом состоялись встречи с обаятельным Сергеем Петровичем, малопривлекательным Глебом Марковичем... Имена партнеров менялись, неизменным оставался конвертик с деньгами.

И вот теперь появилась я с изобличающими фотографиями. Было от чего потерять остатки рассудка. И Карина принялась попеременно предлагать за молчание драгоценности.

— Ваша сумка? — прервала я поток всхлипываний и рыданий.

Госпожа Соломатина прекратила стоны и заинтересованно глянула на ридикюль.

— Дорогая вещь!

— Ваша?

— Нет.

— Знаете, чья?

Карина задумчиво почесала аккуратный нос.

— Где же я видела такую сумку? Совсем недавно, то ли у кого-то в руках, то ли на столике...

Я вздохнула. Скорей всего в холле у Никитиной, откуда ее и украла Майя.

— Вспомнила! — радостно вскрикнула Карина. — Конечно, у Лолы! Видите, на ручке болтается золотая буква «В»? Так Лола еще говорила, что сумка всем хороша, но неприятно иметь вещь с чужим инициалом. Отлично помню. Мы еще сидели в «Национале», и Леночка Матвеенко спросила, при чем тут «В», а Лола отвечает:

— При том, что мужики — идиоты. Увидел в магазине и разом два подарка купил, буква его не колыхала, ну не кретин ли? Надо бы выбросить, да подарок-то от сына подруги. Матери своей купил и мне, вот и неудобно, приходится иногда пользоваться. Совру как-нибудь, что украли.

«И лгать не пришлось», — пронеслось у меня в голове, но вслух спросила совершенно другое:

— Лола? Кто такая?

Карина почувствовала себя в своей стихии. Сплетни, всяческие гадкие слухи, в таком болоте дама была как в родном доме.

Соломатина слегка успокоилась, закурила «Собрание» и сообщила:

— Лапанальда Арташесовна Момогагебян — вот подлинное имечко! Ну скажите, способен кто-нибудь в Москве выговорить его с первого раза?

— Похоже, нет, — улыбнулась я, — первый раз такое странное слышу — Лапанальда!

Карина пояснила:

— Это придумал дед Лолы, расшифровывается, как «Лагерь папанинцев на льдине» — Лапанальда. Он у нее был радистом, летал за папанинцами на Северный полюс. Знаете, были такие давно, еще в тридцатых?

Я кивнула. Она думает, я не изучала в школе историю нашей страны?

— А в первом классе дети сделали из нее Лолу, — продолжала Соломатина, — так и пошло, она, кстати, по-другому и не представляется, да и понять можно!

— Где работает Лола?

— О, у нее шикарный бизнес — турагентство. Наших бог знает куда отправляла — на Багамы, в Тунис, Марокко, озера Америки! Высший класс! Денег зарабатывает кучу!

— Значит, Никитин ей не помогал финансово?

— Какой Никитин? Ах, Алексей Иванович?! Знаете, — совсем разболталась Карина, — такие странные взаимоотношения, я только диву давалась. Ну посудите сами — вроде он из-за нее ушел от Ванды, хотя очень и очень сомнительно.

— Почему?

— Ванду знаете?

— Нет.

— Увидите — поймете. Таких не бросают, роковая женщина, умная, красивая, хоть сволочь и гадина. А Лола, конечно, тоже ничего, но попроще, так сказать, не экстра-класс, а первый сорт. Так вот, приходят Алексей Иванович и Лола в гости. Он ее моментально оставляет и начинает ухаживать за другими, и она тоже в долгу не остается, веселится в окружении кавалеров. Затем собираются и вместе отбывают.

Я вздохнула. Была у меня знакомая пара, получавшая невероятное удовольствие, флиртуя друг у друга на глазах с посторонними. И ничего, живут до сих пор вместе, обсуждая свои романы. Но Карина неслась дальше.

— Потом этот мальчишка!

— Кто?

Выяснилось, что Лола познакомилась где-то с молоденьким пареньком — Егором Атаманенко и везде таскала его с собой.

— Прямо смешно, — ухмылялась Карина, — пристроила работать в свое агентство, на все вечера под ручку с ним являлась. Цирк! Впереди Алексей Иванович, позади эта сладкая парочка. Парнишка в два раза ее моложе! Так она закаты-

вает глаза и щебечет: «Вместо сына мне мальчи-
шечка». Ха! Знаем, знаем таких сыночков!

— Где расположено агентство Лолы?

— Прямикова, дом два, — радостно сообщила
Карина.

Адрес показался знакомым. Кажется, я уже
ездила на эту улицу, только зачем?

Глава тринадцатая

На следующий день решила подобраться к
даме с экзотическим именем. Домой она меня
уже один раз не пустила, попробую достать на
работе. Как только подкатила к дому номер два,
сразу вспомнила, что тут находится издательство
Никитина. Только «Свеча» занимала убогую комнатушку, а агентство «Альбатрос» выглядело просто роскошно.

Весь первый этаж довольно длинного здания
сверкал и переливался, украшенный вывесками с
изображением белой птицы. Внутреннее убран-
ство также свидетельствовало о благополучии.
Полы сплошь затянуты ковролином, идеально
белые стены украшены картинами, двери светлого дерева. На каждой виднелись таблички — Марокко, Сингапур, Подмосковье, Франция. Похоже, дело поставлено на широкую ногу.

В самом конце коридор расширялся, переходя в приемную. За письменным столом сидела
очаровательная девушка с американской улыбкой. Увидав меня, служащая просто расцвела от
счастья и тут же заявила:

— «Альбатрос» приветствует вас. Уже решили,
куда отправитесь, или желаете посоветоваться?

Вздохнув, я глянула в ее абсолютно счастливые глаза и сообщила:

— Вообще-то Лола обещала сама заниматься моим отъездом.

Девчонка расцвела еще сильней. Казалось, одно упоминание о хозяйке сделало ее совершенно счастливой.

— Какая жалость, Лола сегодня утром уехала осваивать новый маршрут!

— Не понимаю!

— Открываем еще одно направление — Острова Зеленого Мыса. Говорят, райское местечко — круглый год плюс двадцать пять, море той же температуры, что и воздух, триста шестьдесят солнечных дней в году и европейское обслуживание за смешную цену. Лола всегда сама посещает предполагаемые места отдыха, а потом начинает продавать путевки. Как раз в семь с Егором и полетели.

— Когда вернется?

— Через три-четыре дня, точнее не скажу.

Я вышла на улицу и порадовалась неожиданно солнечной погоде. Дождя со снегом нет, тучи разбежались, прохожие осмелели, и кое-кто надел светлые брюки. Немного странно, если учесть, что на улице ноябрь. Ладно, подожду возвращения предприимчивой дамы, а пока поеду в гостиницу «Интурист».

Грозный секьюрити с нахмуренным лицом преградил дорогу, но звероподобная физиономия стража чудесным образом разгладилась, лишь только горилла увидела французский паспорт. Дойдя до «Reception», я шлепнула волшебную синюю книжечку перед портье и повелительным голосом потребовала:

— В каком номере жил турист из Франции, господин Базиль Корзинкин?

Дежурная, полная дама лет пятидесяти пяти, помнившая хорошо времена, когда иностранцы в столице были наперечет, вздохнула и спросила:

— Зачем вам?

— Господин Корзинкин оставил в номере сущую безделицу, телефонную книжку. Никакой ценности не представляет, а ему страшно нужна, вот, попросил узнать, может, горничная сохранила.

— У нас есть камера забытых вещей, — не сдавалась дама.

— Прекрасно, — изобразила я радость.

Через десять минут выяснилось, что, конечно же, в камере ничего нет, и дежурная нехотя сообщила номер комнаты. Я поднялась на пятый этаж и пошла искать горничную. Хорошенькая девочка лет двадцати пяти отлично запомнила Базиля. Во-первых, он давал хорошие чаевые, во-вторых, практически не бывал в номере.

— Конечно, — откровенничала девушка, — мало кто приезжает, чтобы сидеть в комнате, но ночевать все же приходят, а ваш знакомый как в понедельник уехал, так только во вторник вернулся. Грязный, жуть! Полдня потом мылся и вещи стирал. Я еще так удивилась — сам в ванной руками тер! У нас ведь прачечная есть, и недорого! А затем совсем пропал. Приехала только женщина, русская, красивая очень. Я как раз в номер с пылесосом вхожу, а она вещи собирает...

Горничная сначала перепугалась и решила,

что в люкс проникла воровка. Но дама тут же развеяла все подозрения, показав паспорт Корзинкина. По ее словам выходило, будто Базиль сильно простудился и остался лежать у нее дома, вещи только просил забрать. Девчонке, в общем, было все равно. Номер оплачен, а где турист проживает, никого не касается. Женщина увезла саквояж, и через несколько дней номер занял бизнесмен из Берлина.

— Женщина, ну та, которая забирала вещи, была тоненькая маленькая блондинка?

— Совсем наоборот — высокая крупная брюнетка.

Лола! Вот кто унес чемодан Базиля, значит, она знает, или по крайней мере, знала, где Корзинкин. И где он пропадал целую ночь? Ума не приложу. И ведь ни разу не позвонил мне, хотя раньше всегда, едва появившись в Москве, тут же сообщал о приезде, приходил в гости, передавал приветы от Сюзетты.

Я тихо покатила в Ложкино, прихватив пару коробочек с пирожными. Следовало как следует обдумать, что делать дальше. Но если где и можно спокойно предаваться собственным мыслям, то только не у нас дома.

Со второго этажа несся сердитый вопль близнецов и гневный голос Серафимы Ивановны.

— Что случилось? — сунула я голову в детскую.

— Аня хотела выпить клубничный шампунь, а я не дала, — крикнула няня.

Ладно, здесь все в порядке. Маня в ветеринарной академии, Кешка с Ольгой где-то носятся, а вот где Миша и Галя?

В столовой обнаружилась кипа исписанных листочков и мужские тапки, в гостиной еще стопка исчерканной бумаги и одна женская красная домашняя туфля. Может, пошли в кабинет, к компьютеру? Но в просторной комнате никого, а на экране крутится виртуальный сине-белый мячик... В спальнях пусто... Да куда все подевались, кстати, и собаки исчезли. Наверное, бродят по саду.

Засыпанные прелой листвой дорожки оказались пусты, к тому же, несмотря на солнце, довольно холодно, а наши псы большие любители тепла и в подобную погоду предпочитают спать, зарывшись в пледы.

Вернувшись в дом, я пошла на кухню, но Ирка и Катерина, мирно глядевшие телевизор, только пожали плечами.

— Где-то здесь, в город не уезжали, — сообщила домработница.

Я поднялась на второй этаж, распахнула дверь в спальню сына и Зайки. На большой кровати, на Ольгиной половине преспокойненько лежал профессор. На тумбочке высилась гора скорлупок от фисташек, несколько банановых кожурок, два пластмассовых стаканчика из-под мороженого... Рядом, на Аркашкиной части, возлежали пит и ротвейлер. Их морды были перемазаны крошками от чипсов. Математик читал толстенную книгу, время от времени засовывая руку в большую коробку «Принглс». Псы, радостно виляя хвостами, ждали подачки. Хучик примостился на животе профессора, Жюли и Черри мирно спали в креслах. Ни терьериха, ни пуделиха не любят соленое, им подавай чего послаще.

— Миша, — возмутилась я, — что вы тут делаете?!

Мужчина оторвался от книги и секунду смотрел на меня невидящим взором, потом, очевидно, вернувшись на землю, внезапно сел и спросил:

— Даша? Я вам нужен?

От резкого движения Хучик скатился на другую кровать. Но объевшийся мопс даже не пошевелился.

Я пришла в полное негодование.

— Мопсу нельзя давать столько есть!

— Но он просит, — попробовал спорить Миша.

— У этой собачки нет стоп-сигнала, будет есть, пока не лопнет. И почему вы лежите в этой комнате?

Миша удивленно оглядел Кешкину спальню:

— Разве я не здесь живу?

— Нет, ваша обитель следующая по коридору.

— Действительно, — пробормотал профессор, — то-то мне странно казалось. Утром просыпаюсь — одна кровать, днем зайду — две стоят, а вечером вновь одна!

— Просто все время путали и заходили днем в Кешкину комнату. Значит, это вы едите в постели?

Математик принялся накручивать волосы.

— Совершенно машинально, привык, знаете ли, работать и жевать, вот, взял сначала мороженое, потом фисташки, а тут еще Манюня чипсы принесла...

— Ладно, — прервала я поток объяснений, — давайте уберем мусор, и идите к себе, а то сейчас Ольга явится, и начнется буря.

— Вы правы, страшно неудобно вышло, еще

раскрыл шкаф и думаю, откуда тут женские вещи?

Я принялась выпихивать ненормального за дверь. Потом кое-как сгребла объедки, стряхнула скорлупки и крошки с покрывала и выгнала прочь собак, затем постучалась к Мише.

— А где Галя?

— Кто? Какая Галя? — опять еле-еле оторвался он от книги.

— Галя Верещагина, физик-теоретик, — решила я запастись терпением.

— Ах Галочка! Куда-то вышла. Удивительная женщина, редкий, светлый ум, абсолютно нестандартное мышление, блестящая логика и почти энциклопедическое образование. Мне до сих пор не встречались подобные женщины. Просто получаю удовольствие от общения с ней.

Я тихонько закрыла дверь и пошла к себе. Ну как, скажите вы мне, можно женить такого субъекта? Да он ровно через две минуты забывает имя возлюбленной!

Провалявшись полночи без сна, наконец нашла гениальное решение. По словам Сюзетты, Базиль приехал для того, чтобы отыскать клад, зарытый предприимчивым дедулей. Полный бред, конечно. Но один из наших внезапно разбогатевших знакомых купил огромную квартиру в доме на Старом Арбате. В апартаментах, где недавно была коммуналка, последний раз ремонт делали в 1916 году. Затем комнаты бесконечно переходили из рук в руки, и максимум, что предпринимали новые владельцы, — побелка потолков и переклейка обоев.

Можете представить, какой пейзаж увидел

Петька, войдя первый раз в загаженные залы. Мужик взялся за дело серьезно. Затеял евроремонт со сменой всего — сантехники, пола, дверей, окон. Вот именно в тот момент, когда рабочие начали выламывать старые рамы, и произошел невероятный случай. Стоило им отодрать старинный подоконник, как из небольшого углубления выпала железная коробочка с надписью «Ландринъ». Петька, не растерявшись, быстренько сунул ее в карман и поставил мастерам несколько бутылок водки с закуской.

В упаковке из-под монпансье обнаружились три чудесных браслета и несколько довольно крупных драгоценных камней — то ли изумрудов, то ли брильянтов. Короче говоря, ремонт он оправдал, да еще осталось. Случилась история в 1996 году, скорей всего «хованку» сделал дореволюционный хозяин, удачливый московский адвокат, изгнанный большевиками сразу после революции. Вероятно, он думал, что безобразие ненадолго... Драгоценности пролежали в укромном уголке без малого восемьдесят лет...

Может, и собранное Николаем Корзинкиным тоже преспокойненько ждет владельцев на кладбище в деревне Горловка? Скорей всего Базиль сейчас там. А почему задержался? Да заболел просто, рылся под дождем в сырой земле, подхватил воспаление легких и теперь лежит в какой-нибудь сельской больнице, или гостинице, или в избе...

Представляю, как его там лечат! Небось температура под сорок, лежит там без памяти... Надо срочно ехать в Горловку и искать Базиля. Естественно, жители знают, куда подевался приезжий.

Какой бы величины ни оказалась деревня, слухи разносятся по ней в минуту. Хотя скорей всего Базиль никому не рассказывал о своем французском подданстве, по-русски Корзинкин говорит, как москвич, даже «акает» и тянет гласные. Да, немедленно еду.

Едва дождавшись восьми утра, понеслась в библиотеку. Есть у нас замечательная вещь, подаренная лет десять тому назад одним из моих благодарных студентов, — Атлас военного. Все Подмосковье изображено в мельчайших деталях, нанесены не только шоссе и асфальтированные дороги, но и проселки, всяческие дорожки, чуть ли не тропинки. Я влетела в кабинет и наткнулась на сидевшего за письменным столом Кешу.

— Мать? — удивился тот. — Чего в такую рань вскочила?

— Атлас хочу посмотреть, а ты работаешь?

Аркашка хмыкнул и потянулся.

— Ну скажи, почему меня вечно нанимают защищать идиотов?

Да, это вопрос. Сын долго учился и в отличие от многих студентов практически никогда не пропускал занятия. Причем, по сути, получил два высших образования — одно на юрфаке МГУ и параллельно в Сорбонне, Парижском университете. Казалось, такого адвоката с руками оторвут. Выяснилось, что вовсе даже и нет.

Сначала бедный Кешка просто сидел в консультации, отвечая на вопросы типа: «Какое количество отпускных дней положено больному язвой желудка?» Клиенты с уголовными делами предпочитали обращаться к мужчинам постарше или к женщинам моего возраста с волчьим взглядом. С горя Аркашка отпустил жиденькие усики и стал похож на небритого петушка, солидности ему чахлая растительность над губой не прибавила. Со временем дело все же сдвинулось с мертвой точки, и появились первые подзащитные: мелкий жулик, выдававший давно потерявший всякий вид и вкус кофе за первоклассную «Арабику»; студент, напившийся до беспамятства и укравший в ларьке два «Сникерса»; алкоголик, взломавший во дворе машину соседа... По мне, так всем им следовало как следует наподдавать по заднице и выгнать домой. Но российская юстиция строга к мелким правонарушителям, и они загремели на нары. Даже под подписку о невыезде им не разрешили остаться на свободе — посчитали настолько опасными, что заперли в Бутырку.

— Если б удалить из московских СИЗО всех идиотов, кретинов и мелких жуликов, — возмущался Аркашка, — то можно было бы настоящих преступников содержать в нормальных условиях. А то ведь и людей мучают, и закон частенько нарушают: места-то не хватает, вот и попадают подельники в одну камеру! Ну скажи, что за опасность исходит от жулика, сперевшего по дури пару шоколадок? Ну ладно, суди его справедливым судом, возьми подписку, но сажать! А у милиции свой расчет — тюрьмы переполнены, следовательно, правоохранительные органы работают.

Потом стали появляться новые дела, несколько очень серьезных, и вот очередное...

— Хочешь почитать? — предложил Аркашка и подсунул свой блокнот.

Я стала просматривать странички, исписанные его крупным, ясным почерком, и через минуту не знала, плакать мне или смеяться.

Два путевых рабочих, Гвоздев и Подольский, слили из цистерны три литра спирта. Обрадованные неожиданной удачей, мужики прибежали с банкой в бытовку, где преспокойненько обедал третий участник трагической истории — путеец Никандров. Работяги решили угоститься дармовой выпивкой, но обнаружили, что в вожделенной «огненной воде» плавают щепки и соринки.

— Не беда, — почесал в затылке Гвоздев, — процедим.

Сказано — сделано. Принялись искать подходящий кусок материала, перерыли бытовку — ничего. И тут бедолаге Никандрову пришла в голову восхитительная мысль.

— Братцы, — закричал он, — жена велела памперсы для дочки купить, ща через него и сольем.

Моментально распотрошили упаковку «Хаггис», вытащили один, поставили под него кастрюльку, а сверху принялись аккуратно плескать спирт. Когда банка опустела, мужики, радостно потирая руки, подняли отчего-то сильно потяжелевший памперс и обалдели — пусто. Весь напиток впитался внутрь. Обозленные парни принялись выкручивать «Хаггис», но «ковбой» стоял насмерть, из него не выдавилось ни капли. Как и обещала реклама, памперс превратил жидкость в гель. Несчастные работяги разобрали предмет ухода за младенцем на составные части — ничего, кроме слегка влажных внутренностей. Каким образом три литра жидкости ухитрились исчезнуть в небольших бумажных штанишках, оставалось загадкой.

— Во, блин, дает, — только и смог вымолвить Никандров.

— Все из-за тебя, козел, — обозлился Гвоздев.

— Сам козел, — ответил Никандров.

Слово за слово, завязалась драка, в пылу которой, говоря языком протокола, «Гвоздев нанес Никандрову семь ранений колюще-режущим орудием, несовместимых с жизнью и повлекших за собой смерть последнего». Итог «памперсной» эпопеи — один труп и увезенный в СИЗО Гвоздев. Он-то и стал Аркашкиным подзащитным.

— Теперь представляешь, что станет с судейскими, когда они ознакомятся с делом? — спросил грустно Кешка. — Ну, судья, предположим, удержится, а народные заседатели просто сдохнут со смеху!

«Очень смешно, — подумала я, роясь в атласе, — можно просто обхохотаться, убили человека из-за выпивки!»

Глава четырнадцатая

Деревня Горловка располагалась, как и говорила Сюзи, в сорока километрах от Москвы. Я довольно быстро добралась до нужного места по шоссе, потом еще какое-то время «Вольво» подпрыгивал на ухабах проселочной дороги, и передо мной возникла маленькая, узенькая и весьма грязная речка. Единственный мостик представлял собой несколько полусгнивших бревнышек. Нечего было и думать о том, чтобы переехать его на машине. Вдали, на пригорке, виднелись избушки — это и была Горловка.

Вздохнув, я заперла машину и пошла по шаткому сооружению. Гнилые деревяшки угрожающе подрагивали. Интересно, как заезжают в этот населенный пункт местные жители? Ведь привозят же им хлеб, продукты, почту, наконец.

Но, уже оказавшись на окраине деревни, поняла: Горловка брошена или почти брошена. На узенькой улочке стоял с десяток домов — покосившихся и почерневших, окруженных поваленными заборчиками. Избы смотрели на свет выбитыми окнами, двери были нараспашку. Не лаяли собаки, не кричали дети, не кудахтали куры. Только один дом, самый последний, выглядел жилым. Во дворе на веревке моталась пара тряпок, а дверь украшал пудовый ржавый замок. Я потрогала его руками и вздохнула. Может, хозяин здесь, просто поехал за продуктами? Подожду немного, а пока осмотрю окрестности.

Дорога пошла вниз и запетляла в лесу. Я медленно шла по тропинке, вдыхая терпкие осенние запахи. День стоял непривычно теплый и сухой, такие, как правило, выдаются в начале октября. Внезапно ели расступились, и перед глазами предстал двухэтажный заброшенный дом, явно бывшая барская усадьба. Над входной дверью висела вверх ногами вывеска — «Летняя дача детского сада № 2456».

Все ясно: в советские времена многие детские учреждения вывозили своих воспитанников в Подмосковье. Настоящее спасение для работающих родителей и одиноких матерей. Стоило копейки, и ребенок весь день присмотрен, накормлен и на воздухе. С приходом дикого капитализма институт детского отдыха тихо начал отмирать, и передо мной одна из таких заброшенных дач.

Внутри оказалось несколько просторных комнат, огромный зал, кухня, ванная, но мебели нет, и обои повисли клоками...

Я вышла через заднюю дверь, прошла еще немного берегом реки и наткнулась на кладбище. Безжалостное осеннее солнце освещало заброшенные могилы. Человеку свойственно не думать о смерти, но если уж все равно похоронят, так лучше здесь — в полной тишине, над рекой, под деревьями, где поют птицы...

Я толкнула ржавую калитку и вошла внутрь. Погост делился на две части — в одной несколько замечательных мраморных памятников, в другой — простые деревянные и железные кресты.

Первое надгробие представляло собой фигуру коленопреклоненного ангела. «Гликерия Корзинкина, урожденная Рокотова, 1836—1901 гг., Федор Корзинкин 1829—1900 гг.». Бог мой, это же предки Базиля! Следующая могила принадлежала Михаилу и Варваре Корзинкиным, рядом детские захоронения — младенец Петр и отроковица Анна, в самом углу Дормидонт и Прасковья Корзинкины, скончавшиеся аж в 1856-м и 1861-м годах.

На второй территории масса мелких холмиков, на крестах разные фамилии, последний раз тут хоронили в 1986 году — Авдотью Козлову. Прожила бабуля большую жизнь, родилась в 1906 году. В самом конце стоял обычный, уже почерневший деревянный крест. Я с трудом разобрала буквы. «Господи, упокой с миром невинно убиенных Андрея, Марию и Трофима Корзинкиных, 1917 год». Значит, тут покоятся прадедушка и прабабушка Базиля, родители его деда Николая, убитые восставшими крестьянами! Где же могилка младенца Земцова, в которой якобы спрятан клад?

Я вновь вернулась на «богатую» территорию и стала осматриваться. В левом углу за оградой еще какой-то холм. Я перелезла через изгородь и увидела небольшой каменный обелиск — «Прости, господи, нашей дочери грех самоубийства. Анастасия Корзинкина 16 лет, младенец Земцов».

Бедная девочка! Небось забеременела незамужняя и не снесла позора — убила себя и незаконнорожденного сына, вот почему могилка за оградой и креста нет. Но где камень, который требуется повернуть?

Я излазила весь холм, никаких камней нет и в помине, только небольшой, примерно метровый обелиск. Может, его и имел в виду умирающий дед?

Памятник из белого, слегка потемневшего мрамора стоял намертво. Я дергала неподатливый кусок, пыталась расшатать — все без толку. Через полчаса зряшных усилий решила присесть на небольшую, слегка расколотую мраморную скамеечку и закурить. Привычный вкус «Голуаз» успокоил нервы, и захотелось пить. Солнце светило ярко, щедро освещая кладбищенский пейзаж. В траве, все еще высокой и, несмотря на ноябрь, почему-то зеленой, блестел какой-то предмет. Я присела на корточки и подняла золотую зажигалку «Ронсон» с выгравированной буквой

«В». Так, Базиль приезжал сюда. Симпатичную безделушку Зайка подарила Корзинкину на это Рождество, обозначив на ней первую букву его имени «Basil». Значит, он тоже сидел на скамеечке и скорей всего зачем-то наклонился, вот плоская, маленькая штучка и выпала из кармана.

Я принялась внимательно осматривать низ скамейки, пальцы ощупывали «ногу», вдруг именно ее надо повернуть? Внезапно под руками что-то продавилось, раздался тихий скрип, и обелиск слегка отъехал. Я разинула рот. Вот оно что! В скамеечке скрыт механизм, отодвигающий камень, а я случайно нащупала «кнопку» — один из мраморных кирпичиков, на который просто требовалось нажать.

Подойдя к тайнику, заглянула внутрь. Небольшая, аккуратно отделанная ниша, абсолютно сухая, без признаков паутины. Ясно, что Корзинкин приезжал на кладбище, скорей всего нашел клад. Дедушка прав — такую «хованку» трудно обнаружить случайно. Я вот знала, где искать, да и то сразу не догадалась!

Обратный путь в деревню показался необыкновенно длинным, и, когда вновь возник заброшенный детский сад, я слегка притормозила и с грустью поглядела на выбитые окна. Значит, вот оно, родовое гнездо Корзинкиных, милый отчий дом, знававший веселье свадеб и грусть похорон... Стоит никому не нужный и умирающий, впрочем, как и сам род Корзинкиных. У Сюзетты и Базиля детей нет, и скоро ветвь засохнет.

В деревне за время моего отсутствия не произошло никаких изменений, та же мертвенная тишина, только с двери кажущегося жилым дома пропал замок и поубавилось тряпок на веревке.

Я взобралась на покосившееся крылечко и крикнула:

— Есть кто дома?

— Входи, не заперто, — отозвался бодрый мужской голос.

Я вошла в просторную кухню. Спиной к двери стоял одетый в какую-то рванину мужик. В руках он держал ухват и орудовал им в огромной русской печи.

— Здравствуйте, — пробормотала я.

Мужик повернулся, и стало понятно, что передо мной древний старик, еще крепкий, но невероятно старый. Все лицо хозяина избороздили морщины, и оно походило не на печеное яблоко, а на потрескавшуюся почву пустыни. Темная то ли от летнего загара, то ли от возраста кожа, запавший рот и неожиданно ярко-васильковые глаза под седыми кустистыми бровями.

— Здорово, дочка, коли не шутишь, — громко ответил хозяин, с грохотом ставя черный котелок на подставку. — Вот как угадала, прямо на щи поспела. Садись, хлебни горяченького.

Он порылся в шкафчике, вытащил две тарелки с золотыми буквами «Общепит», алюминиевые ложки и хлебницу с кусками кривого серого батона.

— Уж извиняй, — проговорил дедок, — булки сам пеку. Раньше из сельпо таскал, а теперь тяжело стало. Далеко ходить-то, все десять километров будет, вот муки, крупы, сахару да масла приволоку, и все — сдох коняшка. Раньше, пока жена жива была, здорово у нее хлеб получался, а у меня никак. Вроде кладу все то же, что и она, а выходит — пшик. А еще раньше тут и магазин был, и электричество, и газ... Сейчас ничего, свечку жгу.

— Что ж не уедете?

— А куда? Дитев господь не дал, в дом для престарелых не хочу, пусть уж лучше тут, возле старухи, похоронят, рядом с Авдотьей. Последние мы из горловских остались, все поперемерли, теперь вот один. Я вот как придумал: домовину сколотил и в сарай поставил. А на почте предупредил, как пятого за пенсией не явлюсь, значит, помер. Деньги себе заберите, только меня в гроб положите да заройте. Обещали сделать. Да уж небось недолго.

— Сколько же вам стукнуло? — вырвалось у меня.

— В 1902-м крещен, — ответил дедок.

«Это ж почти сто лет! Как он тут живет один?!» Словно услышав мои мысли, старик сообщил:

— Нормально живу. Колодец хороший, огород сажаю, картошку, капусту, морковку, свеклу выращиваю, куры были, да передохли, заразы, а так все хорошо! Газеты вот куплю раз в месяц и читаю. Глаза видят, уши слышат, мозги варят, чего господа гневить и жалиться? По городам мужики в моих летах давно покойники или инвалиды, а я даже очков не ношу.

Он с завидной скоростью принялся уничтожать перловку. Я зачерпнула крупинки и пожевала — больше похоже на кашу, чем на щи, но необыкновенно вкусно — ароматно и во рту тает.

В два счета я умяла тарелку, заслышав, как ложка царапает по дну, дедуля усмехнулся.

— Ну как тебе, дочка, суп из печки?

— Бесподобно!

— То-то и оно, совсем другое дело, не то что на газу или керосине, дух совсем иной.

Он полез в мешочек, висящий на окне, вытащил оттуда горсть самосада, скрутил из газеты козью ножку и со вкусом задымил. Я вынула «Голуаз». Дед неодобрительно крякнул.

— Вот это зря, ты же баба, негоже курить, небось и водку пьешь?

— Нет, только курю, а вы, наверное, помните Корзинкиных?

— Господ? А то нет! Пятнадцать стукнуло, когда кормильцев красноармейцы расстреляли.

— А говорили, крестьяне убили...

Дедок от возмущения аж поперхнулся:

— Чтоб мы, да своих господ? Слушай, как было!

Дед раскраснелся, то ли от съеденных щей, то ли оттого, что внезапно получил внимательную слушательницу. Рассказ его оказался обстоятельным и изобиловал кучей нужных и ненужных деталей.

Корзинкины обитали в Горловке всю жизнь. Во всяком случае, прабабка моего собеседника вспоминала, как ее мать получила от господ на свадьбу избу и корову в приданое. Принадлежали им по прежним временам не только Горловка, но и Сергеево, Костино, Павлово, Марьино да еще штук пятнадцать деревень. Словом, типичные крепостники, угнетатели трудового крестьянства, как писали в моих детских учебниках истории.

Но на деле выглядело по-другому. Корзинкины построили для деревенских детей школу, больницу для своих крестьян, открыли библиотеку и никогда никого не пороли на конюшне. На Рождество, Пасху и в дни именин хозяев устраивали праздники для народа с пряниками, самоваром и раздачей подарков. Приглядывали за бездетными стариками и вдовами...

— Эх, чего вспоминать, — расчувствовался дед, — они были наши родители, а мы все их дети. Забот не знали, только работай честно, ходи в церковь да водку не пей.

Пьянство искоренялось безжалостно, алкоголиков запирали в погребе, если не помогало, доктор лечил любителей горячительного ледяными обвертываниями и какими-то травами, от которых открывались безудержная рвота и понос.

— Мне десять лет исполнилось, — продолжал старик, — когда Марья Антоновна, барыня, царство ей небесное, позвала мамоньку и велела: «Приведи сына Прохора в дом».

Мать Прохора служила в горничных и была наперсницей госпожи. Но нрав имела замкнутый и господских тайн не выдавала.

— Два мальчишки у ей росли, — пояснил Прохор, — Трофим и Николай, погодки. Вот меня и позвали младшенькому, Коленьке, в лакеи. Он, правда, чуть старше меня был, но никогда не обижал. Так и росли вместе, он учится с учителем, и я рядом, он гулять и...

— Погодите, — прервала я деда, — что-то вы

путаете, у Николая не было никаких братьев, один рос...

Прохор усмехнулся и глянул на меня своими яркими глазами.

— Эх, дело давнее, никого уж и в живых-то нет. История у господ вышла, любовная...

Старые баре Гликерия да Федор родили двенадцать детей, но в живых осталось только двое — Андрей и Настя. Мальчик чуть постарше. Когда Анастасии исполнилось шестнадцать, родители к своему ужасу обнаружили, что дочь беременна. Из посторонних в доме случился только учитель музыки Елизар Земцов, на него и погрешили, выгнав мужика из дома без жалованья. Но через несколько месяцев, когда ненужный младенец родился на свет, у Гликерии зародились ужасные подозрения. У новорожденного оказались темно-голубые глаза Андрея и огромное родимое пятно между лопатками, точь-в-точь как у «дяди».

Мать заперлась с дочерью в спальне, потом туда призвали отца. Дворня, поняв, что происходит что-то необычное, попряталась по кухням и кладовым. Из комнаты Насти не доносилось ни звука. Потом оттуда вышли господа, у Гликерии был абсолютно безумный вид и мелко-мелко тряслись руки. Горничным объявили, что родильница спит и не велела беспокоить.

Перед обедом приказали заложить бричку, сунули туда наспех собранные вещички и отправили Андрея в Москву, к бабке по материнской линии.

— Нечего ему тут без дела болтаться, — пояснил Федор, — пусть невесту подыскивает на ярмарке...

К ужину Настя не спустилась, за ней послали горничную. Через пять минут женщина с криком влетела в столовую. Она обнаружила девушку в пстле под потолком возле печки, в колыбельке лежал задушенный младенец.

Отец и мать старательно изобразили сначала ужас, потом отчаяние и вызвали врача. Доктор только развел руками, и несчастных похоронили за оградой семейного кладбища.

Слуги тихонько шушукались. Марфа, нашедшая Настю, сказала своей ближайшей подруге, что Гликерия и Федор совершенно не удивились, узнав о кончине дочери, даже вроде ждали подобного сообщения.

— Позора побоялась, — произнес отец.

— Господь ей судья, — вздохнула мать.

— Они ее сами и порешили, — плакала Марфа.

На следующий день горничной дали денег, подарили дом, корову и всяческую утварь. Якобы за отличную службу, и отправили женщину жить в село Потапово, расположенное в ста двадцати километрах от Горловки. Несколько дней пути на хороших лошадях.

— Неужели родную дочь убили? — вырвалось у меня.

— Запросто, — ответил Прохор, — грех-то какой — от брата родить! Если случалось такое у господ, так завсегда девчонку или в монастырь определяли, или к дальним родичам сплавляли, а младенцев душили, или нянька чего в рожок подсыпет.

— Господи, зачем?

— Кровь берегли, уродства в семье не хотели. Даже если младенец нормальный получался, то его дети уж точно были бы дурачками.

— А дочь почему выгоняли?

— Ну так сына женить надо, девка начнет козни строить, молодую жену смущать, не дело! И замуж ее никто не возьмет — подпорченный товар! Одно остается — либо грехи замаливать, либо в тетушках у дальних родичей проживать...

— Несправедливо получается, — возмутилась во мне феминистка, — женщина страдает, а мужчине все с рук сходит. В постель-то она не одна ложилась, вместе с братом...

— Он — продолжатель рода, — сурово объявил Прохор, — женится, фамилию сохранит, а девка на сторону уйдет, в мужнину семью.

Андрея Корзинкина продержали несколько лет в Москве, а когда история подзабылась, вернули в Горловку и женили на Марии Вяземской. Но настоящей любви в этой семье не было, хотя у молодой спустя девять месяцев после свадьбы родился сын Трофим. Недели не прошло после родин, как Андрей загулял с соседкой-помещицей, потом завел роман с другой, третьей, короче, вел себя как холостой мужчина. А после смерти родителей вообще потерял всякий стыд и по ночам не приходил домой.

Мария занималась садом, без конца подрезала розы и пыталась вывести новый сорт. Тихая, абсолютно безответная, постоянно молчавшая. Громкого слова от нее не слышал никто. Бывало, уйдет летом на целый день в лес и только к ужину возвращается с букетами... Полной неожиданностью для Андрея стала вторая беременность жены. Впрочем, он все же иногда заглядывал в супружескую спальню. Но окончательное изумление испытал муж, увидев новорожденного. У белокожих, светло-русых и голубоглазых родителей появился на свет темноволосый, смуглый мальчик с карими очами.

— Весь в прадедушку, — заявила Мария, улыбаясь.

Дворня вновь зашушукалась. Чем старше становился Николай, тем яснее было видно, что они с Трофимом из разного гнезда. В конце концов различие стало настолько бросаться в глаза, что младшего отправили учиться в Москву. Между братьями никогда не существовало близких отношений. Старший частенько бил Николая и шепотком обзывал «приблудой». Как-то раз словечко услыхала Мария, и Трофима в первый и последний раз высекли розгами. С тех пор он стал любезно улыбаться брату и прекратил с ним всяческое общение.

— Ничего, — вздыхала мать, — подрастут, женятся, разделим деревеньки, начнут хозяйствовать, все и уладится. Дед мой был вылитый цыган, вот правнук весь в него, а Троша просто ревнует, с возрастом это пройдет.

В декабре 1917 года в Горловку пришли красноармейцы с бумагой, барский дом предписывалось освободить.

— Тута теперь станут раненых лечить, сваливайте, господа хорошие, будя, пожировали, — сообщил чуть пьяноватый парень в шинели.

Мария кинулась собирать столовое серебро.

— А вот этого не надо, гражданочка, — нехо-

рошо ухмыльнулся командир, — все конфиску-
ется в пользу победившей революции.

Мария растерянно посмотрела на мужа. Тот
вежливо предложил:

— Может, солдаты желают выпить и заку-
сить? Распорядись, дорогая!

Тут же накрыли огромный стол. Молоденькие
горничные с ужасом наблюдали, как солдаты немытыми руками рвут на части ароматную курятину. Из подвалов таскали элитные вина и конь-
яки. Вскоре «конфискаторы» запели песни, а
потом заснули мертвецким сном. Для пущего
эффекта в выпивку им подсунули снотворное.

Пока красноармейцы, распространяя удушливый запах нестираных портянок, спали, слуги
вместе с господами метались по комнатам, соби-
рая самое ценное. Кое-что зарыли во дворе,
часть прихватили с собой.

— Ненадолго расстаемся, братцы, — плакал
Андрей, прощаясь с дворней, — скоро хамов по-
гонят, опять прежняя жизнь пойдет.

Одолжив у ключницы и повара одежду, барин
и барыня пошли по дороге в деревню. Трофим,
надевший наряд конюха, нес чемоданчик с веща-
ми и ценностями.

В Горловке заночевали. Утром Андрея и Марию нашли проспавшиеся солдаты, вывели во
двор и расстреляли.

— Уж как их староста ни прятал, — вздыхал
Прохор, — а отыскали... Прямо за избой и порешили...

Потом, ближе к вечеру, верные слуги сколо-
тили гробы и похоронили господ на кладбище.

— А Трофим?

Прохор принялся кашлять и наконец произнес:

— Да чего уж там, коммунистов проклятых давно нет. Спасся парень.

У Евлампии дочь Авдотья в жару лежала, лихорадка ее ломала, так Трошу рядом положили, солдаты даже в избу побоялись зайти. А наши все про барчука смолчали, так и выжил...

Вскоре из города прибыл Николай и долго рыдал на родительской могиле. Помирился он с братом, юноши кинулись друг другу в объятия и решили вместе эмигрировать. Но в ночь перед отъездом Трофима свалила лихорадка. Очевидно, он все же подцепил болезнь от Авдотьи. Вместе с ним заболел еще один парень — Лешка Никитин.

— Беги, сынок, один, пока жив, — велела Николаю Евлампия, — горе, конечно, но, похоже, Троша не жилец.

Заливаясь слезами, прижимая к себе собачку Фоку, Коля уехал. А Трофим неожиданно выздоровел, скончался Лешка Никитин. Умная Евлампия велела похоронить несчастного в могилу к господам, а на кресте добавить имя — Трофим. Барский сынок получил документы Лешки и пошел по жизни крестьянским сыном, старательно скрывая дворянское происхождение. Никто из крестьян не выдал тайны, даже когда стало понятно, что Советская власть установилась всерьез и надолго.

Я вытащила паспорт Корзинкина и подсунула деду:

— Приезжал ли сюда этот мужчина?

Прохор принялся напряженно всматриваться в фото, потом начал сморкаться.

— Вылитый Коленька, господи, выжил, значит, хозяин мой, услышал спаситель молитвы!

— Так не было тут Базиля?

Прохор, однако, почти не обращал на меня внимания.

— Вот радость-то, — причитал он, — сохранилась фамилия. Трошины-то детки Никитиными записаны. Приезжали сюда двое — мужчина и женщина. Алексей Иванович да Вера Ивановна, назвались внуками Корзинкина Трофима, все искали по деревне, может, кто документы какие сохранил, ту же купчую на дом. Только зря. У Евлампии-покойницы, экономки господской, правда, что-то было припрятано. Но после ее смерти Авдотья от греха все и пожгла — боялась. Очень Трошкины внучки убивались, даже адресок женщина оставила — на всяк случай.

— Не выкинули?

Прохор подошел к иконе и вытащил из-за божницы мятый листочек. Что ж, похоже, больше ничего не узнать. Базиль был тут, но дедок, очевидно, отходил куда-то, а Корзинкину и в голову не пришло, что в заброшенной деревне есть жилец.

Я вышла из дома и пошла вправо, к машине.

— Дочка, — крикнул дед, — на дорогу лево бери.

— У меня там машина.

— Ну и ну, — удивился Прохор, — той тропкой не проехать, и мосток развален, вперед бы подала да свернула мимо сторожки.

Я улыбнулась ему. Дед крякнул.

— Ищу Базиля Корзинкина.

— Кого? — протянула женщина, лениво взбивая пухлой рукой смоляные кудри. — Ошибочка вышла, здесь живу я.

— Конечно, конечно, — зачастила я, — Алексей Иванович Никитин работал с Базилем, а Корзинкин пропал.

— Ясно, — абсолютно отстраненно констатировала Лола, — только Алексей умер, а я никакого, как его там, Базиля не знаю.

И она просто захлопнула перед моим носом створку входной двери. Я секунду постояла в обалдении, разглядывая железную дверь, затянутую красивой красной кожей. Полный нокаут!

Ладно, поеду в издательство «Свеча», скорей всего там знают о партнере по бизнесу.

В моем понимании издательство — большой дом, набитый компьютерами, телефонами, факсами и рукописями. Во всяком случае, когда в Париже случалось сопровождать Наташку в «Пеликан», антураж был именно такой.

«Свеча» располагалась на втором этаже низкого дома в проезде Прямикова. Только не подумайте, что данная организация занимала огромное помещение. Всего лишь две крохотные комнатушки, что называется, кошке негде хвост протянуть. В одной восседала милая женщина с простым, улыбчивым лицом.

— Надо же, какое горе, — отреагировала служащая на мой вопрос.

И это было первое проявление человеческих чувств по отношению к погибшему Алексею Ивановичу. Что дочь, что любовница выказали редкостное равнодушие. Впрочем, как говорят, каков поп, таков и приход.

Милая редакторша принялась помогать.

— Говорите француз, Базиль Корзинкин?

Я кивнула. Тут дверь в комнату отворилась, и влетело невероятное существо. Высокая девица, такая вертлявая и быстрая, что мне показалось, будто вошли две дамы, а не одна.

— Надежда Николаевна, — запричитала вошедшая, бряцая бесконечными бусами, цепочками и браслетами, — ну где же мои десять авторских экземпляров?

Редакторша без всякой радости уставилась на женщину, тяжело вздохнула и сказала:

— Жанночка, книжечки придут не раньше декабря.

— Ах, какая жалость, — взвизгнула Жанна, потряхивая бесконечными бисерными фенечками и кожаными шнурками, украшающими ее запястья, — ну надо же, сколько ждать. Ладно, тогда позвоню от вас, можно?

— Звоните, — радушно разрешила Надежда Николаевна, и Жанна принялась накручивать диск допотопного аппарата.

— Знаете, — обратилась ко мне редакторша, — честно говоря, у нас не очень бойко шли дела. Но Алексей Иванович постоянно добывал где-то спонсоров. Сколько я его ни уговаривала немного, так сказать, расширить круг авторов, но он ни в какую.

Приятная сотрудница могла бы так долго и не объяснять. Материальное положение редакции выдавало все: телефон времен Очакова и покоренья Крыма, никакого компьютера, обшарпан-

ный письменный стол, несколько весьма ободранных стульев... Да и сама Надежда Николаевна не тянула на высокооплачиваемого редакто-
ра — дешевенький трикотажный костюмчик и
беленькая блузочка с рюшечками, явно производства трудолюбивых китайцев.

— И у нас не было никаких контактов с ино-
странцами, — продолжала женщина, — даже не
слышала такого имени. Согласитесь, оно немного нелепо звучит — Базиль Корзинкин!

Вот тут она права, подобное сочетание легко
запоминается.

Сообразив, что больше ничего не узнаю, я
выбралась на улицу и вытащила из сумочки пачку «Голуаз». За спиной послышалось позвякива-
ние.

— По-моему, могу помочь.

Я обернулась и увидела Жанну. Девушка радостно улыбнулась.

— Вы знаете Корзинкина? — удивилась я.

— Не совсем, — захихикала девушка, — просто, ну как бы это вам получше объяснить...
Может, зайдем в кафе?

Мы вошли в небольшое темноватое помещение. Жанна весьма уверенно заказала кофе и пирожные.

— Еда тут дрянь, — пояснила девушка, — а
кофе варят отличный.

Что правда, то правда. Крепкий, в меру слад-
кий, с красивой пенкой, напиток радовал глаз и
ублажал вкус.

— Я же вам сказала, — удовлетворенно отметила девушка и в два глотка опустошила крохотную чашечку.

— Где вы видели Корзинкина? — решила я направить поток ее активности в нужное русло.

— Не поверите, — хихикнула Жанна, — у Мики.

Ну вот, еще одна собачья кличка вместо имени.

— Почему не поверю? — сурово спросила я.

Жанна заказала еще кофе и принялась рассказывать, бесконечно посмеиваясь.

Мика — ее давняя, еще школьная подруга. По образованию она учительница младших классов. Но, поработав пару месяцев в школе, Мика поняла, что это тяжелый и неблагодарный труд. Дети ленятся, капризничают и не желают слушаться, родители бесконечно качают права и требуют, чтобы учительница чуть ли не на голову вставала, чтобы их драгоценные чадушки научились правильно писать «жи» и «ши». К тому же зарплата — чистые слезы, один раз в магазин сходить.

Мика плюнула на благородную профессию преподавательницы и подалась в бизнес. Но на этой стезе ее ждали неудачи. Сначала поехала челноком в Китай и прогорела моментально. Денег еле-еле хватило на то, чтобы покрыть расходы. Тогда Мика решила попробовать себя в гувернантках и нанялась в очень богатую семью пасти девочку семи лет. Через месяц, едва дождавшись первой зарплаты, бедная учительница убежала из роскошного дома, проклиная все на свете.

Чем она только потом не занималась: торговала газетами, пыталась репетировать, продавала «Гербалайф» и косметику фирмы «Орифлейм»...

Но нигде не получала ни хороших денег, ни морального удовлетворения.

Однажды вечером, от души поплакав, Мика взяла «Из рук в руки» и принялась читать брачные объявления. Там попадались безумно смешные вещи, и девушка развеселилась. «Молодой, полный сил мужчина, семьдесят пять лет...» или «Я строен, я красив, я умен. Ищу жену, которая хорошо зарабатывает. Готов сидеть дома с ребенком». Глаза бежали по строчкам, внимание Мики привлекли два сообщения — «тридцать лет, без материальных проблем, выезжаю на ПМЖ в Америку, ищу спутницу жизни, готовую сменить страну проживания». «Двадцать восемь лет, обеспечена, ищу мужа, отъезжающего на ПМЖ в Америку».

«Надо же, — подумала Мика, — словно созданы друг для друга».

В голове смутно зашевелились мысли. Короче, она позвонила мужику, назвалась руководителем брачного агентства и сообщила, что есть невеста. Потом поговорила с женщиной.

На следующий день пара встретилась у Мики дома. К общей радости, они понравились друг другу, потом расписались и благополучно отбыли в вожделенный Нью-Йорк. В руках у Мики остался вполне приличный гонорар. Девушка, вооружившись ножницами, принялась кромсать газеты. В общем, сейчас у нее большое агентство, штат сотрудников и твердый доход.

Жанна дружит с Микой давно. Но ей пока не повезло так, как подруге. Жанночка поэтесса и только-только выпустила первую книжку. Денег, конечно, нет, и более удачливая Мика частенько помогает девушке. То откинет ей брюки, то покормит обедом...

Несколько дней назад Жанна пришла к Мике и обнаружила в кабинете посетителя — Базиля Корзинкина. Мужчина разглядывал альбомы с фотографиями и искал жену.

— Ну этого просто не может быть, — вырвалось у меня.

— Очень даже может, — утверждала Жанна, — имя-то с фамилией какие дурацкие! Сразу запомнила — Базиль Корзинкин, нарочно не придумать. Не верите, сами у Мики спросите!

— Дайте адрес, — потребовала я, расплачиваясь за кофе. И тут зазвонил телефон.

— Муся, — зашептала Маня в трубку, — приезжай скорей, тут такое...

Трубка перешла в руки Аркадия, и сын грозно заявил:

— Мать, давай домой, гости ждут.

Со вздохом засунув мобильник в карман, развернула «Вольво» и понеслась в родные пенаты.

Глава четвертая

В гостиной чинно сидел мужчина лет сорока. На нем была весьма обтрепанная рубашечка в красно-бело-черную клетку. Руки высовывались из рукавов чуть ли не до локтя. Эта ковбоечка вылезала из стареньких джинсов. На ногах гостя почему-то красовались разные туфли. На правой — коричневая, на левой — черная.

Но, несмотря на дурацкую одежду, выглядит мило. Уж очень доброе, располагающее лицо с умными голубыми глазами. На удивительно аккуратном носу сидели самые простые очки в роговой оправе. Сейчас давно никто не носит такие. Черные вьющиеся волосы взлохмачены и стоят дыбом.

— Очень благодарен, — вскричал мужчина, увидев меня, и вскочил с места. Мирно дремавший на его коленях Хучик незамедлительно шлепнулся об пол, словно спелая груша. Бедный мопс завизжал, и мужчина, быстро нагнувшись, поднял песика с пола.

— Совсем забыл, что он тут спит, — виновато сообщил гость, — меня зовут Михаил, фамилия Золотарев, а вы, очевидно, Даша? Алена вас очень подробно описала.

Я велела подать чаю и приступила к допросу.

— Какой ужас рассказывала Алена. Это правда, что у вас квартира сгорела?

— Абсолютная, — кивнул головой Миша, — по счастью, не вся. Больше всего пострадали кухня и большая комната. Кабинет почти не тронут.

— Как же это вышло?

Оказывается, ребенок соседей Золотарева, восьмилетний хулиганистый Димка, оставшись один, решил развлечься, пуская с балкона горящие самолетики. Один из дымящихся «лайнеров» попал на лоджию Михаила. Мигом вспыхнул соломенный столик и два стула, потом огонь перебрался на парусиновые жалюзи и через открытую балконную дверь проник в кухню. Все это произошло в считанные минуты. Хорошо хоть Димка не растерялся и вызвал пожарных, иначе итог мог оказаться совсем плачевным. А так пострадала только квартира математика.

Родители пакостника попросили Михаила не поднимать шум и быстро начали ремонт.

— Очень, очень благодарен за приют, — сказал профессор, — постараюсь оказаться полезным в хозяйстве, если, к примеру, кофемолка сломалась или телевизор, могу починить.

— А разницу между прямой и ломаной линией знаете? — неожиданно вмешалась молчавшая до сих пор Маня.

— Конечно, — ответил мужчина.

— Ну тогда объясните задачку по геометрии! — велела дочь.

Не успела я выговорить ей за бесцеремонность, как Миша отреагировал:

— Пошли в твою комнату, растолкую все с самого начала.

Они двинулись к выходу, и тут математик увидел лежавшую на столике книгу «История России для детей». В секунду он уцепил том и принялся самозабвенно листать страницы. Маруся успела уже выскочить в коридор. Через пару минут ее голова всунулась в комнату.

— Ну где же вы?

— Ой, прости, пожалуйста, — всполошился Миша, — зачитался случайно...

Он захлопнул книгу и поспешил за Манюней. Я не выдержала:

— Простите, профессор, вы в курсе, что ходите в разных туфлях?

Математик притормозил и уставился на ноги.

— Интересно, интересно, — забормотал он, — как же такое вышло? Вроде с утра нормально было, в институте никто не сказал. Мне, видите ли, обычно говорят, когда что-то не так...

Маруся опять заглянула в гостиную и нетерпеливо выкрикнула:

— Ну сколько же времени можно идти?

— Прости, дстка, задумался, — беззлобно ответил Миша и исчез за дверью.

Я молча посмотрела вслед гостю. И кого это нам подсунула Алена? По-моему, его одного страшно выпускать из дома.

К Мике попала только на следующий день к обеду. Брачное агентство занимало большое помещение на первом этаже красивого кирпичного дома. Очевидно, дела шли блестяще. Здесь явно только что сделали ремонт, и стены выглядели просто изумительно. Пол застелен коврами... Комната начальницы напоминала приемную дантиста. Из роскошного кожаного кресла на меня глядела черноволосая женщина.

— Меня прислала Жанна, — пролепетала я, изображая клиентку, — сказала, Мика поможет...

Дама улыбнулась. Она выглядела молодо. Большие карие глаза и прическа под пажа, но что-то в ее облике выдавало человека жесткого, даже жестокого. Может быть, узкие губы и торчащий вперед подбородок.

— Ох уж эта Жанна, — вздохнула Мика, — абсолютно неземное существо. Меня зовут Марина Анатольевна, а вы, очевидно, хотите найти спутника жизни.

— Да, — радостно подтвердила я, — очень.

— Давайте паспорт.

— Зачем?

Марина Анатольевна улыбнулась и принялась втолковывать глупой посетительнице:

— В агентстве ставят на учет только тех, кто не состоит в браке.

— А, понятно, — протянула я и подала синюю книжечку.

Марина удивленно вздернула брови.

— Вы иностранка?

— Мне нельзя воспользоваться вашими услугами?

— Почему же! Просто сюда практически не обращаются женщины из-за границы.

— А мужчины?

— Случается. Только тут следует держать ухо востро. Некоторые хотят получить не столько жену, сколько бесплатную домработницу. Думают, наши женщины слаще морковки ничего не видели и запрыгают от радости при виде любого иностранца. Вот недавно приходил ваш соотечественник, француз. Решил в Москве жениться. По-русски говорит изумительно, ну ни за что не подумаешь, что парижанин. Так он такие требования выдвигал! Просто принцессу ему подавай. Чтобы красавица, умница, обеспеченная и девяносто-шестьдесят-девяносто. Представляете?

— Ну и нашел таких?

— Троих. Теперь вот жду, с кем из них договорится.

— Его случайно не Базиль Корзинкин зовут?

— Точно, — удивилась сваха, — откуда знаете?

— Знакома с ним. Он еще в Париже говорил о желании найти жену в России.

— Будем надеяться, что сумели подобрать ему пару, — улыбнулась Марина.

— А как я увижу предполагаемых женихов?

— Очень просто, — успокоила сваха, — сначала заплатите кое-какую сумму за услуги, потом полистаете альбомчики, почитаете объявления. Кстати, хочу предупредить, агентство не несет ответственности за моральные устои желающих вступить в брак.

— Как это? — не поняла я.

— Могу проверить наличие семьи у претендентов только по предъявленному паспорту, — продолжала заученно улыбаться Мика, — и, как правило, в агентство приходят люди, на самом деле ищущие пару. Но случаются мошенники, обманщики да просто сексуально озабоченные... Мы не проводим никаких расследований, просто заносим кандидатов в картотеку. Поэтому всегда предупреждаю и мужчин, и женщин — будьте осторожны. Не зовите в первый же день в гости. Погуляйте, пообщайтесь, загляните в ресторан, в театр, наконец. А то только увидят мужика и тут же к себе зазывают. Стол, бутылка, а потом ко мне бегут с воплем — изнасиловали!

— Женщин больше приходит?

— Да, но в конце концов как-то все пристраиваются, пусть не сразу... Начнем оформлять договор?

Я спешно вытащила кошелек и отдала тысячу рублей.

— Брюнет, блондин? — спросила хозяйка, подходя к огромному шкафу. — Возраст какой желаете?

Ну прямо как в магазине. Проглотив фразу «лишь бы человек был хороший», я произнесла:

— Шатен, примерно сорок — сорок пять.

— Отлично, — отчего-то обрадовалась Мика и шлепнула на столик довольно пухлый альбом.

Руки начали медленно перелистывать пластиковые страницы. Оформлены они были однотипно и слегка напоминали карточки тюремного фотографа. Один снимок анфас, другой — профиль. Не хватало только красных полос и надписей «Склонен к побегу» или «Склонен к нападению на конвой». Внизу под фото стояло несколько строк, рассказывающих о привычках и хобби. Старательно проглядев все кандидатуры, я спросила:

— А где Базиль Корзинкин?

— Не захотел давать фото. Знаете, некоторые отказываются. Считают, что плохо получаются. Такие у нас в другом месте.

— Покажите Корзинкина.

Мика не усмотрела в просьбе ничего особенного и вытащила амбарную книгу.

— Вот, — ткнула сваха пальцем с безукоризненно сделанным маникюром в объявление.

«Молодой француз, управляющий крупным банком, без материальных и жилищных проблем, высокий шатен с карими глазами, не курит и не пьет, ищет спутницу жизни. Предпочтение дамам от сорока до пятидесяти, обеспеченным, без детей и родственников».

Я медленно переваривала информацию. Во-первых, Базиль никогда не работал в банке. По-моему, он вообще не умеет считать. Проблем у него и впрямь особых нет. Потом, насколько помню, Корзинкин курит и любит хорошо выпить. Правда, внешнее описание подходит: издатель темноволос и обладает глазами спаниеля. Но самое главное! Базиль давно и прочно женат на Сюзетте. Как-то раз мы разговорились о прелестях семейной жизни, и Корзинкин со смехом заявил, что на протяжении двадцати лет брака многократно хотел убить Сюзи, но развестись — никогда.

Из задумчивости меня вывел голос Мики:

— Ну, кто-нибудь глянулся?

— Корзинкин! Как с ним связаться? Дайте адрес!

Марина Анатольевна покачала головой:

— Адреса не даем, только телефоны. Но господин Корзинкин сообщил, что живет у друзей и ему неудобно беспокоить посторонних людей, взял три варианта и сказал, что, если никого не выберет, придет еще раз.

— Можно посмотреть, кто ему понравился?

— Зачем? — насторожилась сваха.

Я принялась объяснять:

— Базиль давно мне по душе, но считала его закоренелым холостяком. Просто интересно, какой тип женщин привлекает Корзинкина, если полногрудые брюнетки, то у меня нет шансов.

— Да уж, — вздохнула Мика, бросая взгляд на мою плоскую фигуру, — обычно такого не делаем, но из вас и впрямь могла бы получиться хорошая пара. Ладно.

Она вытянула из шкафа тоненькую папочку и подала три листа. На каждом снимок, имя и телефон. Мозги закипели, пытаясь запомнить одновременно столько цифр. По счастью, в комнату заглянул какой-то мужчина, и Мика, извинившись, вышла.

Я схватила с ее стола листок и быстренько записала всю информацию. Катя, Анна, Зоя.

Когда вернулась Мика, я предложила:

— Давайте сделаем так, оставлю свой телефон в Москве, если Базиль объявится, сообщите ему, что Дарья Васильева ждет звонка.

Выйдя из агентства, я закурила и стала наблюдать, как первые редкие снежинки падают на ветровое стекло. Какая ранняя зима в этом году, ноябрь, а холодно, как в феврале. С чего это Базиль поехал в такое время года в Москву? Французы побаиваются нашей зимы и предпочитают посещать Россию летом, в крайнем случае ранней осенью.

Первой позвонила Кате. Приятный голос, грудное сопрано, пропел в трубку:

— Слушаю.

— Можно Катю?

— Я слушаю.

— Вас беспокоят из брачного агентства, от Марины Анатольевны, скажите, вы с Корзинкиным встречались?

— Да, — односложно сообщила невеста.

— Простите, если он у вас, передайте ему трубочку.

— Данного господина тут нет, а я подам на вас в суд, — грозно выкрикнула Катя.

Еле-еле я упросила ее дать адрес «юристу» агентства. Жила сердитая тетка бог знает где. Улица, правда, носила бодрое название — Праздничная. Но никаких признаков веселья тут не наблюдалось. Запарковавшись между огромным мусорным бачком без крышки и пивным ларьком, я вошла в подъезд. Ни кодового замка, ни домофона, двери квартир маленькие, небось потолки тут полтора метра высотой.

Катя провела меня в комнату. Небольшое по-

мещение обставлено более чем скромно. Юго-
славская стенка, кресло и диван. На стене и на
полу — два совершенно одинаковых темно-бор-
довых ковра, возле балконной двери примостился небольшой телевизор «Самсунг». Парчовые
шторы блестели как ризы. Я вспомнила восьми-
комнатные апартаменты приятеля на авеню
Фош, отделанные одним из лучших парижских
дизайнеров, и вздохнула. Если Базиль и впрямь
был тут, представляю, какое впечатление произвел на него данный пейзаж. К тому же мужик па-
тологически аккуратен, а в комнате не то чтобы
грязно, но и не слишком чисто, небось убирают
только по субботам. Да и сама хозяйка выглядит
не лучшим образом. С первого взгляда дала бы
ей лет пятьдесят пять. Волосы вытравлены до
мертвенно-белого цвета, небольшие, глубоко посаженные глазки неопределенного болотного оттенка украшают набрякшие мешочки. То ли выпить любит, то ли почки больные, а может, сердце пошаливает... Рыхлая фигура закутана в
какое-то немыслимое пончо, на ногах довольно
засаленные тапки. Афродита, да и только. На
фотографии в агентстве выглядела по-иному —
молодая, русоволосая, с уверенным взглядом.
Наверное, принесла снимок десятилетней дав-
ности.

Катя тем временем принялась возмущаться:

— Завтра же пойду в суд и налоговую поли-
цию приглашу, пусть вас, жуликов, потрясут.
Кого же вы людям подсовываете, сволочи! Деньги берете громадные, а потом воров наводите...

Кое-как утешив «невесту», попросила рассказать о случившемся.

Корзинкин позвонил ровно неделю назад и по разговору понравился Катерине чрезвычайно. Мягкий, интеллигентный голос, речь образованного человека. При встрече тоже не разочаровал. Пришел в хорошем костюме, в руках держал розу. Они немного погуляли, но быстро замерзли. И тогда Катя предложила поехать к ней. Кавалер выглядел таким положительным, тем более что он отказался покупать водку.

— Не пью совершенно, — улыбаясь, говорил Базиль, — кстати, и не курю тоже.

Придя в восторг от такого редкого по нашим временам правильного поведения, Катерина совершенно спокойно привела жениха к себе. Сначала мирно пили чай с купленным по дороге тортом, затем побеседовали чуть-чуть, наконец Базиль сообщил:

— Милая Катя, вы очень приятная женщина, и, пока между нами нет никаких взаимоотношений, хочу внести ясность.

Он говорил довольно долго, но суть сводилась к простой вещи. Корзинкин ищет состоятельную женщину, так как нищенка не умеет распоряжаться деньгами.

— Два моих приятеля, — откровенничал Базиль, — женились на не слишком обеспеченных русских женщинах. И что? В первый же год жены растратили почти все состояние. Деньги просто ударили им в голову. Поэтому простите, Катенька.

Женщина заволновалась. Выгодная партия уплывала из рук. Глупышка принялась уверять жениха, что вовсе не так бедна, как кажется, и счет деньгам знает. Во-первых, имеет дачу, и не какие-нибудь шесть соток, а все десять, да и дом приличный. Двухэтажный, низ из кирпича... Потом кое-какие украшения. Катя продемонстрировала кавалеру весь «золотой запас» и двенадцать штук серебряных ложечек. Самый главный аргумент лежал в обувной коробке — три тысячи долларов.

Базиль внимательно оглядел приданое и сказал:

— Ну, это меняет дело.

И чаепитие продолжалось. Что было потом, Катя не помнит. То ли заснула, то ли потеряла сознание... Пришла в себя глубокой ночью с безумной головной болью. Кавалера и след простыл, а вместе с ним убежала шкатулка с колечками, серебряные ложечки и накопленные баксы. И вот теперь обезумевшая от горя Катя грозит агентству судом.

— Идите в милицию, — посоветовала я.

— И что? — возмутилась несостоявшаяся француженка. — Я же его сама привела и чуть ли не своими руками все отдала. Нет, милиция не поможет. Это вы должны внимательно проверять клиентов.

— Вас предупреждали, что не стоит вести незнакомого человека в первый день домой?

— Но он казался таким положительным, — зарыдала Катя.

Я быстро распрощалась. Сев в машину, обдумала информацию. Вот ведь дура. Но что происходит с Базилем? Может, просто сошел с ума и бродит по Москве в невменяемом состоянии, не контролируя свои действия. Заявиться к этой жуткой тетке и украсть серебряные ложечки?

Нонсенс. Во Франции у Корзинкиных изумительное столовое серебро и несколько отличных
сервизов на все случаи жизни...

Ладно, ясно пока только одно: Базиля нужно
отыскать как можно быстрей. Он должен вернуть
Кате украденное, а уж потом разберемся, к какому врачу тащить мужика — к психотерапевту или
к психиатру.

У второй «невесты» трубку долго не снимали.
Я уже собралась отключиться, как раздался слегка запыхавшийся голос:

— Слушаю.

Я опять завела песню про «юриста» из агентства.

— Совершенно не понимаю, о чем мы можем
беседовать, но, если надо, приезжайте, только до
шести, успеете? — сказала Анна.

Глянув на часы, я отметила, что стрелки подбираются к половине пятого. Волоколамское
шоссе находится на другом конце, но можно по-
стараться. «Вольво» плавно поплыл в потоке
машин. Радио бормотало какую-то чепуху, вы-
пуск новостей прервался рекламой. Безнадежно
отстояв во всех возможных пробках, я наконец
выехала к метро «Сокол» и, попав на Волоколамку, принялась разыскивать восьмой дом.

Здание выглядело внушительно. Огромное,
построено из светлого кирпича. На дверях подъезда домофон. И квартира не чета Катиной —
высоченные потолки, широкие коридоры, огромные комнаты. Меня провели в гостиную. Хозяйка картинно погрузилась в глубокое вольте-
ровское кресло и произнесла:

— Чем могу служить?

Старомодность оборота речи как нельзя лучше соответствовала ее внешнему облику. Казалось, Анна выпала из шестидесятых годов девятнадцатого века. Блузка с высоким воротником, закрывающим шею, тонкая талия и длинная, почти до пола, тяжелая шерстяная юбка. На голове «учительский» пучок, в ушах крохотные жемчужинки. Просто, элегантно, интеллигентно...

— Хотим узнать, как прошла ваша встреча с Корзинкиным.

Анна, не удивившись моему приходу, стала рассказывать. Выяснилось, что Базиль тоже сначала произвел на нее самое благоприятное впечатление. Речь выдавала в нем человека образованного, пару раз он вставлял в разговор цитаты из Шекспира. Безупречная одежда, дорогой одеколон. На свидание пришел с розой.

Они прошлись по набережной, в сторону гостиницы «Украина», но стояла промозглая погода, от реки дул пронизывающий ледяной ветер, и Аня окончательно замерзла. Тогда кавалер предложил зайти в ресторан, где женщина разочаровалась в избраннике.

— Он какой-то сальный, — поежилась Анна, — сначала долго хвастался домом и бизнесом, потом начал интересоваться моим материальным положением.

Анечка честно рассказала правду. Живет вместе с родителями безвременно умершего мужа, имеет одного сына. Старики души не чают в невестке, хотят, чтобы она вновь вышла замуж и нашла женское счастье. С деньгами у нее как у всех, и жениху ничего, кроме хорошего воспита-

ния и первоклассного образования, предъявить
не может.

— Он так настойчиво выспрашивал, есть ли
кто-нибудь у нас дома, — передернула плечами
женщина, — потом стал напрашиваться в гости,
говорил, что влюбился с первого взгляда, пред-
лагал златые горы...

Но разумной Ане показалось странным такое
поведение, и, вспомнив предостережение Мики,
женщина решительно сказала:

— Ко мне как-нибудь в другой раз!

Кавалер продолжал настаивать, но Аня была
тверда. Нет, и точка. Жених переменил тему,
начал рассказывать об Италии. Потом велел подать просто грандиозный ужин, заказав все
самое дорогое — икру, осетрину на вертеле, са-
латы, мороженое, фрукты и бутылку коньяка.
Разговор крутился вокруг кулинарии. Базиль
очень потешно рассказывал, как, будучи в Ки-
тае, получил на ужин какие-то белые шнурки.
Сначала решил, что это макароны, а потом выяснилось — особые червяки. Просто не знал, куда
деваться — кругом были китайцы, поедавшие
блюдо с невероятным аппетитом. Аня улыбнулась и подумала, что, может быть, Корзинкин не
такой уж и противный, а в гости рвался потому,
что она ему понравилась...

Когда подали кофе, Базиль, извинившись,
встал. Женщина прождала его больше получаса.
Потом, испугавшись, что претенденту на ее руку
стало плохо, побежала к мужскому туалету. Но,
судя по всему, там ее кавалера не было. Гарде-
робщик сказал, что высокий темноволосый мужчина в светлом пальто давно вышел на улицу.

Анечка, не веря собственным ушам, вернулась в зал. Но пришлось признать — «жених» просто ушел, оставив ее расплачиваться за шикарный ужин. По счету выходило около трех тысяч. Таких денег у бедолаги не было. Пришлось долго объясняться с обозленным метрдотелем и оставлять в залог браслет, серьги и паспорт. На следующее утро Аня одолжила у подруги нужную сумму. Старикам ничего не рассказала.

— Будут расстраиваться, плакать, — махнула женщина рукой, — сама виновата, нечего затевать свадьбы-женитьбы. Так мне и надо, хорошо еще, что не пригласила подлеца домой.

— Анечка, вы видели его паспорт?

— Он его сразу показал, — ответила женщина, — Базиль Корзинкин. Нет, здесь все нормально, может, у французов так принято, что дама платит в ресторане?

Конечно же, нет. Парижане безумно жадные, но не до такой же степени, и, приглашая даму поужинать, галантно подписывают счет. Это не американцы с их ненормальным феминизмом. Нет, у Базиля определенно поехала крыша.

Глава пятая

К Зое я не попала. Спокойный голос на автоответчике сообщал об отсутствии хозяев. Делать нечего, отправилась в Ложкино. Время подбиралось к семи. С неба сыпалась ледяная крупа, порывистый ветер налетал на «Вольво» и, воя, уносился прочь. В такую погоду хорошая собака хозяина на улицу не выведет. Во всяком случае, наши псы все сидели в столовой. На буфете стояла тарелка с нарезанной ветчиной и хлеб, а в центре стола красовалось блюдо с картошкой и рыба под сырным соусом. Из людей же — один Миша.

Мужчина сидел, запустив левую руку в густую, всклокоченную шевелюру, правая бодро писала что-то на куске газеты.

— Добрый вечер, — сказала я, — как дела?

Золотарев поднял абсолютно безумные глаза и пробормотал:

— 2с в квадрате прибавить m...

— Миша, — попробовала я вернуть его на землю, — добрый вечер.

— Ох, простите, — отозвался математик и встал.

Раздался глухой стук. Это несчастный Хучик вновь обвалился с колен на пол.

— Господи, совсем забыл, что он спит у меня на руках! — вскрикнул Миша и поднял собачку. Мопс молчал. Очевидно, Хучик привык к неожиданным падениям и смирился со своей участью.

— Вы один? — спросила я, разглядывая остывший ужин.

Миша почесал в затылке.

— Вроде кто-то еще дома есть, какая-то женщина и Машенька с подружками.

— Почему не едите?

— Да вот, — принялся объяснять профессор, — мысль в голову пришла замечательная, а тут газета лежит... Решил записать, пока не забыл...

— Миша, — раздался из коридора бодрый Манин голос, — ты просто гений, даже Крыска все поняла.

Отметив, что Маня обращается к профессору по имени и на «ты», я решила подождать, какова будет его реакция. Она последовала незамедлительно.

— Говорил же, что все просто, как апельсины, главное — уловить суть! — радостно заявил математик.

От возбуждения он вновь вскочил, и Хучик хлопнулся об пол. Мопс абсолютно равнодушно остался лежать в неудобной позе: на спине, задрав кверху все четыре лапы. Он явно сообразил, что этот странный, непонятный гость будет регулярно сбрасывать его на паркет.

— Боже, — вновь испугался Миша, — вот несчастный...

Он быстренько подхватил собачку. Крыска, Машкина подружка, носящая на самом деле имя Светлана, с чувством произнесла:

— Ну спасибо, первый раз в голове просветлело.

— Муся, — завопила Маня, потрясая тетрадью, — он гениально объясняет геометрию, просто потрясающе, я получила за классную работу пять! Мишенька, растолкуй завтра эту дурацкую теорему еще Вильданову и Кумушкиной, ну чего тебе стоит?

— Абсолютно ничего, — заверил профессор, — даже интересно. Кстати, можно попробовать еще и так. Глядите. — И он самозабвенно принялся черкать на газете. Я поглядела, как две детские головы уткнулись в чертеж, и вздохнула. Где же Галя Верещагина, ради которой все это затеяли?

Женщина была у себя в комнате. Просто преспокойненько сидела у телевизора и смотрела дурацкий сериал.

— Познакомилась с Михаилом?

Галя отрицательно помотала головой.

— Почему? — возмутилась я. — Ты что, так весь день и не спускалась вниз?

— Неудобно как-то, — пролепетала престарелая девица, — ну что человек подумает?

— Что в доме есть еще другие гости, — вышла я из себя, — и потом, как ты предполагаешь познакомиться?

— Ну, лучше как-нибудь в другой раз...

— Хватит, — оборвала я ее, — одевайся и иди ужинать. Не придешь — уезжай завтра домой.

Галя покорно раскрыла шкаф и вытащила черное платье. Тонкая ткань обтянула полную фигуру, и стали видны складки и валики на боках, спине и животе... Мне это не понравилось, и, преодолевая слабое сопротивление жертвы, я заковала ее в грацию. Теперь наряд сидел изумительно, и даже появилась талия.

— Дышать не могу, — прошептала бедолага.

Но я держалась непреклонно:

— Глупости.

— Желудок буквально к горлу подступил, куска не проглочу.

— Вот и чудесно, меньше съешь.

Почти что пинками выгнав «невесту» в столовую, я пошла следом. Главное теперь, чтобы Миша обратил на нее внимание. Может, посоветовать девушке уронить на него чашку с чаем?

На следующее утро встала пораньше и дозвонилась до Зои.

— Очень вам благодарна, — зачастила дама, —

Мужик минуты три слушал непрерывную французскую речь и наконец опомнился.

— Простите, — мягко и как-то обволакивающе промурлыкал он, — право, не совсем удобно сейчас разговаривать на другом языке. Зоинька совершенно ничего не понимает.

— Точно, — подтвердила дама, — ни в зуб ногой.

Я усмехнулась. Интересно, как он избавится от любовницы? Оказалось, что очень просто.

— Дорогая, — продолжал мурлыкать самозванец, — ты ведь собиралась в салон? Поезжай спокойно, а я провожу девушку и приготовлю нам обед! Это будет сюрприз, и поэтому не хочу, чтобы ты при этом присутствовала.

— Прелесть! — взвизгнула престарелая любительница мужчин. — Очаровательно! Обожаю сюрпризы! Улетучиваюсь! — И она, жеманно прихихикивая, выскочила из гостиной, стараясь изобразить детскую непосредственность.

Я поглядела на подлеца и снова принялась выплевывать французские фразы. Но мошенник замахал руками.

— Все, все, хватит, ведь уже поняли, что я не владею языком.

Я кивнула.

— Кто вы? — спросил любитель богатых дам.

— Близкая подруга настоящего Базиля Корзинкина.

— Сколько хотите, чтобы убраться отсюда?

Я расхохоталась.

— Деньги не нужны.

— Тогда что?

— Где взяли паспорт и куда подевался подлинный Базиль?

— Понятия не имею, — спокойно заявил аферист.

Я так и подскочила от злости.

— Прекратите дурить. Могу прямо сейчас позвонить Кате и Анне. Обе жаждут потолковать с вами по душам.

Мужчина слегка изменился в лице, но до конца не сдался:

— Не имею чести быть знакомым.

Нет, это просто смешно.

— Послушайте, — вкрадчиво завела я, — очень глупо отрицать очевидное. Вас элементарно опознают в агентстве и в ресторане «Украина». Кстати, не стыдно ли бросать беспомощную женщину? Ее могли отправить в милицию. Да и Катя небогата, а вы утащили у нее все деньги...

— Дураков учить надо, — неожиданно зло ответил «Базиль». — Никто не заставлял, сама все на стол вывалила и заныла: «Женись на мне». А Аня пусть спасибо скажет, что интересный мужик с ней время провел. Ну кому она нужна, вобла занудливая, а уж как мясо режет! Мизинчик оттопырила и жеманится, тьфу, а не баба.

Я глядела на негодяя во все глаза. Из-под упавшей маски интеллигента выглянуло мурло хама.

— Давай, — велел мошенник, — говори быстро, сколько хочешь, и покончим с этим делом.

Я вздохнула.

— Значит, так: три тысячи баксов, золотые украшения Кати и три тысячи рублей.

Аферист заржал:

— А ху-ху не хо-хо?

Проигнорировав хамство, я вытащила из кармана мобильный, набрала номер и подала трубку мужчине.

— Слушай, что скажут.

— Милиция, сто сорок пятый, здравствуйте, — громко донеслось из телефона.

Я выхватила «Эриксон» и сказала:

— Соедините с полковником Дегтяревым.

— Ладно, ладно, — завопил мошенник, — будь по-твоему, только осталось две тысячи «зелени», больше «капусты» нет, потратил, понимаешь.

— Гони! — велела я приказным тоном.

Казанова вытащил из пиджака портмоне.

— А золото?

«Базиль» развел руками:

— Ушло.

— Паспорт откуда взял?

Мужик заколебался.

— Не дергайся, — успокоила я его, — сейчас выйдем из квартиры, и иди на все четыре стороны, ты мне на фиг не нужен...

Аферист вздохнул. Как все мошенники, он был трусоват и совершенно не хотел общаться с представителями закона.

— Нашел, — выпалил он любимую отговорку карманников.

— Ладно, — покладисто согласилась я, — боюсь только, что, если станете придерживаться такой версии, будет трудно отмазаться от соучастия в похищении человека.

Мошенник посерел.

— Ну правда нашел!

— Где?

Казанова принялся каяться. Всю жизнь он конфликтует с законом, но сидел только один раз, да и то совсем недолго. «Специальность» у мужчины редкая — брачный аферист. Правда, до женитьбы дело, как правило, не доходит. Мошенничество отработано до деталей. Изучаются объявления и картотеки агентства, куда «Базиль» является под видом жениха. В первую очередь его интересуют бабы между сорока и пятьюдесятью.

— Самый тот возраст, — растолковывал «Корзинкин» свою технологию, — либо вдова, либо разведенка. Прекрасно понимают, что поезд уходит, и готовы на все.

Но мошеннику нужны деньги или драгоценности. Поэтому, напросившись к «объектам» в гости, он так строит разговор, что жертвы сами показывают, что и где хранят. Дальше просто: несколько таблеток в чай, и «невеста» спит глубоким сном. Впрочем, с особо симпатичными он мог сначала лечь в койку. Во всяком случае, итог всегда был один и тот же: бедные бабы просыпались утром в ограбленной квартире. Почти все они поголовно не спешили в милицию. Было как-то стыдно признаваться в собственной глупости. Впрочем, и негодяй работал осторожно. Два раза одно агентство не посещал, стараясь найти во время единственного визита как можно больше кандидатур. На руках у подлеца находилось несколько паспортов, и он представлялся попеременно то Александром, то Владимиром, то Николаем...

Дней восемь тому назад судьба забросила его в абсолютно нищую квартиру. Напоив хозяйку «коктейлем», мерзавец методично обшарил комнатку и кухоньку. Ну просто ничего не нашлось, даже завалященького колечка или цепочки. Только в шкафу висела вызывающе роскошная дамская сумка из крокодиловой кожи. Она смотрелась среди жалких платьиц как шикарная гостья в бальном наряде среди нищенок. Аферист ушел, прихватив ридикюль.

Дома он методично изучил добычу и был разочарован. Внутри лежал тонкий дорогой носовой платок, сумочка с хорошей косметикой, флакончик французских духов и коробочка ментоловых пастилок. Больше ничего — ни кошелька, ни портмоне, ни конверта с деньгами... Обозленный, он хотел было зашвырнуть ридикюль в угол, но нащупал пальцами за подкладкой какой-то плоский предмет. Через секунду обнаружился ловко спрятанный потайной кармашек. Предвкушая добычу, аферист вытащил паспорт на имя Корзинкина. Мужик на фотографии походил на него, такие же глаза и волосы. Короче, на следующее утро он явился в очередное агентство уже «Базилем».

— У кого упер сумочку?

— Зовут ее Майя.

— Где живет?

Мужчина принялся соображать и наконец выдал адрес — большой кирпичный дом возле метро «Аэропорт», этаж последний, а вот квартиру не запомнил — то ли девяносто пять, то ли девяносто семь, да и не к чему записывать было...

— Сумку куда дел?

— Зое подарил, — признался кавалер.

— Неси сюда.

Мошенник ткнул пальцем куда-то в сторону подоконника.

— Возьми там.

Я подошла к окну и увидела большую сумку из крокодиловой кожи. Вызывающе дорогая вещь. Такую не возьмешь в руки, если нет подходящего делового костюма, а главное, стильной обуви. Модельеры во всем мире считают, что туфли и сумочки следует выдерживать в одном стиле.

За моей спиной раздался стук двери. Я быстро обернулась. Комната опустела — мошенник убежал от греха подальше, бросив на диване паспорт Базиля. Я подобрала книжечку и, сунув под мышку сумку, двинулась на выход. Не хватало только, чтобы сейчас вернулась Зоя и принялась рыдать.

Возле метро «Аэропорт» было два желтых кирпичных дома. Ноги подняли меня на последний этаж того, что разместился слева от площади. Лифт не работал. На площадку выходило три двери: девяносто пять, девяносто шесть, девяносто семь. Я принялась названивать в первую. Высунулась толстая морда со стеклянными глазами.

— Майя тут живет?

— Какой май, — икнула личность, испуская жуткие миазмы, — ноябрь на дворе давно, зима скоро, пора туалет утеплять...

Ну, с таким не договоришься, и я ткнулась в следующую квартиру.

Благообразная старушка методично объяснила, что во всем подъезде нет ни одной Майи. Пришлось идти в другое здание. Там оказалось два подъезда и на последних этажах квартиры под совсем другими номерами. Вернувшись в первый дом, я позвонила в девяносто седьмую квартиру. Сначала раздалось бойкое тявканье, потом на пороге появилась маленькая, худенькая, даже изможденная женщина. На руках она держала бело-черную собачку неопределенной породы.

— Вы Майя?

— Да, а вы от Маргариты Львовны? Проходите.

Мы пошли в комнату. Здесь из всех углов кричала бедность, даже нищета. Чистенькая, аккуратная, пытающаяся свести концы с концами. Простенькая, старая, натертая воском «стенка», потрепанный диван и кресла, прикрытые отглаженными накидками, палас, повернутый так, что самое протертое место оказалось под обеденным столом. Сама хозяйка явно недоедала, лет ей, очевидно, около пятидесяти, а выглядит старушкой. Впечатление усиливал идеально выстиранный байковый халат и шерстяные самовязаные носки. В комнате тепло, но голодный человек постоянно мерзнет.

— Не сомневайтесь, — принялась заверять женщина, — я хорошая домработница и беру недорого, а то, что худая, так это даже лучше, везде пролезу, в любую щелочку.

Она с надеждой посмотрела на меня беззащитными глазами побитого щенка.

— Только что говорила с вашей соседкой, так она заверяла, что в подъезде нет ни одной Майи...

— Наверное, к Алевтине Макаровне позвонили, — улыбнулась женщина, — бедняга давно в маразме, ничего не помнит, все путает, сколько раз с улицы приводили, квартиру найти не может. Сейчас паспорт покажу.

Я повертела в руках документ — Колосова Майя Ивановна, год рождения 1964-й. Ей всего тридцать пять! Лохматая собачка принялась с шумом обнюхивать мои туфли. Почему-то стало безумно жаль и ее, и хозяйку. Но делать нечего! Вздохнув, достала роскошную сумку и, шлепнув ее на стол, поинтересовалась:

— Ваша?

Личико Майи окончательно скукожилось, и она стала похожа на морскую свинку. Щеки вспыхнули огнем, а из глаз полились слезы. Всхлипывая и шмурыгая носом, женщина простонала:

— Господи, первый раз в жизни бес попутал.

Она отчаянно рыдала, собачка нервно поскуливала. Я пошла в кухню и открыла старенький «ЗИЛ» в надежде найти валерьянку или валокордин. На железных полочках было пусто, только на дверце белело одно-единственное яйцо. Я заглянула в хлебницу — несколько кусков ржаного хлеба...

Из комнаты перестали доноситься рыдания, и, вернувшись туда, я увидела, как Колосова, закатив глаза, падает на безупречно вычищенный палас. Я кинулась к бедолаге. Но ни похлопывания по щекам, ни холодная вода, вылитая за шиворот, не возымели действия. Майя не приходила в себя, и ей явно становилось хуже. Набрав 03, я попыталась приподнять голову упавшей, но испугалась того, как посерели запавшие щеки, и оставила попытки. Успокаивало только то, что несчастная дышала. Ждать, к удивлению, пришлось недолго. Минут через пятнадцать, гремя железным чемоданчиком, вошли две грузные одышливые тетки. Без всякого сожаления они уставились на лежащую Майю. Потом одна, кряхтя, наклонилась и объявила:

— Верка, готовь обычную.

Вторая довольно ловко скрутила головку какой-то ампуле, и бабы принялись тыкать в хозяйку иголками. После третьего укола щеки Майи покинула трупная желтизна, губы из белых превратились в розоватые, и мутноватые глаза приоткрылись.

— Значит, так, — велела докторица, — дать немедленно горячего чаю с сахаром, белый хлеб с маслом, а лучше кусок хорошего мяса с картошкой или рыбу, в общем, покормите как следует. Вон как скрутило!

— Что с ней? — робко спросила я.

— Недостаток массы тела, истощение, голодный обморок, — равнодушно пояснила тетка, захлопывая чемодан. — Сейчас сделаем необходимые уколы, но, если не поест, опять с копылок съедет.

— Давайте поднимем ее на диван, — предложила я.

Бабы поглядели на меня.

— Сейчас очухается и сама встанет, тяжело ведь!

Сопя, как разыгравшиеся мопсы, они ушли. Я поглядела на лежащую Майю и пошла в магазин.

Глава шестая

В двух шагах от дома оказался огромный супермаркет. Прихватив с десяток пакетов, вернулась назад. Колосова уже сидела на диване. Увидав меня, она вновь побледнела. Испугавшись, что тетка опять лишится чувств, я быстренько проговорила:

— Здесь еда, сейчас пообедаем.

— Спасибо, не хочу, — пробормотала слабо сопротивляющаяся хозяйка.

— Сначала салат и вот заливная рыба, — продолжала я, — к сожалению, отвратительно готовлю, но кофе сварить могу.

Пару минут ушло на то, чтобы заполнить холодильник и вскипятить джезву. Помня советы доктора, высыпала в тарелочку трюфели и притащила конфеты в комнату. И мисочка из-под салата, и лоточек, в котором лежала рыба, были просто вылизаны. Разлив кофе по щербатым кружкам, я вытащила «Голуаз» и спросила:

— Дым не помешает?

— Можно папироску, мои кончились? — просительно пробормотала Майя.

Я пришла в ужас. Ну ладно нет продуктов, но как может курильщик прожить без сигарет?

— Вы работу потеряли? — поинтересовалась я, после того как женщина с явным наслаждением затянулась сигаретой.

— Ага, — грустно ответила Майя.

История, как я и предполагала, была самой банальной. Сидела сотрудницей в НИИ. Пока зарплату платили регулярно, жить еще как-то удавалось. Но потом институт тихо зачах, и сотрудников отправили на биржу труда. К сожалению, Майя, имевшая профессию театроведа, не умела ничего делать руками. Специальность, что и говорить, интересная, но абсолютно никому не нужная в наше время. Год она получала постоянно уменьшающееся пособие, потом пристроилась в магазин уборщицей. Но беда не приходит одна, и у бедолаги обнаружилась миома, потом киста, затем еще что-то. Короче, почти четыре месяца она провалялась в больнице и вышла, пошатываясь, имея за плечами три операции. Дали инвалидность, вторую нерабочую группу, то есть четыреста рублей пенсии и льготы по оплате коммунальных услуг. Но все равно сто рублей уходит только на платежи, хотя Майя экономит на всем. Телевизор включает лишь раз в день, ненадолго, поглядеть любимый сериал. Свет почти не зажигает, а читает у окна. Естественно, не покупает никакой одежды, вместо зубной пасты использует порошок и никогда не выбрасывает даже малюсенькие обмылочки. Но, к сожалению, еще пятьдесят драгоценных рублей уплывают на то, чтобы не ходить грязной и вшивой. На оставшиеся двести пятьдесят следует исхитриться и прокормить себя и собаку Куку, бросить которую невозможно.

— Господи, — вырвалось у меня, — как же можно уложиться в такую сумму?

— Да просто, — улыбнулась Майя, — только пенсию получу, сразу покупаю геркулес, растительное масло и килограмм сахара. Иногда пшено, а вот рис и гречку никогда — слишком дорого.

В общем, ей удавалось кое-как сводить концы

с концами, но десять дней тому назад пришлось праздновать день рождения. Две подружки напросились в гости, и страшно не хотелось признаваться им, обеспеченным и хорошо одетым, что голодает. Поэтому купила совершенно невероятные вещи и сделала салат из риса, яиц и крабовых палочек, отварила картошку, почистила селедки... Пришлось подать сливочное масло и белый хлеб... Сама давно покупает из экономии только ржаной. Но окончательно добил скудный бюджет торт. Вот так Майечка и осталась совершенно без копейки. Правда, подружки были довольны приемом и даже сделали подарки. Одна принесла роскошный набор — мыло, шампунь и бальзам для волос. Майя была просто счастлива, зато вторая...

— Представляете, — грустно улыбнулась Колосова, — пошла и поставила меня на учет в брачное агентство. И фото отнесла то, где мы на втором курсе. Заплатила кучу денег — тысячу рублей. Уж лучше бы мне отдала. Но кто на такую польстится? Правда, нашелся один.

Погуляли немного по улицам, затем поднялись к Майе, попили пустой чай, и кавалер явно разочаровался в нищей даме. К тому же бедняга уснула прямо за столом. Претендент, естественно, смылся...

— А сумка? — прервала я рассказ.

Майя стала пунцовой, глаза налились слезами. Ей очень хочется найти работу, но с такой профессией остается только заниматься физическим трудом — идти в уборщицы или домработницы. Однако состояние здоровья у Колосовой не самое хорошее, и день-деньской крутиться с тряпкой и шваброй ей просто не под силу, вот и перебивается случайными заработками.

Недели две тому назад одна из ее знакомых, Соня Рогова, как раз та, что поставила Майю на учет в агентстве, предложила поработать вечерок на кухне в богатом доме.

— У них прислуга заболела, — пояснила Майя, — а на один день нанимать не хотят.

Колосова с радостью согласилась. Странности начались с самого начала. Адрес ей не назвали. В два часа дня за Майей заехали «Жигули». Окна машины закрывали шторки, а между передним и задним сиденьем оказалось черное стекло с окошком. Ехали минут сорок и очутились за городом, во дворе шикарного особняка. Шофер велел идти к черному ходу. Там их встретила молоденькая девушка, по виду почти ребенок, и, назвавшись хозяйкой, приказала надеть форму. Майя должна была подавать кофе и пирожные. Обед обслуживали официанты.

В гостиной находилась только одна пара. В половине седьмого женщина принесла им поднос со сладостями. В восемь приказали вновь идти в ту же комнату и опять нести кофейник и пирожные. На этот раз на диване сидела другая парочка.

— Я только дивилась, — бесхитростно повествовала Майя, — как богатые люди гостей принимают.

Весь вечер ее гоняли, всего женщина обслужила три пары, но хозяйки с ними не было.

Где-то около полуночи опять появилась девушка и, сунув конвертик, велела идти во двор к машине. Майя сняла форму, надела старенький костюмчик и только тогда заглянула в конверт. Там сиротливо лежала сторублевая купюра. Так мало ей еще никто не платил. Решив побеседовать с жадной хозяйкой, она пошла через шикарный холл к лестнице и поднялась на второй этаж. Но не успела женщина сделать и пары шагов по коридору, как из комнаты вышел молодой парень и поинтересовался, что она тут делает. Колосова принялась лепетать про деньги. Парень приказал немедленно убираться.

Глотая слезы и понимая, что ее обманули, бедняжка опять спустилась в холл. На вешалках висело несколько роскошных дамских и мужских пальто, от которых восхитительно пахло неизвестными духами. Тут же на столике небрежно валялись перчатки, шарфы и пресловутая сумка. И Майя сделала то, чего никогда раньше не совершала. Схватила вызывающе шикарный ридикюль и, сунув добычу под свой замусоленный плащик, пошла к машине. Кражи никто не заметил. На этот раз шофер довез ее только до метро «Тверская» и велел выматываться из машины.

— Не поверите, — каялась Майя, — никогда, ни разу в жизни не брала чужого, а тут стало так обидно! Сунули мятые сто рублей, да там перчатки лежали тысяч за пять. Знаю, видела точь-в-точь такие на витрине. Просто разум помутился, а руки сами и схватили...

В сумку она, конечно, заглянула, но никаких денег не нашла и повесила добычу в шкаф. Пользоваться лежащими там косметикой и духами не хотела, а выбросить дорогую вещь рука не поднималась. Поэтому страшно обрадовалась, когда после ухода «жениха» обнаружила пропажу.

— Надо же, — искренне удивилась Колосова, — претендент-то оказался вором. Наверное, хотел у меня чем-нибудь поживиться и снотворное подсыпал в чай. Вот небось удивился, когда ничего не обнаружил! Спасибо ему, что сумку унес. А то я на нее смотрела и страшно себя ненавидела. Каждый день боялась, вот сейчас придут и в милицию за кражу поволокут...

И она снова тихо заплакала.

— Ладно, — сказала я, — вы должны мне помочь, не бесплатно, конечно. Работаю частным детективом, и моя клиентка готова хорошо заплатить за информацию, вот.

Глядя на красивые зеленые бумажки, Майя просто задохнулась.

— Это мне? За что?

— Только скажите телефон и адрес подружки, устроившей вам подработку.

— Соня Рогова, — быстренько сообщила Майя, доставая телефонную книжку.

Погода окончательно испортилась. С неба валил ледяной суп, ветер бросал в лицо куски размокшего снега, стало невыносимо холодно, и я включила в автомобиле печку. На часах около семи, а на дворе уже кромешная темнота, будто стрелки подбираются к полуночи. Впрочем, чего же я хочу, наступает время самых длинных ночей. Редкие прохожие неслись по грязным улицам, как вспугнутые мыши. Чтобы хоть чуть-чуть развеселиться, я включила музыку и поехала в Ложкино.

Удивительный случай — все дома и как раз уселись ужинать. Я оглядела стол. Привычно взлохмаченный Миша, усталый Аркашка, молчаливая Зайка и оживленно болтающая Маруся. Справа — трое незнакомых детей.

— Мусик, — подскочила Манюня, — знакомься: это Сережа Вильданов, Надя Крутикова и Кирилл Когтев. Они ненадолго, вот только Миша им все объяснит, и они уйдут.

Аркашка безнадежно вздохнул. Не так давно сын признался, что больше всего на свете хочет жить в башне на берегу моря в компании телевизора и холодильника. И чтоб никаких гостей и родственников! Полная тишина...

— Где Галя? — поинтересовалась я, накладывая себе в тарелку салат.

— Говорит, голова кружится, — пробормотала Зайка с несчастным видом.

Тут дверь распахнулась, и появилась девица на выданье. Она опять нацепила черное платье, но телеса послушно втиснула в грацию. Слегка покачиваясь на высоких каблуках, девушка доковыляла до стула и, плюхнувшись всеми ста килограммами на жалобно заскрипевшее сиденье, прошептала:

— Добрый вечер.

— Привет, — проорала Манюня.

Зайка с Аркадием вымученно заулыбались, Миша даже не поднял головы от тарелки. Интересно, что следует предпринять, чтобы вывести его из состояния равновесия. И тут раздался радостный собачий лай — в столовую вошел обвешанный пакетами полковник.

— Ура! — завизжала Манюня и кинулась целовать мужчину.

— Погоди, погоди, — отбивался приятель, — посмотри лучше, что я принес.

Он свалил кулечки на диван. Полковника воспитывала в давние времена мама-учительница, поэтому он твердо соблюдает правило: едешь в гости — вези подарки.

С радостным визгом Маня выхватила из груды коробку.

— Корзиночки с белым кремом! Класс!

— Вот уж не стоит ей давать столько сладкого, — посетовал Кеша, — скоро толще меня станет.

— Ну это нетрудно, потому что ты... — начал Александр Михайлович...

— Глиста в обмороке, — тут же уточнила Манюня, за что моментально получила от Зайки газетой по затылку.

— Мама, — заныла Маруся, — она меня бьет...

Не обращая внимания на стоны, Ольга вытащила внушительную фигурку таксы и воскликнула:

— Нет, какая прелесть!

Зайка много лет собирает фарфоровых собачек и, как все коллекционеры, окончательно потеряла рассудок. Каждая фигурка имеет имя и живет в «семье». Собачьи стаи при этом подбираются по непонятному принципу. Во всяком случае, два пуделя стоят не вместе, а на разных полках.

Повеселевший Аркадий вертел в руках брелок со значком «Мерседеса», я тоже направилась было получить свою долю, но тут раздался треск, страшный всхлип и звук упавшего тяжелого предмета. Все обернулись. У стола, нелепо подвернув ногу, лежала без чувств Галя. Домашние забегали бестолково, словно слепые куры. Кое-как Кеша, полковник и Машкины одноклассники дотянули тушу до дивана и шлепнули на подушки.

— Надо бы врача вызвать! — посоветовала Зайка.

Все принялись давать мне бестолковые указания.

— Неси воды и валокордин, — велел полковник.

— Намочи полотенце водой, — приказал Аркадий.

— Муся, в ванной есть нашатырь, — напомнила Манюня.

Больше всего мне в домашних нравится привычка командовать матерью. Вытащив телефон, я второй раз за день вызвала «Скорую помощь».

И опять машина прикатила сразу. Правда, Галя уже пришла в себя и хлопала глазами. Довольно симпатичный молодой врач велел детям и мужчинам выйти, померил давление и с укоризной произнес:

— Знаете, почему великосветские дамы девятнадцатого века постоянно лишались чувств на балах? Из-за корсетов! Ну как можно так утягиваться! Тоньше все равно не станете, а здоровье подорвете...

Потом оглядел комнату, стол, коробки с пирожными и посоветовал:

— После семи кефир, а еще лучше французская диета.

— Это как? — поинтересовалась вечно худеющая Зайка.

— Утром кекс и секс, в обед секс и кекс, на

ужин только секс. Если не поможет, отмените кекс, — абсолютно серьезно заявил доктор.

Я засмеялась, Галя стала свекольно-бордовой. Грацию она расстегнула, и стали видны полоски на коже.

Проводив эскулапа, я велела Зайке сопроводить Галю в спальню и, уже когда они ушли, обнаружила в самом дальнем углу комнаты Мишу. Математик устроился на краешке кресла, положил на колени довольно большую книгу, сверху листок бумаги и самозабвенно черкал карандашом, накручивая волосы на палец левой рукой. Подергав одну прядку, он принимался за другую. Оставленные кудряшки стояли дыбом.

— Миша, — позвала я его.

Ноль эмоций. Пришлось подойти и потрясти за плечи. Профессор поднял отсутствующий взор.

— Миша, сейчас будем чай пить, идите к столу.

— Конечно, конечно, — послушно забормотал мужчина и встал. Книга упала на пол.

— Прости, милый, — сказал Миша и нагнулся.

Секунду он разглядывал том, потом засмеялся.

— Думал, опять Хучика уронил!

Затем обвел удивленным взором комнату и недоуменно спросил:

— Где все? Что-то случилось?

Я только вздохнула. Очень странный экземпляр, совершенно не замечает окружающего. Интересно, если сунуть Галю ему под одеяло, он найдет ее там? Скорей всего, думаю, рано или поздно обнаружит, не удивится, а скажет:

— Рад знакомству, спокойной ночи.

Глава седьмая

На следующее утро сперва поехала домой к глупой Кате и опустила в ее почтовый ящик конверт с деньгами, изъятыми у лже-Базиля. Потом решила заняться Соней Роговой. Дама, составившая Майе протекцию, совершенно мне не понравилась. Надо же, просто подставила подругу, к тому же абсолютно нищую. Выглядело это очень некрасиво, так как сама мадам Рогова, судя по всему, более чем обеспечена. Адрес, который дала Колосова, привел на окраину Москвы, почти в предместье, к красивому двухэтажному дому, обнесенному довольно высоким забором.

Притормозив недалеко от ворот, я закурила и решила подумать, как лучше представиться даме, но тут створки ворот разъехались, выпуская роскошный красный «Мерседес». За рулем горделиво восседала платиновая блондинка лет тридцати.

— Софья Николаевна, — донесся истошный крик со двора, — сумочку забыли.

«Мерседес» притормозил. Женщина приоткрыла дверь. Размахивая небольшим кожаным сундучком, к ней со всех ног бежала девушка в синем платье и белом фартуке.

— Давай, — процедила сквозь зубы хозяйка и завела мотор.

Не задумываясь, я последовала за ней. Посмотрю, куда милейшая Софья Николаевна отправится, авось придумаю, как к ней подкатиться.

Целый день я убила на слежку за объектом. Оказалось — легче легкого. Ездила дама медленно и аккуратно, никаких длинных концов не делала, крутилась в основном в центре. Сначала посетила довольно дорогую парикмахерскую, потом зарулила во французскую кондитерскую и выпорхнула оттуда с коробочкой пирожных, следом отправилась в Глаголевский переулок и запарковалась у небольшого светло-розового домика постройки начала века.

Потекли томительные минуты ожидания. Примерно через два часа мне надоело бесцельно скучать, и я вылезла во двор.

Было холодно, но солнечно, и на скамеечке пристроилась закутанная в кучу шарфов бабка с коляской. Я уселась рядом. Старуха неодобрительно покосилась на пачку «Голуаз» и проворчала:

— Что за мода пошла! Мужики дымят, и бабы туда же, просто противно.

Я быстренько спрятала обруганные сигареты и миролюбиво заметила, ткнув пальцем в вызывающе шикарный «Мерседес»:

— Красивая машина, наверное, очень дорогая!

— А это знаешь чья? — неожиданно оживилась бабка. — К Лешке Гаврюшину полюбовница ездит.

— Да ну! — подстегнула я сплетницу. — Не может быть!

— Вот и я так думала! — торжествующе воскликнула старуха. — Ему-то всего ничего, только-только восемнадцать исполнилось, а ей небось сороковник катит, хотя, конечно, молодую изображает. Юбочка до пупа, сапожки белые, сиськи из выреза вывалит и ковыляет на каблучищах. Тут бабы говорят, вроде она его от армии отмазала, благодарит теперь, как умеет.

— И часто встречаются?

— Да, считай, каждый день, как по часам. Только к трем ходики подберутся, она уж тут, а в пять уедет.

Я поглядела на часы — 16.50.

— Во-во, гляди, — оживилась информаторша, — сейчас прощеваться начнут.

Из подъезда вышла парочка. Уже знакомая мне Софья Николаевна и молодой парень атлетического сложения. Несмотря на холод, он щеголял в одной рубашке с короткими рукавами. Небось хотел продемонстрировать внушительные бицепсы. А посмотреть было на что. Фигура Ромео напоминала перевернутый треугольник — широкие плечи и узкие бедра. Красивые белокурые волосы, наверное, шелковистые на ощупь, венчали голову, лицо с правильными, но какими-то аморфными чертами. Словом, парнишка хорош, как мыльная обертка.

Аккуратно поддерживая Софью Николаевну под локоток, он подвел ее к машине и бережно помог открыть дверь. Засим последовал страстный поцелуй. Мы с бабкой глядели во все глаза. Парочка не обращала на нас никакого внимания. Наконец Гаврюшин с видимым усилием оторвал от себя любовницу и запихнул дамочку в авто. Соня высунула в окошко левую руку, и Леня принялся обцеловывать поданную длань. Наконец заурчал мотор, и дама уехала.

Я постояла секунду в раздумье. Адрес Роговой известен, всегда успею ее потрясти. Может, сначала попугать этого страстного принца, узнать побольше о Соне из третьих рук! Мальчишка тем временем исчез в подъезде, я понеслась за ним. На втором этаже он дернул дверь, и в этот момент я вкрадчиво прочирикала:

— Господин Гаврюшин, уделите пару минут...

От неожиданности парнишка чуть не заорал, но удержался и промямлил:

— Вам чего? Вы кто?

Я усмехнулась:

— Трудно объяснить, скажем, представитель семьи Сони Роговой.

Мальчишка изменился в лице и прошептал:

— Вы ее мать?

Сильнее меня еще никогда не оскорбляли! Мать этой крашеной кошки?! Да я выгляжу, как ее младшая сестра! Либо у Казановы от страха крыша поехала, либо на лестнице слишком темно.

— Нет, — довольно резко сообщила я, — с другой стороны, родственница супруга.

— Ужас! — пролепетал красавчик, не попадая дрожащими руками в карман. — От мужа!

— А вы не знаете, что Соня замужем?

— Нет, то есть да, вернее, нет, — начал отбиваться бедолага.

Красивое, несколько апатичное лицо покрыли бисеринки пота, роскошные карие глаза с поволокой бегали по сторонам. Маруся называет подобных людей коротко и емко — слизень.

— Детка, — тихо сказала я, — не следует так пугаться, не сделаю ничего плохого, только поговорим по душам, и все...

Теперь мальчишка не мог воткнуть ключ в замочную скважину. Я отобрала у него связочку и мигом отперла квартиру.

В прихожей стояла звенящая тишина.

— Один живешь?

Парень кивнул, и мы вошли в довольно большую комнату. Обстановка впечатляла — этакая смесь восточного базара, музея дворянского быта и борделя в Жмеринке. Все устлано коврами, юрта кочевника, да и только. С потолка свешивается слишком большая для такого помещения бронзовая люстра. Роскошная темно-зеленая кожаная мебель, низенький журнальный столик, огромный телевизор «Сони», видик, куча кассет и гора журналов «Семен».

— Там что? — спросила я, ткнув пальцем в черную дверь.

— Спальня, — проблеял Леня.

Желая убедиться, что мы одни, я толкнула створку двери и онемела.

Всю площадь занимала огромная круглая кровать с роскошным кружевным бельем. Стены темно-фиолетовые, в потолок вделано зеркало. Пол затянут белым ковром с километровым ворсом. На подушке спит ангорская кошка в голубом ошейнике.

— Красиво живешь!

— Соня ремонт сделала, — принялся оправдываться Леня.

Не обращая внимания на его лепет, я исследовала набитую парфюмерией и косметикой ванную и вошла в кухню.

Похоже, Рогова не жалела денег на любовника.

— Ну, рассказывай, — велела я, усаживаясь на бархатный кухонный стул.

— Что?

— Все, где познакомились...

— Зачем это? — неожиданно решил сопротивляться парнишка. Очевидно, придя домой, он успокоился и осмелел.

— Знаешь, кто муж Сони?

Леня кивнул.

— Назови место работы!

— Зачем?

— Хочу проверить, правильные ли у тебя сведения.

— Сергей Николаевич Рогов — владелец «Монобанка».

Мысленно я присвистнула, надеюсь, Леня не врет.

— Правильно, значит, понимаешь, что проблем с деньгами у него нет?

— И ежу ясно, — хмыкнул Гаврюшин.

— Вот теперь и расскажи все про вас с Сонечкой.

— Зачем?

Удивительно скудная речь, знает только один вопрос.

— Затем, что Сергей Николаевич Рогов хочет знать, с кем жена проводит время.

— Так он в курсе? — обомлел Гаврюшин.

— В курсе, в курсе, — успокоила я его, — самому недосуг Сонечке мужское внимание оказывать, вот и смотрит сквозь пальцы на ее фортеля. Но при этом хочет быть уверен, что любовник аккуратный, чистоплотный, из хорошей семьи.

— Но она так боится, что муж узнает, мы даже никуда не ходим вместе, — пробормотал Леня.

— А ей и говорить не надо, пусть боится, а тебе, Ленечка, за молчание и хорошее поведение Сергей Николаевич в жизни поможет. Он меня специально нанимает для таких целей. Ты ведь у Сонечки не первый. Давай, котеночек, рассказывай все, будь умницей.

Глупый Гаврюшин вздохнул и принялся изливать душу. Лет ему всего ничего — только-только восемнадцать стукнуло, а с Соней познакомился год назад на соревнованиях. Госпожа Рогова, явно неравнодушная к красивому мужскому телу, посещала состязания по бодибилдингу. А Леня успешно выступал во всяких таких шоу. Он с четырнадцати лет только и делал, что качался, и вылетел из школы, будучи в девятом классе. При великолепно развитом теле обладал полным отсутствием умственных способностей.

Жил Ленечка до шестнадцати лет с родителями, самозабвенными пьяницами. Но накануне его семнадцатилетия папашка с мамашкой выпили какой-то дряни — дешевой фальшивой водки — и к утру тихо скончались. Леня похоронил родителей, даже устроил небольшие поминки, пригласил соседей, но горевать особо не горевал. Его жизнь после смерти пьянчуг стала только лучше. Денег, правда, хватало в обрез. Несколько раз снимался в рекламе мужского нижнего белья, оторвал две награды на конкурсах культуристов и весьма успешно работал «манекеном» в доме моделей. Пить юноша даже не начинал, впрочем, курить тоже. Он трепетно относился к своему здоровью, ел по часам, тщательно высчитывая нужное соотношение белков, жиров и углеводов. Чтобы росла мышечная масса, следует отлично питаться, но при этом есть риск растолстеть. Короче, день у него был занят под завязку, и тут появилась Соня.

Стояла зима, на женщине красовалась серенькая невзрачная шубка, как показалось простоватому Лене, из меха кролика. Позднее провожавшие женщину завистливыми вздохами «вешалки» пояснили парню, что манто из шиншиллы и стоит целое состояние.

Сонечка небрежно бросила шубейку на стул и осталась в крохотной мини-юбочке и обтягивающей кофточке. Переодевавшийся в одной с Гаврюшиным комнате опытный Семен Жезлов немедленно испарился.

Короче, они поехали вместе к Лене домой. Сонечка брезгливо поморщилась при виде обшарпанной квартиры и уронила:

— Надо сделать ремонт.

Буквально на следующий день прибыли мастера, превратившие неказистые комнатенки в хоромы. Следом привезли новую мебель. Соня быстро решила все проблемы. Каким-то образом ей удалось сделать любовнику белый билет. Леня сменил гардероб, завел парикмахера, начал делать маникюр и педикюр, стал читать книгу «Эротические фантазии». Любовница платила за все, от Лени требовалось только одно — быть дома в определенные часы в боевой форме. Как он проводит остальное время суток, ее не интересовало. Соня никогда не выводила свое сокровище в свет, объясняя такое поведение патологической ревностью мужа.

— Он у меня как собака на сене, — призналась она как-то раз, — и сам не может, и другим

не разрешает. А я женщина страстная, темпера-
ментная...

Что правда, то правда. В постели госпожа Рогова пылала, как пожар в торфянике. В голову ей
приходили удивительные фантазии, и Леня за-
бросил все эротические книжки. О таком, что
умела эта дама, в них просто не писали. Иногда
после бурных объятий Сонечка потягивалась,
как сытая кошка, и рассуждала:

— Конечно, Леник, ты хорош необычайно и в
постели не спишь, но ведь поговорить-то нам не
о чем. Скоро надоешь.

Гаврюшин принимался тогда целовать женщину и уверять в своей любви.

— Не бойся, — смеялась циничная Соня, —
ты у меня не первый и не последний, я всех
своих мужиков потом хорошо пристраиваю.

Соня никогда не оставалась на ночь, даже
когда супруг уезжал. Леня, включая телевизор,
часто слышал, что Рогов отправился то в Анг-
лию, то во Францию...

— Рада бы у тебя переночевать, — вздыхала
Соня, — оттянулись бы на полную катушку, да
муж экономку нанял, Эсфирь Григорьевну. Так
вот она за мной следит и все ему докладывает,
где была, куда ездила, когда вернулась. Сергей
первую жену, Маринку, знаешь как выставил?
Голой и босой, как пришла. А мне этого совершенно не хочется, тем более что он уже в возрасте, шестьдесят пятый катит, вполне могу обеспе-
ченной вдовой остаться, мне-то всего тридцать...

Выслушав откровения мальчишки, я, весьма
довольная, покатила в Ложкино. Что ж, теперь

знаю, чем прижать любвеобильную даму Софью Николаевну!

И в столовой, и в гостиной стояла тишина. Интересно, куда все подевались? Я пошла на второй этаж, толкнула дверь кабинета и обомлела. Комната набита детьми. Пять девочек, шесть мальчиков. На стене, между книжными стеллажами прикреплена доска. Возле нее стоит как всегда встрепанный Миша с выпачканным мелом лбом.

— На этой стадии понятно? — спросил мужчина.

— Да, — хором ответили ребята.

— Прекрасно, идем дальше. 7b в квадрате — 8c...

Ученики прилежно заскрипели ручками. Прямо перед доской восседал Хучик, казалось, мопс пытается понять основы алгебры.

Я тихонько прикрыла дверь и заглянула в комнату к Гале. Женщина лежала на кровати и читала «Люби меня вечно». Если и дальше так пойдет, ей останется одно — переживать чужие страсти. Ну надо же, живут в одном доме и, по-моему, даже не познакомились...

Во дворе хлопнула дверца машины — приехал усталый Кеша.

— Как дела? — спросила я, спускаясь в холл.

Аркаша оглядел груду кроссовок, ботинок, туфелек и со вздохом спросил:

— Опять гости?

— Марусенька привела сюда весь свой колледж, и Миша наверху, в кабинете, проводит занятие по математике...

— Ну-ну, — пробормотал Кеша.

В столовой он вяло поковырял вилкой рыбу и отодвинул почти нетронутое блюдо.

— Устал?

Сын поднял глаза.

— Чем больше работаю, тем больше убеждаюсь, что кругом полно идиотов. Вот сегодня появился новый клиент. Убийца, шестнадцать лет. Черта изображал.

— Кого? — не поняла я.

История произошла несколько дней назад в одном из спальных районов. Где-то около полуночи в квартиру восьмидесятилетней Анны Марковны Степашиной позвонил гость. Удивляясь столь позднему визиту, Анна Марковна доковыляла до двери, глянула в «глазок» и замерла. На скудно освещенной лестничной площадке стоял самый настоящий черт. Лицо нечистика было чернее ваксы, только поблескивали белки глаз. Острые рога угрожающе торчали на маленькой голове. В правой руке он держал вилы, в левой — длинный хвост с кисточкой на конце. Анна Марковна завыла от ужаса. Она была крайне религиозна, соблюдала посты, праздники, и явление черта испугало ее до крайности.

Омерзительный гость услышал вопль и прокричал:

— Открывай, Степашина, пришел по твою душу.

Затем раздался жуткий хохот. Анна Марковна грохнулась оземь. По счастью, этой ночью у старушки ночевал внук. Парень услышал крики, вышел в прихожую. Увидев валяющуюся на полу бабушку, внук глянул в «глазок» и тут же распахнул дверь. «Черт», не ожидавший такого, бросился к лифту, но внук, молодой крепкий мужчина, ухватил его за хвост и втащил в квартиру. Закрыв «посланца ада» в комнате, парень кинулся к бабке и обнаружил, что та мертва.

Вызванная милиция быстро установила личность «черта». Костя Сироткин, сосед Степашиной, шестнадцатилетний школьник. Анна Марковна без конца делала ему замечания. То курит на лестнице, то с приятелями стоит...

В конце концов, мальчишка решил отомстить противной бабке. Зная о ее религиозности, придумал костюм черта и начал выплясывать перед дверью.

— Ну не думал я, что она помрет, — ревел мальчишка, размазывая по лицу сопли пополам с сапожным кремом, — думал, просто испугается...

Однако убийство есть убийство, и мальца забрали в милицию. Родители кинулись в юридическую консультацию и обратились к Аркадию.

— И как прикажешь защищать такого идиота? — кипел сын. — Извините, не хотел? Сплошная глупость! Надо же, шестнадцать лет — и такой кретин!

В коридоре послышался шум, потом смех, дети явно собирались уходить. Вошел Миша, за ним как привязанный брел Хучик.

— Очень, очень любознательные молодые люди, — сообщил Миша, — к сожалению, в школе не слишком подробно объясняют, но я постарался внести ясность. Месячишко позанимаемся, и порядок. Можно чайку?

— Конечно, Мишенька, любименький, — закричала вбежавшая Машка, — еще пирожное съешь, мозгу сахар нужен.

— Спасибо, — пробормотал Миша и, вытащив из кармана какой-то листок, принялся быстро писать.

— Пойди позови Галю к ужину, — велела я.

Маруська скорчила рожу, но послушно потопала наверх. Кеша продолжал расковыривать
рыбу, Миша писал, я молча пила чай.

Минут через пять в столовую вошла Галя. На
этот раз она не надела грацию, и жирные складки явственно проступали под платьем.

— Садись около Миши, — велела я.

Девушка покорно устроилась на стуле.

— Миша, ешь, — строго велела Маня.

Мужчина, не глядя, протянул руку, ухватил
крышку от масленки и понес ко рту.

— Да не это, — закричала Манюня, выдирая у
него фарфоровую штучку, — вот что кусай!

И она сунула профессору под нос эклер.

— Ничего не понимаю, — вскрикнул Миша.

— А что тут понимать? — удивилась Маня. —
Эклер как эклер!

— Не получается! — вновь воскликнул математик и сердито отодвинул листок. — Ерунда
выходит!

— Вы лучше поужинайте, — вздохнул Кеша, —
а то опять ночью на Банди наступите.

Я улыбнулась. Вчера профессор так увлекся,
что не поел. Часа в три ночи на него напал жуткий голод, и он, не зажигая свет, двинулся на
кухню, надеясь найти в холодильнике что-нибудь съестное.

Наш пит любит спать как раз на пороге. Ничего не подозревающий Миша со всего размаху
наступил на его тонкий длинный хвост. Бандю-

ша, не ожидавший нападения, заорал дурниной и, как водится, тут же описался. Математик, испугавшись не меньше, поскользнулся и упал в кухню... Проснувшаяся Зайка побежала вниз и обнаружила в, так сказать, пищеблоке копошащуюся кучу из человеческих ног и собачьих лап, сдобренную «ароматной» жидкостью.

— Вы правы, Кеша, — абсолютно серьезно заметил профессор и потянулся к рыбе.

— Мне кажется, здесь следует применить иной метод, — раздался робкий голос.

Все уставились на Галю. Женщина впервые заговорила сама, а не ответила на вопрос. Верещагина держала листок.

— Вот тут, — пробормотала она, — ошибка именно здесь!

Миша схватил бумажку. Черная и рыжая головы сблизились.

Мы с Кешей переглянулись.

— Простите, Галя, — осведомился сын, — а вы кто по профессии?

— Физик-теоретик, — ответила женщина, заливаясь краской.

— А ведь верно! — в ажиотаже закричал профессор. — Господи, как я не допер! Кстати, как вас зовут?..

Часов в одиннадцать, уже собираясь лечь в кровать, я заглянула в столовую. На ковре валялись исчерканные бумажки. Миша и Галя, тыча карандашом в очередной листок, ожесточенно спорили. Я, отметив, что они абсолютно одинаково крутят волосы, удовлетворенно вздохнула. Ну что ж, знакомство состоялось, подождем развития событий.

Глава восьмая

На следующий день в районе одиннадцати подкатила к особняку Рогова и храбро позвонила. Из домофона тут же донеслось:

— Кто?

— Софья Николаевна дома?

— Хозяйка не принимает, — донеслось из динамика.

Надо же так выдрессировать прислугу, наша Ира пускает всех без разбору.

— Передайте ей, что приехала старая подруга.

— Как зовут?

— Люба Гаврюшина.

Посмотрим, как милейшая Сонечка отреагирует на фамилию любовника! Ворота распахнулись, я медленно подкатила к парадному входу. На лестнице стояла молоденькая горничная в костюме и белом фартучке.

В холле маячила худощавая дама лет шестидесяти, затянутая в английский костюм. Наверное, шпионка Эсфирь Григорьевна. Экономка провела меня в гостиную. Соня нервно встала, но не успела она открыть рот, как я широко развела руки и запищала капризным голосом:

— Сонюшка, душенька, только что из Парижа и сразу к тебе, столько рассказать хочется! Вели прислуге кофе подать!

Софья Николаевна оказалась совсем не глупа, потому что указала на кресло и пропела:

— Садись, дорогая!

Потом повернулась к экономке и приказала:

— Эсфирь Григорьевна, распорядитесь!

Женщина вышла. Мы молча смотрели друг на

— Слышь, дочка, сделай милость, коли на автомобиле, съезди мне в аптеку, тут недалеко тебе будет, а мне недопехать. Купи валокордину пузырек, погоди, деньги дам, он теперь дорогой, зараза.

Не взявши дедовы рубли, я покатила в аптеку, потом, припомнив серые бесформенные ломти домашней булки, завернула в местный супермаркет с гордым названием «Победитель». У «Вольво» большой багажник, но все покупки туда не влезли, кое-что пришлось бросить на заднее сиденье. Ящики с макаронами и подсолнечным маслом, пакеты риса, пшена, перловки и неизвестной крупы «Артек», тридцать килограмм муки, двадцать пачек сливочного масла, горы тушенки, а еще чай, какао, конфеты, пятьсот стеариновых свечей, лампа «Летучая мышь», фляга с керосином, газеты, штук двадцать детективов, мыло, шампунь... Всю предстоящую зиму Прохор будет ходить в город только за пенсией, а возвращаться налегке. Подумав еще чуть-чуть, купила ему транзистор и запас батареек — все веселее жить.

Когда дед увидал, как я вылезаю из похожего на передвижной магазин «Вольво», у него на минуту пропал голос.

— Что это, зачем, не надо, — бормотал старик, пока я, отдуваясь, таскала мешки и коробки.

— Прохор, — строго сообщила я, — продукты и вещи велел передать Базиль Корзинкин, внук Николая. Бывший хозяин помнил вас и любил, это подарки от него. Весной приеду, привезу еще.

Дед заплакал, потом утер глаза.

— Эх, жена до радости не дожила, как звать-то тебя, дочка?

— Даша.

— Ты, Дарьюшка, назад поедешь и две дороги увидишь, обе к шоссе ведут, но ты, детка, по хорошей не езжай, а там, где бетонка лежит, сверни на проселок.

— Чего так?

Прохор помялся.

— Избенка стоит у оврага. Раньше в ней кузнец проживал — Никанор. Нелюдимый, молчун, вот и построился особняком. Дом давно брошен. А сейчас в нем сумасшедшие селятся. Поживут месяц и съедут. И сейчас один живет. По-русски ни бум-бум. Все говорил «мсье, мсье» — француз или притворяется. Вот я и думаю, зачем честным людям, да еще инородцам, в глушь забираться? Может, они маньяки или убивцы? От милиции прячутся, вон в газетах какие страсти-мордасти пишут.

Я поблагодарила деда и покатила назад. Дорога и впрямь разделялась, причем как-то незаметно, просто вдруг в кустах мелькнули бетонные плиты, абсолютно неприметные, когда едешь в Горловку. «Вольво» резво покатил, подскакивая на стыках. Сердце ликовало: кажется, Базиль нашелся.

Глава пятнадцатая

Кузнец и впрямь жил букой. Небольшой сруб прятался в лесу и летом, наверное, совсем незаметен. Но сейчас, когда основная масса деревьев потеряла листву, темные бревна резко выделялись на фоне голых стволов. На дорогу глядели три окна, в двух — стекла, крайнее забито фанеркой. Я подошла к сгнившему, покосившемуся крыльцу и крикнула:

— Эй, Базиль, выходи, Дарья Васильева по твою душу приехала.

В ответ тишина. Я дернула простую железную скобу, исполнявшую роль ручки. Дверь не шелохнулась, внутри ни звука, но видно, что в замочной скважине торчит ключ, следовательно, внутри есть люди, просто не желают отзываться.

— Базиль, не дури, — заорала я по-французски, — Сюзи в Париже с ума сходит, пожалей жену, старый кретин, хватит в Робинзона Крузо играть.

Замок залязгал, тяжелая дверь распахнулась, и на пороге появился высокий худой блондин в грязных потертых джинсах и толстом свитере. Он абсолютно не походил на Базиля. Не успела я удивиться, как странный жилец спросил на великолепном французском:

— Бог мой, вы из Парижа?

— Да, — ответила я, — очевидно, вы тоже?

— Просто безобразие, — обозлился «дикарь», — еще три дня осталось! Как они смели уже новых прислать, буду жаловаться в агентство! Уже второй раз беспокоят! И в деревне человек живет!

Я совершенно ничего не понимала и на всякий случай уточнила:

— Ищу господина Базиля Корзинкина, книгоиздателя из Парижа!

«Робинзон Крузо» помягчел:

— Значит, не будете ночевать?

— Нет.

— Ладно, заходите.

Я вошла в избенку и моментально стукнулась лбом о низкую притолоку. Потирая ушибленную голову, проследовала за хозяином в «зал». Внутри стояла железная кровать с древней панцирной сеткой, допотопный стол, два колченогих стула и кованый сундук, настоящий раритет. Любой сотрудник этнографического музея онемеет, заполучив такой. Скатертью служила газета, а на кровати никаких признаков постельного белья, лишь драное ватное одеяло и подушка в засаленном напернике.

— Ну, — весьма нелюбезно спросил француз, — объясните теперь по-человечески, что вам нужно?

Я решила поставить хама на место и, светски улыбаясь, прощебетала:

— Будем знакомы, баронесса Натали Макмайер.

Французы жуткие снобы, и этот не оказался исключением.

— Прошу, мадам, присаживайтесь, меня зовут Клод Рабель. Так какая проблема привела столь очаровательную особу в эту глушь?

Отметив, что титул сразу прибавил мне очарования, я сообщила:

— Разыскиваю приятеля, Базиля Корзинкина, сказал — поедет на денек в Горловку, и пропал.

— Как? — удивился в свою очередь Клод. — Разве вы приехали в Россию не по линии «Альбатроса»? Вы не экстремальная туристка?

— Кто? — обозлилась я окончательно. — Да объясните, в конце концов, что все это значит.

Рабель замялся. Видя колебания, я нагло добавила:

— Пока не пойму, что к чему, не уеду.

Клод вздохнул. Наверное, решил, что от
такой хамки нелегко отделаться.

История оказалась интересной. В Париже
господин Рабель работает управляющим крупной
фирмой. День-деньской крутится как белка в ко-
лесе. Раздражает все — избалованные и глупые
клиенты, тупые подчиненные. Дома поджидает
взбалмошная женушка и трое деток милого под-
росткового возраста. Короче, покоя нет ни днем
ни ночью.

Пару лет назад врачи обнаружили у Клода
язву желудка и положили его в больницу. Там он
познакомился с весельчаком Александром. Алекс
рассказал Клоду о потрясающем отдыхе, который организует совместное русско-французское
турагентство «Альбатрос». Экстремальный туризм. Стоит весьма и весьма недешево, зато какие ощущения! Все туры строго индивидуальны,
можно заказать, что душе угодно.

Едва выйдя из больницы, Клод побежал на
улицу Роти. Алекс предупредил, разговоры стоит
вести только с дамой по имени Элен, и нужно
сказать, что адресок дал Александр. Дело-то не
совсем законное.

Элен, мило улыбаясь, принялась рассказывать ошарашенному Клоду об услугах. Можно
посидеть месяц в российской тюрьме или в лагере, поехать в заброшенную провинциальную деревню и вести там жизнь аборигена. Предлага-
лось еще весьма щекочущее нервы и любимое
многими приключение — стать жертвой насиль-

ника или самому превратиться в палача. Одни выбирают роль бомжей, другие — сутенеров, третьи просто живут в спальном районе Москвы четыре недели, имея только триста российских рублей. Бодрит и заключение в психиатрическую клинику...

Клод подумал, подумал и решил стать зеком. Уже через две недели его встречали в московском отделении «Альбатроса». Красивая, статная брюнетка по имени Лола отобрала паспорт, сказав:

— Пусть лучше хранится у меня в сейфе.

Потом Клода посадили в машину и повезли. Путь занял примерно около часа, и в конце концов автомобиль притормозил у таблички: «Стой, режимная зона!» Мимо высокого забора с колючей проволокой, мимо вышек с часовыми прошли в какое-то здание, там Клоду выдали черную куртку, такие же штаны и кепку. Конвойные втолкнули его в барак.

В небольшой комнате стояли три прикрытые застиранными одеяльцами двухэтажные железные койки, окрашенные в синий цвет. Скоро появились и «коллеги» — два мужика с простоватыми лицами. Как понял Клод, их звали Ваня и Саша. Больше он ничего не разобрал, поскольку абсолютно не владел русским. Правда, к концу «срока» выучил несколько слов — хлеб, чай, сахар да еще матерные ругательства.

Потянулись дни на зоне, похожие один на другой, словно яйца. Побудка, построение, проверка, работа, прогулка. Кормили три раза в день — отвратительно и совершенно несъедобно. Охрана пару раз не слишком больно накостыляла Рабелю по шее. Ваня и Саша не привязывались. Даже были приветливы. Угощали сигаретами, делились печеньем и чаем, а после отбоя учили француза блатной фене, потешаясь над его произношением.

Жизнь в лагере оказалась построена таким образом, что Клод совершенно не пересекался с другими заключенными. Изредка он видел, как в столовую с бодрой песней идет отряд человек эдак сто, а в мастерских, где шили брезентовые рукавицы, каждый сидел за своей машиной, и охрана пресекала любые разговоры.

Через две недели, скорей всего от голода, прошла язва, во всяком случае, перестала беспокоить. Затем наладился сон. В десять вечера Клод не успевал донести голову до подушки, как веки смыкались. Пропала тупая боль в затылке. В последнюю неделю бытности зеком Рабель с невероятным аппетитом уничтожал «рыбкин супчик» и перловку, сдобренную машинным маслом.

В Париж он вернулся абсолютно здоровым, веселым и великолепно отдохнувшим.

В этом году решил пожить отшельником. На сей раз его привезли в Горловку и бросили в избе кузнеца с небольшим набором продуктов. Сначала все шло просто чудесно. Клод собственноручно отмыл избушку, таская воду ведрами из речки. Целыми днями хлопотал по хозяйству, готовя суп, расчищая двор от камней. Ложился спать в восемь, вставал около шести. Именно в заброшенной деревне управляющий вспомнил, что писал в юности стихи, и вновь принялся слагать вирши. Ощущение полного одиночества, оторванности от мира приносило потрясающее успокоение...

Но вскоре кайф сломался. Сначала парижанин обнаружил, что в деревне живет старик. Прохор не мешал ему, встречались изредка, но ощущение полного одиночества пропало. Затем явился какой-то иностранец, говорящий по-французски.

— Корзинкин? — вырвалось у меня.

— Не знаю, фамилии не назвал.

— Темноволосый, кареглазый, со смуглым лицом?

— Да, похож.

...Гость постучался в окно ночью. Клод слегка испугался и глянул на часы — полночь.

— Кто? — крикнул он по-французски, понимая глупость поступка. Никто не поймет вопроса.

Неожиданно с порога донесся ответ на родном языке:

— Откройте, бога ради, не бойтесь.

Рабель распахнул дверь и увидел вконец перемазанного мужика.

— Ехал мимо, — пояснил тот, — проколол колесо, пытался в темноте починить, да не вышло. Пустите нас переночевать...

— Нас? — изумилась я.

— Ну да, с ним была девушка. Высокая блондинка с роскошными ногами. Еще подумал — у этакого урода и такая красавица.

— Дальше что было? — в нетерпении подпрыгивала я на месте, как Маня. — Ну, говорите!

— Нечего рассказывать. Они принесли из машины сумку с продуктами, поужинали. Потом легли.

Клод уступил девушке постель, сам лег на лежанке, а мужчина кое-как устроился на полу. Рано утром гость поменял колесо, и парочка уехала.

— И это все? — разочарованно протянула я.

— Все.

— Как звали девушку?

Клод развел руками.

— Не знаю, она не представилась.

Кстати, кавалер на вопрос об имени буркнул что-то типа — бр-бр. Очень невоспитанно для молодого человека.

— Молодого?

— Ну да, ему по виду лет двадцать шесть, ну семь...

Уму непостижимо. Я вытащила паспорт Базиля и сунула его Клоду под нос.

— Это он?

— Он, — подтвердил Рабель, — только здесь он отчего-то выглядит моим одногодком. Кстати, по-французски говорил с акцентом, словом, не француз.

Так, Базиль окончательно сошел с ума, изображает юного Ромео, загримировался под мальчика, коверкает парижский выговор. Вот идиот!

Клод был слишком зол, чтобы знакомиться с непрошеными гостями. Полночи, слушая, как они похрапывают, он думал, что скажет служащим «Альбатроса». И деревня обитаема, и люди понаехали. Мой визит окончательно вывел его из себя.

Я решила утешить нервного француза.

— Сейчас уеду, меня интересовал только Корзинкин.

Клод подозрительно глядел, как я иду к «Вольво», потом вскрикнул:

— Погодите! Вы, наверное, встретите этого Базиля?

— Во всяком случае, сильно надеюсь на такой исход дела.

— Тогда передайте, они тут кое-что забыли.

Клод исчез в избе и через секунду сунул в автомобиль небольшой пакет с рекламой «Мальборо».

Я отъехала к шоссе, притормозила и заглянула в пакет. Ничего особенного — складной женский зонтик и «Сто лет одиночества» Маркеса. Очевидно, девица из интеллигентной семьи, взяла с собой в дорогу не детектив, не фантастику, а заумного Маркеса.

Домой прирулила к девяти вечера, окончательно перестав что-либо соображать. Голова просто разрывалась от обилия сведений. Сейчас глотну чайку, сжую парочку бутербродов и пойду в спальню. Сяду в креслице, попробую обмозговать ситуацию.

В столовой с каменным лицом вязала Ольга.

— Ну, здравствуй, — произнесла Зайка железным голосом.

Ее тон не предвещал ничего хорошего, и я испугалась.

— Что произошло?

— Это я должна поинтересоваться у тебя, что произошло, — с видом прокурора процедила Оля и крикнула:

— Александр Михайлович, идите сюда!

Раздались шаги, и в комнату вошел полковник. Увидев меня, он сладко улыбнулся и осведомился:

— Дашутка, где гоняла? Небось устала?

Но я великолепно знала, что такое его поведение обещает скорую бурю, поэтому постаралась не злить приятеля.

— Сначала ездила по магазинам, потом зашла к Полянским...

— Ага, ага, — закивал головой Александр Михайлович, — чайку попить, поболтать, то да се, так ведь?

— Именно, — осторожно поддакнула я, чуя неладное, — а у вас как день прошел?

— У меня нормально, — ухмыльнулся полковник, — а вот Зайке повезло невероятно, сплошные приключения, никакой скуки!

Ольга фыркнула и принялась демонстративно размешивать ложечкой сахар в чашке с чаем. Мерное позвякиванье вывело меня из себя, и я не удержалась:

— Да что, в конце концов, произошло?

— Слушай! — вскипела Зайка.

— Погоди, погоди, — остановил ее Александр Михайлович, — дай я расскажу спокойненько, по порядку.

Утром Ольге позвонили из отделения милиции и попросили приехать дать свидетельские показания по делу Майи Колосовой. Ничего не понимающая Зайка послушно явилась в семнадцатый кабинет, где была принята суровым капитаном. Разговор их напоминал диалог гуся с поросенком — полное непонимание.

— Расскажите, как увидели тело Колосовой на балконе, — велел милиционер.

— Кто это такая? — изумилась Ольга.

— Ваша соседка по дому, — не сдавался дознаватель.

— У меня нет соседей, — отбивалась Зайка.

— Не стоит нервничать, вас пока ни в чем не обвиняют, — «успокоил» капитан.

Ольга задергалась, следователь начал злиться, и так продолжалось в течение почти полутора часов. На протяжении этого времени милиционер неоднократно спрашивал:

— Вы Ольга Евгеньевна Воронцова?

— Да, — подтверждала Ольга.

И разговор шел по кругу. Наконец, устав от бесконечных Зайкиных бестолковых ответов, капитан совсем разозлился и привел в кабинет какую-то старушку.

— Узнаете свою племянницу?

— Конечно, здравствуй, детка, — ответила соседка Майи Колосовой маразматичка Алевтина Марковна.

— Что же вы все отрицаете? — накинулся следователь на Зайку. — Вам есть что скрывать? Будете так себя вести, оформлю задержание на трое суток.

Но Зайка не зря жена адвоката. Увидав, что происходит нечто непонятное, она твердо заявила:

— Имею право на один телефонный звонок и без своего защитника больше ни слова не произнесу.

Капитан вскипел, сунул ей телефонную трубку. Бедняжка только успела крикнуть: «Александр Михайлович, приезжай скорей», как телефон отобрали, а саму Ольгу впихнули в «обезьянник» — до выяснения личности.

Недоразумение выяснилось только тогда, когда приехал полковник. Поговорив с оперативниками, он сразу выяснил, что «племянница», назвавшаяся Ольгой Евгеньевной, была старше. Изящная блондинка лет тридцати пяти, глаза голубые, курила сигареты из бело-синей пачки, а с места происшествия уехала в «Вольво»...

— Как ты могла, — взвыла Зайка, — как тебе пришло в голову назваться моим именем?

Действительно, крайне глупо.

— А еще говорят, милиция плохо работает, — вырвалось у меня, — неужели Ольга Евгеньевна в Москве одна? И как только нашли?

Александр Михайлович глянул на меня и расхохотался.

— Ты неподражаема, сама же сообщила оперативникам свой домашний телефон, они просто позвонили по оставленному номеру.

Да уж, второй такой дуры поискать.

— Зачем ходила к Колосовой? — посерьезнел приятель.

— Я?! Даже не думала и не знала, кто там был!

Полковник вновь заулыбался.

— Послушай, ну просто смешно, включи наконец голову. Во-первых, в квартире сняты отпечатки пальцев. К Колосовой редко забредали гости, «пальчиков» посторонних немного, найдут и твои. Потом, есть живая улика.

— Кто?

Молчавшая до сих пор Зайка крикнула:

— Кука! Поди сюда.

Дверь скрипнула, лохматенькая собачка влетела в комнату и преданно завертела хвостом. Очевидно, ее недавно вымыли, потому что шерстка блестела и приятно пахла шампунем. На шее Куки красовался новый красный ошейник.

— Вот, — сообщил полковник, указывая пальцем, — у убитой имелась собачка-метис по кличке Кука. Пес исчез после смерти владелицы.

Я поняла, что ощущают настоящие преступники под бременем неопровержимых доказательств, и раскололась.

— Ну была там!

— Зачем назвалась Ольгой?

— Случайно вышло.

Зайка подскочила на стуле и вылетела из комнаты, от души стукнув дверью.

— Ладно, — пробормотал Александр Михайлович, — не хочешь — не говори, но имей в виду, Колосову перед смертью пытали.

— Как?! — пришла я в полный ужас.

— Жестоко. Перебили пальцы на руках и ногах, на груди и животе у нее ожоги, сломан нос и пара зубов. Потом несчастную пристрелили и выставили на балкон.

— Господи, зачем?

— Судя по бардаку, в квартире что-то искали. Причем, если принять во внимание несколько разодранных книжек, распотрошенный альбом с фотографиями и вспоротого плюшевого мишку, — пытались найти небольшой, скорей всего плоский предмет.

Паспорт Базиля Корзинкина! Неужели бедную Майю убили из-за него?

— Как ты думаешь, — тихонько спросила я, — преступники обнаружили искомое?

— Кто же знает? — вздохнул приятель. — Надеюсь, что да.

— Почему?

— Потому что иначе мне придется предположить, что искомая вещица как-то попала к тебе в руки.

— Глупости, — испугалась я.

— А зачем ты ходила к Колосовой?

— Да не у нее была, а у сумасшедшей Алевтины Марковны. Давным-давно знаю женщину, сейчас она в глубочайшей отключке. Зашла проведать — увидела труп на балконе... Почему ее туда вынесли?

— Чтобы запах из квартиры не пошел, этаж последний, мало кому виден балкон. Надеялись, что милиция не сразу обнаружит труп. Почему назвалась Ольгой?

— Сдуру, испугалась очень, вечно в истории вляпываюсь.

— Это точно, — вздохнул Александр Михайлович, — ну ладно, спрошу у старушки, знает ли она тебя.

«Спроси, спроси, толстячок, — ухмыльнулась я про себя, наливая чай, — бабулек совсем плохой, то-то повеселишься».

Глава шестнадцатая

Хорошее настроение покинуло меня, стоило только оказаться в одиночестве в своей спальне. Бедная, бедная Майя. Так страшно закончить тяжелую, полную невзгод жизнь. Неужели несчастную убили из-за паспорта Корзинкина? Может, если бы я принесла ей сумку и заставила вернуть, Колосова осталась бы жива? Хотя вряд ли. Что же получается? Лола каким-то образом вычислила, кто украл ридикюль, и прислала к Майе киллеров? Ай да хозяйка «Альбатроса»! А что, если все рассказать полковнику? Ага, он сразу арестует Лолу, и я не найду Базиля. Лола же быстренько от всего откажется. Паспорт-то я получила от брачного афериста, кроме него, свидетелей не было.

А вдруг искали не паспорт, вдруг вообще все не так? Господи, лже-Корзинкин, брачный аферист, сказал мне, что обыскал крохотную квартирку, пока Майя спала. Еще сетовал на крайнюю нищету «объекта» — ни цепочки, ни колечка, ни денег. Небось он обшарил все щели в поисках добычи. Там места немного, двух часов с головой хватит. Значит, все-таки паспорт.

Я открыла окно и осторожно закурила, стараясь, чтобы пахучий дым тут же отправлялся в сад. Домашние не курят и гневным хором обличают мою слабость.

Стало холодно. С неба посыпались снежинки. Зима стоит у порога, скоро ударят морозы... Лола! Неожиданно женщина становится главным действующим лицом. Просто повезло, что она не захотела со мной разговаривать. Итак, сначала разложим информацию по полочкам.

Дед Прохор говорил, что к нему приходил внук Трофима Алексей Никитин. А убитого издателя звали именно так, может, это он и был? Проверить просто — есть адрес, съезжу поговорю. Интересно, сохранился ли клад? Кто вытащил его из тайника? Куда подевался Базиль? Как он живет без паспорта? Или...

Лоб покрылся мелкой испариной, и руки противно задрожали. В первый раз в голову пришла самая простая мысль: Базиля могли убить. Тогда кто и где труп? Небось Лола знает ответы на вопросы, но как разговорить ее? Впрочем, может, свет на судьбу Корзинкина прольет таинственная спутница? Только где найти девушку, не зная ни имени, ни фамилии. В руках лишь зонтик да книга.

Я повертела томик Маркеса. На первой странице стоял штамп «Библиотека № 3467». Отлично, тоненькая, но все же ниточка.

На следующий день спустилась к завтраку около десяти. Ольга сидела с неприступным лицом, судя по ее виду, невестка продолжает злиться.

— Заинька, — завертела я хвостом, — что-то ты так похудела, просто невероятно.

Ольга постоянно сидит на диете и ощупывает бедра в поисках целлюлита. В любой другой день подобная фраза привела бы девушку в восторг, но только не сегодня.

Зайка встала и ледяным тоном отрезала:

— Не подлизывайся, все равно не верю.

Глядя, как она выплывает из столовой, с трудом сдержала негодование. Тоже мне Станиславский нашелся! Не верю!

Решив пойти сначала по более легкому пути, принялась искать библиотеку. Нашлось книгохранилище на краю света, в милом микрорайоне Дегунино. Добиралась туда почти полтора часа. С неба валила ледяная каша, серые тучи обступили город, пришлось среди бела дня включить фары. Наконец доплюхала до семиэтажного блочного дома и спустилась в полуподвальное помещение.

Сердитая тетка с лицом учительницы математики довольно резко спросила:

— Что хотите?

Интересный вопрос для библиотекаря, полкило колбасы, конечно. Но, решив не злить неприступную даму, я изобразила самую сладкую улыбку и, протягивая книгу, проблеяла:

— Вот, сдать хочу.

— Имя, фамилия, срок?

Ну и ну, как в тюрьме, при чем тут срок?

— Быстрей, — поторопила тетка, — какой срок?

«Семь лет с конфискацией», — пронеслось в голове, но вслух, естественно, произнесла другие слова:

— Простите, не понимаю.

— О боже, — вздохнула библиотекарша, — ладно старухи забывают, но вы-то вроде еще в своем уме, неужели трудно число запомнить.

— Какое? — оторопела я.

— Срок сдачи литературы, — огрызнулась баба, — ну когда отдать должны были? Пятнадцатого? Семнадцатого?

— Видите ли, — принялась я объяснять ситуацию, — книга не моя, подруга заболела, просила отнести и ничего про число не сказала.

— Ничего себе, — возмутилась тетка, — карточки по дням стоят, что же мне теперь все проглядывать? Диву даюсь на людей, безответственные, неаккуратные, просто катастрофа!

Я слушала ругань и оглядывала скандалистку. Возраст — около пятидесяти, желтоватая кожа, тонкие злые губы, маленькие, глубоко посаженные глазки, и на голове воронье гнездо. Обручального кольца нет. Сидит тут и злобится, а жизнь катит мимо, не принося радости. Жаль беднягу.

Наконец тетка накричалась всласть и сурово потребовала:

— Фамилия, имя...

— Чье? — растерялась я.

— Уж не ваше, — отрезала баба, — подруги, которая книгу сдать велела.

Да, это-то я и собиралась узнать в библиотеке.

— Не знаю, — сам собой промямлил язык.

Тетка подскочила на стуле.

— Вы издеваться сюда пришли? Как это не знаете имени подруги? Сумасшедшая, что ли?

Справедливый вопрос. Пора решать ситуацию иным путем. Помахав перед носом оторопевшей бабы бордовой книжечкой с буквами «МВД», я сурово заявила:

— Майор Васильева из отдела по борьбе с бандитизмом.

Библиотекарша уставилась на «удостоверение», купленное мной в незапамятные времена на рынке за двадцать пять рублей, и посерела:

— Что случилось?

— Не имею права разглашать, — рявкнула я, — тайна следствия охраняется законом.

Ох, надо бы мне хоть разок почитать Уголовный кодекс или какие-то «Нормы ведения следствия», постоянно лежащие у Кешки на столе, а то не ровен час попаду на того, кто хорошо разбирается в подобных вопросах!

Но хамоватая баба перепугалась окончательно и моментально стала сладковато-милой и приторно-любезной.

— Почему сразу не сказали, что из органов? — ласково укорила она меня. — В чем проблема?

— Следует установить, кто взял эту книгу.

В этот момент в библиотеку, кряхтя, вползла древняя бабуля, настоящий божий одуванчик. Одета старушка была по моде 1912 года — кофточка со стоячим воротничком, длинная, почти до полу юбка, на руках перчатки, голову украшала шапочка-таблетка с расшитой стеклярусом вуалью.

— Надежда Андреевна, — защебетала посетительница, просительно улыбаясь, — уж не прогневайтесь, душечка. Я опять позабыла число. Одно помню точно — месяц ноябрь.

Надежда Андреевна открыла было рот, но вспомнила о присутствии «майора» и растянула злые губы в подобие змеиной улыбки.

— Ладно, Анна Альбертовна, не переживайте, лучше поройтесь в новинках, сейчас закончу обслуживать человека и вами займусь.

Анна Альбертовна, не ожидавшая столь ласкового приема, заморгала по-детски изумленными глазами. Потом неожиданно спросила:

— А вы как себя чувствуете, может, заболели?

— Там новый номер «Здоровья» пришел, — ответила библиотекарь.

Старушка кинулась к столику. Надежда Андреевна покосилась на меня.

— Видали? Сделаешь замечание, плачут и директору жалуются, начинаешь улыбаться, хамят в открытую.

В библиотеке я просидела до обеда, проделывая муторную работу: пролистывала каждый читательский абонемент в поисках записи книги «Сто лет одиночества».

К двум часам голова заболела окончательно, перед глазами запрыгали черные точки. Любезная Надежда Андреевна принесла стакан отвратительного чая. Где-то к трем в тесное помещение набилась куча народа, в основном старшеклассники и студенты, громко требовавшие учебную литературу. То ли библиотекарша не хотела связываться с молодежью, предпочитая оттягиваться на старушках, то ли стеснялась меня, но с подрастающим поколением она вела себя вежливо. Потеряла терпение только один раз и весьма резко ответила девочке, просившей «Преступление и наказание», автор: Чехов.

— В твоем возрасте следует знать, что роман написал Достоевский.

Девочка что-то буркнула. Надежда Андреевна, поглядывая в мою сторону, разразилась тирадой о невежестве современной молодежи. Но мне было не до нее, потому что наконец-то наткнулась на нужную запись. Книгу брала Кира Леонидовна Величко, здесь же адрес и таинственные буквы АИЛ, обозначавшие место учебы.

Потная, с запахом пыли в носу, я вылезла на улицу и моментально задрожала. Как основная масса автолюбителей, не ношу ни пальто, ни дубленки. За рулем удобнее в куртке, всегда можно включить печку, если замерзнешь. Но вот бежать до машины иногда бывает холодно.

Кира Леонидовна жила в том же доме, где находилась библиотека. Я поняла это, когда, отъехав от дверей, оказалась за углом здания. Башня стояла буквой Т, и левая сторона ее отчего-то имела другой номер.

Грязноватый подъезд без признаков лифтера. Интересно, о чем думали архитекторы, проектируя подобное помещение? Вон тот темненький закоулок вдали от входа просто предназначен для грабителей и насильников. Основной поток людей течет совсем в другом месте. Затащил жертву, и никто не помешает.

Лифт, угрожающе поскрипывая, полз на одиннадцатый этаж. Стены исписаны далеко не оригинальными надписями. Судя по ним, мужское население массово болело за «Спартак», а женское обожало некоего Кольку. В углу разлилась лужа, и я, хоть и закрыла лицо носовым платком, все равно чуть не задохнулась от вони.

Палец долго жал на кнопку, звонок звенел, но внутри стояла тишина. Скорей всего никого нет, вдруг послышался далекий голосок:

— Кто?

— Из библиотеки, от Надежды Андреевны.

Высунулась треугольная мордочка, почти вся прикрытая полотенцем.

— Вы Кира Леонидовна?

Девушка кивнула.

— Простите, в ванной голову мыла, вам чего?

— «Сто лет одиночества» Маркеса в библиотеке брали?

Мелкие глазки девчонки испуганно забегали, и она пробормотала:

— Тут такое дело, входите, только не пугайтесь, родители уехали отдыхать, а ко мне вчера гости приходили, еще не убралась.

Она втолкнула меня в довольно просторную

комнату и убежала. Издалека послышалось жужжание фена.

Я огляделась. Да, похоже, праздновали тут каждый день. Бутылки стояли везде — на столе, на подоконнике, прямо на полу и на телевизоре.

Повсюду валялись скомканные бумажные салфетки, недоеденные куски сыра и колбасы... В многочисленных пепельницах громоздились горы окурков, и запах стоял соответственный. Как многие курильщики, я совершенно не переношу «аромата» «бычков», поэтому решительно распахнула форточку. Ледяной ноябрьский воздух ворвался внутрь, и стало возможно дышать, но вошедшая хозяйка возмутилась:

— Закройте немедленно, я заболею.

Ее серенькое личико с темными подглазниками и впрямь выглядело болезненным. Только, думается, виной тому не простуда, а безудержное пьянство, которое крайне плохо влияет на неокрепший девичий организм. Кире Леонидовне на вид лет шестнадцать.

— Так где книга? — грозно полюбопытствовала я. — Все сроки прошли, другие люди спрашивают!

Кира вздохнула:

— Потеряла!

— Как? — фальшиво удивилась я. — Потеряли библиотечную собственность?

— Ну простите, давайте оплачу в десятикратном размере!

— Зачем лишние деньги тратить, попробуйте вспомнить, куда дели Маркеса.

Кира нахмурила невысокий лобик.

— Если честно говорить, посеяла книжонку

Нинка Самохвалова. Взяла почитать, и с концами. Уж я ее просила, просила, а она только руками разводит — не помнит, куда дела.

— Адрес знаете?

— Чей?

— Самохваловой.

— Она общежитская, на Масловке живет, у
института там подъезд в доме.

Оставив малолетнюю пьяницу мучиться по-
хмельем, я вышла на улицу и с наслаждением за-
дышала полной грудью. Тучи спустились совсем
низко, потемнело, холод усиливался. Нет, лучше
поеду домой, поем немного, а завтра продолжу
поиски. Кстати, надо будет надеть тепленькие
ботиночки, а то в замшевых копытцах ноги окончательно заледенели. Но прежде чем отправиться
в Ложкино, зарулила в антикварный на Тверской и
купила за бешеные деньги невероятный китч —
статуэтку мальчика с огромной рыжей борзой.
Ольга всю жизнь собирает фарфоровых собачек,
надеюсь, подношение растопит ее сердце.

Так и вышло. Увидав уродцев, Зайка заулыбалась.

— Какое чудо! Ну и прелесть! Где взяла? Таких у меня еще не было!

Забыв обо всех обидах, невестка понеслась
наверх, пристраивать новых жильцов.

Все-таки приятно заходить в ярко освещенную комнату, где на красиво накрытом столе
изумительно пахнет запеченная свинина. Тем
более что на улице разыгралась настоящая буря!
Просто ураган. Штормовой ветер гнул в разные
стороны ветви ложкинских деревьев, фонарь над
гаражом угрожающе раскачивался. Собаки по-

прятались по теплым углам, кошки небось спят в корзинке на кухне, а Хучик, должно быть, вновь греется у профессора на коленях. Кстати, где Миша с Галей?

Парочка была обнаружена в кабинете. Оба были, как всегда, с отсутствующими лицами и безумным взором. Около компьютера два стакана из-под китайской лапши. Так, еще двое любителей несъедобных «супчиков». А в столовой, между прочим, стынет изумительная свинина с грибами, любовно приготовленная Катериной.

— Пойдемте ужинать, — велела я.

— Сейчас, — хором отозвались математики, накручивая стоящие дыбом пряди, — вот только дорешаем...

— Ни за что, — сообщила я, — поешьте по-человечески, а потом разбирайтесь в уравнениях.

Галя с Мишей нехотя побросали бумажки и двинулись в столовую.

Там уже азартно орудовала вилкой Манюня.

— Мусечка, — завопила она, — представляешь, получила «пять» по зачетной контрольной! Эсмеральду чуть инфаркт не хватил, не поверила, что я сама решала, и дала мне отдельное задание, а я его — бац, опять на «отлично». Она чуть ручку не сгрызла от злобы. А все Миша, научил, как вычислять!

Математика дается Манюне нелегко, да еще учительница попалась требовательная, резкая на язык и совершенно неласковая. Получить у нее пятерку почти невозможно. Непонятно, почему ученики прозвали даму Эсмеральдой. Машка продолжала ликовать.

— Мишенька, съешь мяса и картошечки не

забудь. Да положи в чай варенье! Ты ведь у нас еще поживешь? Ну не уезжай, пожалуйста.

Профессор задумчиво откусил кусок свинины.

— Когда-нибудь ремонт закончится, и отправлюсь в родные пенаты. Но, честно говоря, жаль будет расставаться, привык ко всем. Даже не знаю, как проживу без Гали! Знаете, она потрясающий аналитик.

Женщина покраснела и уткнулась носом в зеленый горошек.

— А зачем вам расставаться? — заорала деликатная Маруся. — Поженитесь, и дело с концом!

Галя закашлялась и принялась судорожно пить большими глотками томатный сок. Миша уставился на Маню.

— Что ты сказала, детка?

— Да ничего особенного, — хихикнула Маня, — люди, знаете ли, иногда женятся, вот вы почему один?

— Как-то не задумывался над подобным вопросом, — протянул профессор, роняя вилку и машинально пытаясь есть свинину руками.

— Вот видишь! — удовлетворенно выдохнула дочь. — Во-первых, возьми другую вилку, а во-вторых, подумай над моим предложением. Да поторопись, а то Галя отдаст руку и сердце сопернику.

Верещагина вскочила и, пробормотав что-то невразумительное, вылетела из столовой. Миша отложил вилку и поглядел ей вслед.

— Ну же, — поторопила Маня, — беги, догоняй и быстренько признавайся в любви.

— Но я ее совсем не люблю, — принялся отбиваться мужчина, — не испытываю страсти...

— Фу, — фыркнула Маня, — а раньше испытывали?..

Машка никак не могла решить — обращаться к Мише на «ты», как к ровеснику, или признать его взрослым.

Я замерла, сейчас Мишка отчихвостит наглую девицу, но гость весьма мирно ответил:

— В молодости когда-то увлекся одной красавицей, однако она предпочла другого... Потом работа захватила, честно говоря, для меня главное — исследования...

— Так вы чудесная пара, — не утихала «сваха», — Гале тоже ничего не нужно, кроме математики. И она настоящая красавица, только полновата чуть-чуть, ну да ничего, сядет на диету, похудеет...

— Не заметил как-то толщины, — пробормотал Миша, — просто редкий математический талант для женщины, впрочем, не у всякого мужчины подобный дар. Представляете, предложила в случае переменной функции...

— Так чего вы ждете? — вскрикнула Маня. — Хотите до смерти в одиночестве прожить, а тут родственная душа...

— Действительно, — проворчал профессор, — следует признать резонность замечаний.

Он встал и вышел в коридор.

— Ха, — подскочила Маня, — дело сделано. Главное теперь проследить, чтобы до загса дошли, но тут уж я доведу их за руку. Вот ведь недотепа!

— По-моему, ты слишком торопишь события, — робко заметила я, пораженная пылом, с которым Манюня занималась сватовством.

— Они же мямли, — вздохнула дочь, — целый день сидят рядом — и ничего. Хоть бы поцеловались. Ну ладно, я заставлю, только боюсь, свадьбу придется нам устраивать. Интересно, как лучше: в ресторане или дома? И потом, вот еще проблема: венчаться им в церкви или нет?

— Не знаю, детка, если Миша с Галей надумают пожениться, этот вопрос решать им.

Маня с жалостью взглянула на меня.

— Мусек, данные личности сами не способны ничего решить, кроме уравнений. Пусть скажут спасибо, что у них есть я.

На этой фразе, ухватив четвертый пирожок, Манюня вылетела в коридор. Я молча пила остывший чай. Девочка явно настроилась решить судьбу Миши.

Глава семнадцатая

Нижняя Масловка — улица с неприветливыми серыми и желтыми кирпичными домами постройки примерно пятидесятых годов, заканчивалась тупиком и трамвайным кругом. За спутанными рельсами, слева от бензоколонки и автосервиса высилось странноватое здание с облупившейся штукатуркой.

У входа пустовал стул. Общежитие не охранял никто, а во дворе несколько вьетнамцев, весело чирикая, загружали в «Газель» огромные клетчатые сумки, набитые товаром. В воздухе плыл смрад. Я принюхалась. Ну надо же, ничего не меняется, эти тоже жарят селедку.

В бытность студенткой частенько бегала к подружкам в общежитие. Все там было хорошо, кроме вьетнамцев, постоянно толкавшихся со сковородками на кухне. Ну как можно поедать горячие иваси?

Двери комнат первого этажа стояли открытыми. Я заглянула в одну из них. Маленькое помещение битком набито детьми. Лишь только ребятки увидели меня, гвалт стих. Тоненькая, похожая на вязальную спицу женщина улыбнулась и прощебетала:

— Кроссовки хочешь? Не хочешь? Костюм «Adidas» берешь? Гляди носки. — И она принялась потрошить огромную сумку. — Помада нужна? Нет? Бери, дешево отдам.

— Нину Самохвалову знаешь? — прервала я коробейницу.

Та покачала головой.

— Первый этаж — Вьетнам, второй этаж — Вьетнам, третий — русский, ходи туда.

Я полезла по грязной лестнице вверх. Вновь узкий коридор, но стоит тишина, и комнаты закрыты. Долго не раздумывая, постучала в первую. Высунулась девчонка и довольно сердито ответила:

— Вьетнамский рынок внизу.

— Ищу Нину Самохвалову.

Студентка помягчела.

— Просто надоело, целыми днями покупатели ходят, дети орут, вонища стоит, а нам, между прочим, учиться надо. Представляете, какой жук наш ректор: сдал часть общежития. Кто побогаче, давно по квартирам разбрелись, кстати, Нинка тоже.

— Не знаете, где она?

Девушка ткнула пальцем в самый конец коридора.

— Идите в двадцать вторую, там Ира живет. У нее точно адресок есть.

Словоохотливая Ирочка тут же сообщила нужное и добавила:

— Пойдете к ней, напомните, что бизнес бизнесом, а учиться все равно надо. Нина не сдала три контрольные, могут к сессии не допустить, хотя небось откупится. Нинок у нас — богатенький Буратино, не то что мы, бедолаги.

— Где же работает Самохвалова?

Ирочка заинтересованно спросила:

— Сигарет не найдется? С утра не выходила.

Я протянула пачку «Голуаз», и меня впустили в комнату.

В квадратном помещении три кровати, тумбочки, шкаф и письменный стол. На подоконнике пристроился электрический чайник и в беспорядке стоят банки с кофе, какао и чаем.

Ирочка затянулась и сообщила:

— Нинка — пройда, а вам она зачем?

— Книгу взяла в библиотеке и не отдает.

Ира рассмеялась.

— Небось потеряла, да не стесняйтесь, требуйте денег, у нее баксов немерено. Здорово устроилась, бешеные бабки загребает.

— Где же трудится?

— В турагентстве. Ее Верка пристроила.

— Кто?

Желание посплетничать об удачливой товарке просто раздирало простодушную Ирочку, и девушка спросила:

— Вы не торопитесь?

— Ничуть.

— Давайте кофе выпьем, а то с утра реферат пишу, даже вниз не спускалась. Я ведь не Самохвалова, никто зачет автоматом не поставит.

— А ей ставят?

Девчонка дернула плечиком.

— Еще как, по первому требованию.

— Почему?

Ирина аккуратно насыпала коричневые гранулы в пластиковые чашечки и пробормотала:

— Да уж есть за что.

— Небось все отлично знает, — подначила я ее.

Девушка покраснела от злости.

— Знания тут совершенно ни при чем. Просто почти все преподаватели у Веры в долгу.

— Деньги им дает?

Ирочка хлебнула отвратительный растворимый напиток и злобно прошипела:

— Дает, но другое.

— Что? — не отставала я, походя выкладывая на стол сто долларов. — Что дает Вера?

— А вы, случаем, не из милиции? — опасливо осведомилась девица.

Я кивнула на зеленую бумажку.

— Вам менты когда-нибудь баксы предлагали?

— Да уж, — признала верность аргумента Ирочка, — они сами за стольник удавятся. А Нинке не донесете, что я рассказала?

Ирина вздохнула и принялась самозабвенно выбалтывать чужие тайны.

Их институт еще несколько лет тому назад был всего лишь заштатным техникумом с убогими преподавателями. Поступали туда все подряд — конкурса никакого, впрочем, и образования не давали. Выпускали полуграмотных бухгалтеров да никому не нужных специалистов, загадочно именовавшихся «операторами машинного управления». Но вдруг положение вещей кардинально изменилось. Ректором стал сорокалетний честолюбивый Андрей Кортнев. Через полгода свежеиспеченный начальник выгнал почти всех прежних преподавательниц с астматическим дыханием и бифокальными очками. На их место пригласил молодых и рьяных, сплошь мужчин между тридцатью и сорока. Изменился и профиль техникума, теперь он стал называться ни больше ни меньше — академией.

Бухгалтерское дело осталось, но занимало в расписании скромные часы, его потеснили в сетке занятий новые, модные предметы: рекламоведение, социология, психология, основы менеджмента, английский язык.

Выпускники школ валом повалили в обновленное учебное заведение. Кортнев не зря преподавал искусство рекламы. Пара статей в скандальных газетах, несколько передач по радио, выступление в программе «Герой дня»... Спустя год об академии не знал только слепоглухонемой инвалид.

Открылось, естественно, и платное отделение. Кстати, деньги там брали вполне подъемные, и недостатка в желающих учиться не было.

Ирочка и Нинка поступали вместе. Обе золотые медалистки из малюсенького городка со смешным названием Птичий. Скорее, как говорили раньше, это был поселок городского типа.

Школа одна, и девчонки соперничали с первого класса. Ире лучше давались гуманитарные предметы, Нине — математика. Им бы подружиться да помогать друг другу на контрольных, ан нет. Сидели в разных углах класса и ревностно следили друг за другом. Самое смешное, что девчонки были невероятно похожи во всем. Ирин папа возглавлял районное управление милиции, Нинин — начальник лагеря для заключенных. Отцы частенько пересекались по работе, дружили, ходили вместе в баню и на охоту. Мамы тоже находили общие интересы. Ирочкина — стоматолог, Нинина — гинеколог.

А вот дочери совершенно не хотели становиться подружками. Но судьба словно сталкивала их все время лбами. Сначала одновременно влюбились в Олега Колесникова и молча страдали, глядя, как он провожает до дома другую, затем обе неожиданно стали сиротами. В мае прямо на работе от сердечного приступа умерла мама Иры, спустя полгода попала под грузовик Нинина. Но и общее горе не сблизило девушек. Поступать в институт они ехали в Москву порознь, хотя отцы и посадили их в одно купе.

В столице потекла иная жизнь. Дома, в Птичьем, они были представительницами местной элиты, принадлежали, так сказать, к золотой молодежи. Прекрасно одетые, хорошо обеспеченные...

В Москве вдруг выяснилось, что на элиту они не тянут. Трикотажные костюмчики, купленные у коробейников, здесь носила беднота, денег, присылаемых заботливыми папами, едва хватало на неделю. Москвички с платного отделения щеголяли в черненьких обтягивающих брючках и простеньких маечках с надписью «Naf-Naf». Ирочка заглянула в магазин с одноименным названием и лишилась дара речи — непрезентабельная футболочка стоила около четырех тысяч. На дискотеках они частенько стояли в сторонке, мальчишки предпочитали иметь дело с ухоженными столичными штучками.

Но на втором курсе жизнь Нины разительно переменилась. На лето девушка не поехала домой, сообщив друзьям и знакомым, что остается на практику. Ирочка, вернувшаяся под родительское крыло, хмыкнула, но не выдала врунью. Зато в сентябре ее поджидал удар.

Первого числа Нинка заявилась на занятия в роскошных джинсах «Труссарди» и красненькой кофточке «Naf-Naf». Небрежно помахивая роскошной кожаной сумкой, села возле местной королевы красоты Алисы Комаровой. Алиска, раньше старательно не замечавшая провинциалок, принялась болтать с Ниной. Ирочка молча сидела в соседнем ряду, исходя банальной черной завистью.

Накануне Нового года ненавистная Нинка подкатила к институту на новеньких «Жигулях» и, громко хлопнув дверцей, понеслась на занятия. В общежитии она давным-давно не жила — снимала квартиру. Вот это был удар! Ирочка еле справилась с собой. Первое желание — продырявить шилом покрышки — подавила на корню.

Потом ей пришлось испытать самое сильное унижение. В общежитии собрались праздновать Новый год. Ира поджидала перевод от папы, но даже двадцать девятого декабря помощь не поступила. Пришлось скрепя сердце обращаться к богатой подруге.

Ниночка молча расстегнула красивый портмоне, вытащила толстую пачку баксов и, протягивая Ирочке стодолларовую купюру, высокомерно спросила:

— Хватит на первое время?

Бесконечно униженная, Ирочка принялась лепетать о скором возврате долга, но бывшая одноклассница отмахнулась:

— Ерунда, не буду же я подруге ничтожный долг записывать. Ты бы, Иришка, поискала работу, на стипуху не проживешь, а отец не может теперь много присылать. Мой все время жалуется, вроде зарплату не выплачивают, с огорода живет.

Ира проглотила нравоучение. Она давно пыталась найти приработок, но без толку. Испробовала почти все — торговала биг-маками в ресторане «Макдоналдс», носилась курьером от «Билайна», разнося клиентам счета; сидела с детьми... Но полученных денег едва-едва хватало на скромные обеды.

— А где зарабатывает Нина? — поинтересовалась я.

— Черт ее знает, числится в турагентстве, но, скажите, разве честно можно такие суммы заработать? — в сердцах выкрикнула Ира. — У них с Веркой все время какие-то делишки, шушукаются по углам.

— Кто это?

— Вера Ивановна Никитина, заведующая учебной частью. Нинка и сессию теперь сдает не как все, а заранее, и на занятия почти не ходит, — злобно констатировала добрая подруга, — небось приплачивает педагогам. У нас Вера Ивановна обладает безграничной властью!

Взяв адресок удачливой Нины, я в глубокой задумчивости пошла вниз. Вера Ивановна Никитина! Уж не сестра ли Алексея Ивановича, чей труп уютненько устроился в багажнике моего «Вольво», и не она ли приезжала к Прохору в брошенную деревню? Ну и куда идти сначала — к Ниночке?

Девушка, очевидно, не стеснялась в расходах, потому что снимала квартирку не где-нибудь, а на улице Черняховского, в доме, сплошь заселенном писателями и членами их семей. Естественно, дверь подъезда украшал домофон, впрочем, весьма допотопного вида. Повертев железные ручки, не добилась ответа.

Из восемьдесят третьей не донеслось ни звука.

На протяжные гудки высунулась старуха-лифтерша.

— Кого надо?

— Нину Самохвалову.

Старушка подобрела.

— Нинуля вернется только завтра, домой поехала погостить. Вот, ключик оставила, кошку кормить, Милада Львовна велела присматривать.

— Кто? — не поняла я.

Старушка пригласила меня в темноватый, но теплый чистый подъезд и моментально вывалила всю информацию.

На пятом этаже, в восемьдесят третьей всю жизнь проживал прозаик Аркадьев с женой. Сам хозяин давно скончался, а вдова два года как переехала жить к дочери в соседний дом. Свои апартаменты сдала племяннице, очень милой девушке Нине.

— Такая красавица, — тарахтела старушка, — умница. Всегда вежливо здоровается: «Доброе утро, Катерина Андреевна». Чаем угощает, конфетами.

Милада Львовна оставила в квартире кошку. У ее дочери аллергия на кошачью шерсть. Ниночка кормит животину. Если уезжает куда, оставляет ключи бабе Кате, чтобы киска не померла с голоду.

— И часто она отсутствует?

— Так ведь работа у ней такая!

— Какая?

— А вы кто ей будете? — неожиданно проявила бдительность бабуся.

Но у меня уже готов ответ.

— Разрешите представиться — Любовь Павловна, служу в институте, вот прислали узнать, отчего Нина занятия пропускает.

— Тяжело-то как бедняжке — и учись, и работай, — вздохнула Катерина Андреевна, — на стипендию теперь не прожить, впрочем, и на пенсию тоже, вот и сижу тут, у дверей, на старости лет.

Правильно поняв намек, я подала консьержке сто рублей. Та моментально спрятала бумажку и заявила:

— Не ругайте девку, благородное дело делает!

— Да где ж она трудится?

— В обществе инвалидов. Ухаживает за безногими, безрукими, иногда даже домой ей их привозят. Знаете, Ниночка объясняла так — вызывают человека в Москву на операцию, а жить негде и сопроводить некому. Родственники ей платят, и Нинуля встречает больного, отвозит в больницу, ухаживает за ним... Очень, очень благородный труд и оплачивается хорошо. Тут у нее неделю назад машина сломалась, а надо забирать женщину, попросила Юрку — дворника, так дала мужику полтыщи. Он на радостях потом три дня пил.

Провожаемая бесконечной старушечьей болтовней, я вышла во двор и пошла искать дворника. В голове бились мысли. Если Ниночка официально работает патронажной сестрой, то денег у нее просто не может быть. Получают медицинские работники копейки. Значит, занимается частным бизнесом, многие родственники готовы платить, чтобы самим не возиться с больными, тем более если нужно перевозить их из одного города в другой. Но неужели за это дают такие бешеные деньги, что можно снимать квартиру в престижном районе, великолепно одеваться и считать сто долларов копейками?

Дворник отыскался за небольшой дверкой с надписью «мусоросборник». Мужик стоял возле груды объедков и грустно рассматривал пустую бутылку из-под виски «Белая лошадь». Увидев меня, пьяница хмыкнул и проникновенно сообщил:

— Видала, чего за воротник льют?! Хоть бы раз недопитую вышвырнули, попробовать охота.

— Вам не понравится, — утешила я его.

— Откуда знаешь? — обиделся Юра. — Может, и полюбил бы виску, да средств нет на такие выпивоны...

Я усмехнулась. Году примерно в восемьдесят седьмом, в самый разгар неравной борьбы Михаила Сергеевича Горбачева с алкоголем, зашла в продмаг на улице Кирова. Девственно пустые прилавки и невесть откуда взявшаяся бутылка ликера «Бенедиктин» ядовито-зеленого, абсолютно не пищевого цвета. Такое страшно ко рту поднести, но двое работяг глядели на «Бенедиктин» с вожделением. Пересчитав имеющуюся наличность, купили ликер и, не долго думая, скрутили в уголке бутылочке голову. Один опасливо понюхал и спросил:

— Как думаешь, пить можно?

Второй, более бойкий и решительный, резюмировал:

— Выпить можно все, что течет, — сунул приятелю емкость, — ну, давай, начинай.

Первый осторожно глотнул и прислушался, как жидкость сползает по пищеводу.

— Ну, — поторопил другой, — рассказывай, как?

— Ничего, — пробормотал, переводя дух, мужик, — склизко очень.

По-моему, лучше о «Бенедиктине» и не сказать.

Дворник элегически глянул на меня.

— Надо чего? Ложки в мусоропровод побросала? Хотя вроде не из наших!

— Нет, поговорить хочу.

— И о чем балакать станем? — оживился Юрка.

— Нину из восемьдесят третьей заешь?

— А как же! Самостоятельная девица, красивая и при деньгах.

— Что за женщину подвозил ей?

Дворник задумчиво почесал нос грязным ногтем и шмурыгнул.

— Жизнь дорогая пошла, страсть! А зарплата — слезы, только на хлеб.

Я достала кошелек и многозначительно повертела его в руках. Юра оживился.

— Могу такого про Нинку рассказать! Столько такого!

— Ну да? — изобразила я удивление. — Небось врешь?

— Кто, я? — пришел в негодование дворник. — Да я про всех все знаю — мне мусор рассказывает.

— Участковый? — не поняла я.

— Да нет, мусор из квартиры, — пояснил дворник. — Вот гляди, — и он ткнул пальцем в сторону ароматной кучи. — Три коробки из-под «Зефира в шоколаде», значит, Соловьевой из восемьдесят первой пенсию заплатили; пакеты из гипермаркета «Рамстор» семьдесят девятая выбросила, гостей ждут; пять бутылок явно Сережка кинул, родители уехали, вот он и гуляет. Анелия Поликарпова из семьдесят восьмой замуж недавно выходила. Платье белое, фата... Бабки на скамейках чуть от умиления не скончались — ну и невеста, сплошная невинность, не то что теперешние — не пьет, не курит и жениху до росписи не давала, все под ручку ходили. Старушки причмокивают, а я правду знаю. Будущему мужу точно не отдавалась, только кто, скажите, в мусорник прикольные презервативы бросал, ну те, в виде зайчиков и собачек? В стояке, где квартира Поликарповой, кроме нее, одни божьи одуванчики — кому восемьдесят, кому семьдесят пять... Навряд ли они такими мульками пользуются.

— А Нина?

— Небось задохнулась тут? — неожиданно проявил чуткость дворник. — Пошли к верблюду, там и побалакаем.

Мы пересекли небольшую площадь и подошли к ресторанчику с надписью «Camel». Внутри приятно пахло мясом и кофе. Юра устроился за столиком и крикнул:

— Люська, неси курицу-гриль.

Очевидно, его тут хорошо знали, потому что высунувшаяся женщина строго спросила:

— Деньги есть?

— Дама заплатит, — пояснил Юрка.

Я кивнула головой и полезла за кошельком. Люська замахала руками:

— Что вы, порядочного клиента сразу видно, а у Юрки проверить сперва надо. Сколько раз жрал, а потом убегал. Пользуется, что мы с его женой подруги. Только денег ему не давайте: запойный он.

— Иди себе на кухню, — обозлился Юра и повернулся ко мне, — платишь за обед и гони двести рублей.

— А есть за что?

— Есть!

Получив бумажки и курицу, Юрка в мгновение ока сожрал бройлера, удовлетворенно рыгнул и сообщил:

— Слушай, Нинка — наркоделец.

— Отчего пришел к такому выводу, опять объедки подсказали?

— Нет, — совершенно серьезно заявил мужик. — Ну подумай сама. Частенько к ней люди приходят. Шмыгнут как тени, и нет их. Одеты все в черное, чтоб внимание не привлекать. Туда-сюда шныряют, инвалиды придурочные.

— Почему инвалиды?

— А черт их знает, может, под трамвай попали, кто без руки, кто без ноги. А тут, гляжу, баба эта в заграницу летит...

— Какая? — перестала я что-либо понимать. — Объясняй по-человечески.

Юрка вздохнул. Излагать мысли ясно тоже надо уметь, с непривычки не сразу получится. Кое-как дворник попытался изобразить связный рассказ.

Он целый день торчит во дворе. Во-первых, живет здесь в крохотной квартирке, которую случайно отхватили в элитном доме еще его родители, а во-вторых, постоянно поджидает левого заработка. В квартирах остались сплошь старухи — писательские вдовы. Юрку они помнят с детства и доверяют, пускают к себе, когда нужно прокладку в кране сменить или лампочку поменять. За что-то более серьезное дворник не берется. Еще он поднимает наверх всяческие тяжести вроде сумок с продуктами и узлов из прачечной. К тому же у Юрки есть машина — вполне приличные «Жигули», и престарелые дамы просят довезти их иногда до аптеки или до рынка.

— Не боятся с тобой садиться, пьешь ведь? — спросила я.

— Думаешь, алкоголик? — окрысился мужик. — У меня цикла.

— Что?

— Цикла, три недели работаю, одну пью, а чтоб каждый день, такого не бывает.

Я вздохнула, значит, не алкоголик, а пьяница, употребляющий водку циклами.

Короче говоря, в одну трезвую «циклу» к нему подошла Нинка и попросила привезти из больницы женщину. Дескать, родственница, а у самой Нины машина сломалась. Юра обрадовался и доставил молодую девушку. Выглядела пассажирка ужасно — серо-белая, с отечным лицом. Правая ступня отсутствовала, брючина была просто заколота булавками, левая нога загипсована до бедра. Самостоятельно инвалидка идти не могла, и дворнику пришлось на руках тащить ее в квартиру.

Примерно дня через два Амалия Карловна из сто семьдесят пятой отрядила Юрку сгонять в Шереметьево. Ее дочка, постоянно живущая в Англии, передала матери с оказией посылочку. Дворник быстро добрался до нужного места, забрал сверток и уже хотел двигать назад, как заметил возле столиков, где заполняли декларации, Нинку. Девушка быстро оформляла бумагу. Рядом в инвалидной коляске сидела безногая. Она смотрелась чуть лучше — на щеках появился румянец, губы накрашены.

Не зная почему, Юрка спрятался за киоск с газетами и принялся следить за странной парочкой. Тут объявили посадку на Париж, и Нинка ходко повезла коляску к таможенному контролю. Дворник последовал за ними.

У стойки поджидали еще две убогие. Одна без руки, другая со всеми частями тела, зато практически лысая, будто новорожденный поросенок.

234 ·········· Дарья Донцова

Розоватую кожу головы покрывал редкий пух. Нинка подвезла коляску и вручила какому-то видному мужику бумаги. О чем они говорили, Юрка не понял, так как не знал иностранных языков, запомнил только одно слово — «бен», «бен», «бен», которое без конца повторяла Нина. Наконец таможенник дал добро, и странная компания отправилась на посадку.

— Ну, точно наркодельцы, — подвел итог Юра.

Я с недоумением поглядела на мужика.

— При чем здесь наркотики?

— Кино «Брильянтовая рука» глядела? Помнишь, как Никулин в гипсе золото вез? А эти, падлой буду, героин таскают, небось деньжищи лопатой гребут, — мечтательно протянул дворник.

Его взор затуманился. Очевидно, ему мерещились чемоданы, набитые долларами. Я молчала, стараясь понять, что к чему.

— Ну, давай, покеда, — неожиданно прервал беседу дворник, — недосуг тут трепаться, работа ждет.

И он пошел к выходу, удовлетворенно рыгая. Я машинально глядела ему вслед. Господи, во что я влезла на этот раз?

Глава восемнадцатая

Домашние не проследили за температурой в отопительной системе, и в столовой стояла просто африканская жара. К ужину Катерина соорудила в числе прочих блюд нежно любимое мной молочное желе. Аркашка в детстве называл его «дрожалкой» и отказывался даже прикасаться к белому холмику. Впрочем, сегодня он тоже резко отодвинул тарелку с колыхающейся массой и пробормотал:

— Как можно есть эту дрянь!

— Очень вкусно, Кешик, — завопила всеядная Маня, — ты только попробуй кусочек.

— Ни за что, — категорично ответил брат.

— Давай тогда я доем, — предложила Манюня, плотоядно оглядывая его порцию.

— Не дам, — помотал головой Кешка.

— Почему?

— У тебя объем талии скоро сравняется с ростом, — пояснил добрый брат, — матери придется дочурку на тележке катать, сама ходить не сможешь, ноги подломятся под тяжестью тела.

Маруська вспыхнула и завопила:

— Сам глиста обморочная, укропина зеленая, как с тобой Зайка живет? Знаю, знаю, почему она между кроватями поставила тумбочку, чтобы о твои кости не колоться.

Ольга впрямь недавно поменяла огромное супружеское ложе на две автономные лежанки.

— Каждый раз просыпается в семь и перелезает через меня, чтобы встать, — жаловалась она, — пусть теперь отдельно спит...

У них с Аркадием давний спор. Зайка — сова, Кеша — жаворонок, и на этой почве частенько возникают трения. Ольга хочет по утрам подольше поспать, а муженек не понимает, как можно залеживаться до одиннадцати. Зато вечером, лишь только заиграют позывные программы «Время», Аркашка начинает судорожно зевать. Мы с Зайкой свежие, как розы, готовы сидеть до полуночи.

— Еще мала рассуждать, кто и как спит, — прошипел Аркадий. Если Маня что и не переносит, так это намеков на свой юный возраст. Девочка надулась и, не долго думая, швырнула в братца куском желе. Скользкий тяжелый комок не долетел до цели и шлепнулся в тарелку к молчащему Мише. Совершенно не удивившись, математик принялся ковырять ложкой «угощение».

— Мать, — возмущенно сообщил Аркадий, — как можно так разбаловать ребенка? Скоро всем на голову сядет, в разговоры вмешивается, без конца болтает, и потом мы просто ее не прокормим, аппетит как у Гаргантюа.

Я уткнулась в тарелку. Смешно, ей-богу, ругаются будто маленькие. Очевидно, та же мысль посетила и Ольгу, потому что Зайка пробормотала:

— Отвяжись от ребенка, Кешка, пусть ест, пока естся. Захочет — похудеет.

— Я что, толстая? — возмущенно заорала Манюня. — Да ем, как птичка.

— Элеонора Яковлевна тоже всегда приводила данный аргумент, — хмыкнул братец.

— Только не вспоминай Нору, — моментально в один голос заявили мы с Зайкой.

Элеонора — моя первая свекровь, мать отца Кеши. При росте примерно полтора метра весила сто пятьдесят килограмм. Стоило нам сесть за стол, как мамуля громко сообщала калорийность каждого блюда и без конца повторяла: «Дарья, ешь меньше, а то ты очень потолстела». В нашей семье существует верная примета: помянули имя Норы — жди неприятностей.

— Да я ем намного меньше Гали, — продолжала бушевать Маня.

Гостья, положившая на тарелку уже четвертую порцию желе, нервно вздрогнула и отодвинула десерт.

— Так неприлично говорить, — решила проявить педагогическое умение Зайка. — Галочка, не обращайте внимания, ешьте, в вашем возрасте уже все равно.

Аркашка хмыкнул и принялся сосредоточенно намазывать масло на хлеб. Но Манюня никак не хотела успокаиваться.

— Я совершенно не толстая, — верещала девочка, пытаясь дотянуться до блюда с желе, — просто расту сейчас, лет в шестнадцать перестану столько есть.

— В шестнадцать лет, как мило отметила Олюшка, тебе будет уже все равно, жировой запас закладывается в детстве, — продолжал издеваться брат.

Машка издала победный клич и вскочила на ноги, чтобы броситься на него с кулаками. Манюню всегда отличала удивительная «ловкость». В детстве она с завидной регулярностью опрокидывала все емкости, встречающиеся на ее пути, — вазы, чашки, кастрюли. «Мастер художественных неприятностей» — так долго называл ее Кешка. Со временем дочь все же приучилась слегка сдерживать порывы, но только не в момент стресса. Вот и сейчас она, взвившись над стулом, локтем столкнула на Зайку заварочный чайник, по счастью, с холодным содержимым. В нашем доме никогда нельзя добиться обжигающего чая.

— Ай-ай-ай, — запричитала Зайка, — Манька, обезьяна неаккуратная.

— Сама такая, — буркнула не желающая раскаиваться девочка.

— Сейчас же извинись перед Ольгой, — велел Кеша.

— Чего лезешь? — возмутилась сестра. — Сами разберемся.

Она резко повернулась и другим локтем сшибла Мишину тарелку. Довольно горячее картофельное пюре шлепнулось на мирно спавшего на коленях математика Хуча. Мопс взвыл не столько от боли, сколько от неожиданности. Миша, также не ожидавший ничего плохого, машинально встал. Песик, с головы до ног вымазанный пюре, грохнулся об пол и неожиданно заплакал тоненьким жалобным голоском, словно щенок.

— Хучик! — крикнули со всех сторон Кешка, Ольга и Маня.

В следующую секунду они рванулись к несчастному воющему мопсу, и тут произошло непоправимое. Аркашка запнулся за край ковра и с высоты почти двухметрового роста рухнул на пол. Падая, он инстинктивно ухватился за Мишу и увлек математика за собой. Мужчины свалились прямо на Хуча. Тот заорал таким голосом, что теперь уже все кинулись на помощь. Второпях Маня зацепила рукой торшер.

— Падает! — заорала Зайка, кидаясь к лампе.

Но поздно. С ужасающим грохотом и звоном довольно тяжелая бронзовая «нога» рухнула на копошившихся на полу мужчин. Хуч верещал, не останавливаясь. Услышав, что приятель издает предсмертные гудки, Снап завыл, Жюли с Черри моментально забились под диван, а Банди, естественно, не растерялся и тут же налил на пороге лужу.

— Кешик! — завопила Ольга.

— Миша! — закричала Галя.

— Хучик! — заорала Маня, и все женское население кинулось поднимать торшер.

— Вы живы? — осведомилась я, подбегая к месту битвы.

— Ну-ну, — раздалось вдруг с порога, — милое семейство в своем репертуаре, скажите быстренько, кто обоссался у входа?

Домашние замерли. Мы хорошо знали, кто это, и я совершенно уверена, что во всех головах мелькнула одинаковая мысль: «Господи, сделай так, чтобы Ефим Иванович исчез!»

Употребляя модное нынче слово, можно сказать, что мы в семье редко приходим к консенсусу. А если попроще, то постоянно спорим. Если на ужин дают рыбу, Маня требует мясо. Стоит заказать мясо, недовольна Зайка, а курицу не выносит Аркашка. Хорошо еще, что у каждого в комнате теперь по телевизору, и мы избежали ежевечерних баталий по поводу программы. Зато, когда на беду решили отремонтировать парижский дом, переругались до смерти, выбирая краску для стен. И вообще, мы очень разные, и каждый хочет обрадовать другого своей радостью.

— Заинька, съешь вкусненькое пирожное, — предлагает Машка постоянно сидящей на диете Ольге.

— Дашка, — кричит Зайка вечером, — бросила тебе на подушку пару любовных романчиков.

А я на дух не переношу слюнявую чепуху, предпочитая детективы.

— Кешик, — иногда забываюсь я и протягиваю сыну тарелку, — съешь ягодку!

Аркашка, который идет красными пятнами, когда просто смотрит на клубнику, быстро убегает.

Чаще всего мы сдерживаемся, иногда начинаем орать и ругаться. Есть только одно, в чем солидарна вся семья, — мы хором ненавидим Ефима Ивановича, а он-то как раз и явился в гости.

Сколько лет этому крепкому мужику, большому любителю выпивки, красивых женщин и вкусной еды, не знает никто. Когда-то кем-то упоминался год его рождения, вроде бы 1906-й, но Ефим Иванович, как престарелая кокетка, скрывает возраст и двадцать лет подряд празднует свою шестьдесят пятую годовщину. Впрочем, он и выглядит не старше шестидесяти. Прямой, сухопарый, с быстрыми движениями и яркими глазами.

Это мой бывший свекор. Вернее, первый муж моей свекрови Элеоноры Яковлевны, матери Костика, отца Аркадия. Понятно объяснила? Нора расплевалась с Ефимом еще в конце сороковых годов, выйдя замуж за блестящего военного и родив от него сына. В браке с Ефимом детей не было. Бывший муж быстренько женился вновь и уехал в Сочи. Но поскольку около одной жены Ефим Иванович просто не способен продержаться больше трех лет, его жизнь — цепь бесконечных разводов. Здесь он переплюнул меня — не то девять, не то восемь браков и куча коротких связей.

Поскольку Ефим каждый раз оставлял жилплощадь брошенной супруге, он был вынужден переезжать. Обретался ловелас в самых разных городах: Сочи, Ялте, Минске, Тбилиси, Баку. Последние годы осел в Петербурге. Но каждую осень всенепременно приезжал к Элеоноре Яковлевне в гости. Нора стоически терпела его визиты, а после ее кончины Ефим Иванович достался мне.

Костик его на дух не выносит и просто не пускает старика на порог. Мы тоже кривимся при виде бывшего актера, но проклятое воспитание не позволяет указать на дверь.

— Так кто обоссался у входа? — вопрошал Ефим, блестя глазами.

— Здравствуйте, — пролепетала Зайка, опомнившаяся раньше других.

— Привет, — небрежно бросил гость, бесцеремонно обшаривая глазами ее складненькую фигурку, — пора на диету садиться, эк тебя с прошлой осени разнесло, прямо галифе висят!

Он специально, как всегда, сказал гадость, но в минуту опасности домашние сплачиваются, и только что оравшая на Ольгу Манюня кинулась на защиту невестки.

— Добрый вечер, дедушка Фима! Правда, здорово, что Зайка поправилась? Она так хотела, просто мечтала, каждый вечер пиво пила... А ты будешь у нас свое девяностопятилетие праздновать?

Старик перекосился. Он крайне нервно относится к упоминанию его возраста. Маняша глядела на Ефима бесхитростным детским взором. Девочка великолепно знает, что молодящийся Казанова использует всяческие ухищрения, борясь с подступающей старостью: красит волосы и брови. Впрочем, сходивший с ним один раз в баню Кешка убедился, что окрашиванию подвергаются и более интимные места. Поэтому Маша всегда называет греховодника только дедушкой, чем бесит его до белых глаз.

Кое-как поставив на место торшер, Миша с Кешкой ощупали Хуча и, убедившись, что мопс цел и невредим, сели к столу. Ефим Иванович не испытывает к животным никакой нежности, поэтому, когда ласковый Хучик поставил лапки ему на колено, мужик сердито проговорил:

— Иди, иди, крыса! Собакам у стола не место.

Впрочем, наши псы тоже недолюбливали старика, и Банди при этих словах начал тихо порыкивать. Но Ефим уже заметил Мишу и спросил:

— Даша, знакомь с хахалем.

— Мишенька — жених Гали, — быстро сообщила Маня.

— Ты, я вижу, все болтаешь без остановки, — не унимался гость.

— Конечно, дедушка Фима, — отозвался Кеша, — Манечка очень приветливая девочка, вы, как всегда, правы. Вам положить котлет? Впрочем, извините, забыл. В прошлый раз вы говорили, что после девяностолетия перестали есть мясо.

Ефим побагровел. Еще не так давно он безнаказанно подшучивал над детьми, но теперь они выросли и превратились в достойных соперников.

— А я думал, — снова пошел в атаку старик, — Дарья совсем очумела и опять под венец собралась. Хотя ясно, что ничего хорошего не выйдет, вековать ей век жалмеркой.

— Зачем Даше муж? — изумилась Зайка. — Дети есть, любовников навалом, а денег у самой столько, что на десять жизней хватит. При таком раскладе лучше одной — сама себе хозяйка!

При упоминании о моем богатстве Ефим Иванович поскучнел. У него есть несколько страстишек, в частности, карты и бега. Но, говорят, если везет в любви, то не жди удачи в игре. Поэтому дедуля постоянно проигрывается и явно хочет сейчас попросить у меня тысчонку-другую.

Дедок принялся улыбаться, обнажая безупречно сделанные съемные протезы, и тут заметил тихо сидящую Галю.

— Позвольте представиться, дорогая, Фима, киноактер.

Он и впрямь снялся в трех-четырех лентах, не имевших особого успеха. Всю жизнь в основном озвучивал роли за кадром.

Галочка порозовела. Казанова взял ее за руку и поцеловал у запястья.

— Какие чудесные духи, — закатил глаза старик.

— Я не душусь, — пролепетала окончательно смутившаяся женщина.

— Значит, ваша кожа изумительно пахнет, невероятно сексуально!

Галя сделалась цвета свеклы. Ефим галантно усмехался, Миша принялся нервно накручивать волосы на палец, Аркашка сжал зубы так, что на щеках заходили желваки. Зайка быстренько выскользнула из столовой, я за ней. Кажется, в ближайшее время дома станет жарко.

Сон убегает от меня всякий раз, когда голова заполняется мыслями. И сегодня я просто извертелась в кровати, скидывая одеяло и без конца переворачивая подушку. Наконец закурила и попыталась разложить все по полочкам.

Труп Никитина, почему-то оказавшийся в моем багажнике. Базиль Корзинкин, связанный с Алексеем Ивановичем деловыми узами, исчез бесследно. Майя Колосова убита, таинственная Вера Ивановна и внезапно разбогатевшая Ниночка... Что делала Самохвалова вместе с Базилем в заброшенной Горловке? Искала клад? Он такой дурак, что взял с собой чужую женщину? Хотя почему чужую? Может, Ниночка и есть та таинственная любовница, ради которой престарелый идиот бросил Сюзетту? Интересно, нашли ли они «хованку»? И еще — если Алексей Иванович и Вера Ивановна на самом деле дети Трофима, значит, они родственники Корзинкина. Знал ли об этом Базиль? Куда он, в конце концов, подевался? Может, отправился с Ниночкой в Птичий?

Я решительно выбросила окурок в сад и глянула на будильник — два часа. В Париже полночь, скорей всего Сюзетта не спит, она редко укладывается раньше часа.

Сюзи и впрямь сразу схватила трубку.

— Дашка! Где Базиль?

— Послушай, супруг говорил что-нибудь о московских родственниках?

— Нет у него никаких родичей, — закричала подруга, — только дед и был. Ищи Базиля, умоляю, — и она заплакала.

Кое-как успокоив бедняжку, я дала отбой. Значит, Базиль ничего не знал! Ладно, завтра смотаюсь в Птичий, потом попробую выяснить правду о Никитиных.

К Птичьему ведет Рижское шоссе, а название он получил, наверное, от находящейся неподалеку птицефабрики. Маленький, сонный городок с парой ларьков на вокзальной площади. Я притормозила возле замерзшего торговца и спросила:

— Тут где-то колония, лагерь заключенных.

— Езжай по трамвайным путям до круга, — сообщил мужик.

Минут через десять я подкатила к небольшому облупившемуся кирпичному зданию. За тяжелой дверью оказалась решетка и табличка: «Больше двух не входить». Рядом звонок. Он отозвался на нажатие противным дребезжащим звуком. Послышался щелчок, вход открыт.

Я оказалась в небольшом тамбурчике. Впереди еще одна запертая дверь, справа железная клетка с дежурным.

— Чего вам? — осведомился круглощекий паренек.

Я тщательно подготовилась к встрече с отцом Ниночки, поэтому вытащила красивое темнобордовое удостоверение с надписью «Телевидение» и сунула в маленькое окошечко. Дежурный повертел документ и робко спросил:

— А чего надо-то?

— Вашего начальника, господина Самохвалова.

Парнишка ушел в соседнее помещение, и я услышала тихое шуршание диска. Буквально через секунду в тамбурчик вошел рослый мужик, настоящий красавец. Все при нем — рост под два метра, широкие плечи, узкая талия.

Возраст определить трудно, около пятидесяти, а цвет лица изумительный. Конечно, живет на свежем воздухе, и забот, наверное, никаких. Начальник приветливо улыбнулся, и я с завистью отметила, какие у него отличные белые, креп-

246 ....

кие зубы, такими только орехи колоть. Не то что мои — сплошь пломбы да штифты.

— Кто тут у нас с телевидения?

Я улыбнулась в ответ.

— Программа «Герой дня», вот хотим побеседовать.

По чисто выметенной лестнице поднялись на второй этаж, и начальник галантно пропустил даму вперед. Кабинет поражал великолепием. На полу яркий ковер, в углу большой телевизор с видиком. На письменном столе подставка для ручек, напоминающая надгробный камень, и отличная лампа, гнущаяся в разные стороны. У окна примостился двухкамерный «Бош», на нем большой моноблок с СД-плейером. Да, а еще говорят, что колонии бедствуют!

— Люблю вашу передачу, — продолжал мужик, — но к нам зачем?

— Да вот, — развела я руками, — решила показать не только знаменитостей, но и простых людей. К тому же сейчас перед средствами массовой информации поставлена благородная задача — сформировать у зрителя положительный образ сотрудника МВД, поэтому и выбрали вас. Не скрою, начальство присоветовало.

— Вроде программу другая ведет, — пробормотал милиционер, — такая болтливая, с длинными волосами.

— Правильно, — успокоила я подозрительного дядьку, — Зайцева. Только она выезжает непосредственно на передачу, а мы делаем черновую работу. Осматриваем место съемки, готовим героя, узнаем интересные подробности. Давайте сразу и начнем. Представьтесь, пожалуйста.

— Если вас мое начальство послало, небось сообщило имя и фамилию, — резонно заметил собеседник.

— Конечно, господин Самохвалов, но вам же придется представиться зрителям.

— Феликс Михайлович, — сказал вконец замороченный начальник и пояснил: — Отец в органах служил и дал мне имя в честь Дзержинского.

— Чудесно, — пришла я в восторг, — а теперь о себе поподробней.

— Наша колония... — завел начальник.

— Нет, нет, — тут же прервала «журналистка», — пожалуйста, только о личном.

Феликс Михайлович вздохнул и принялся излагать биографию. Я сосредоточенно черкала ручкой в блокноте, изображая корреспондентку. Наконец Самохвалов произнес:

— Имею дочь-студентку.

— Чудненько, еще и с ней хорошо бы поговорить.

— Ниночка учится в Москве, домой приезжает только на каникулы, — пояснил любящий папа, — хотите адрес дам?

— Совсем редко показывается? — решила я уточнить.

— Скучно ей у нас после столицы, — радостно улыбнулся Самохвалов, — ни театров, ни развлечений. Да я и не против. Дело молодое, не в нашем же с вами возрасте гулять!

Проглотив хамство, я продолжала расспросы. Правда оказалась неутешительной. Ниночка посещала отца редко. Только звонила ему, отчитываясь об успехах в учебе.

— На четвертом курсе дочка, — не скрывал

гордости папенька, — вот только все одна да одна. Я уж прямо ей говорил: «Ищи, детка, мужа в Москве, чтоб в Птичьем век не коротать». А Ниночка только отмахивается, гордая слишком, вся в мать.

Следующие полтора часа прошли бесцельно.

Пообещав Феликсу Михайловичу известить его о дате приезда телевизионной бригады, я стала пробираться к выходу. Самохвалов галантно подвел меня к «Вольво» и с уважением отметил:

— Хорошо зарабатываете, такой автомобиль, мой попроще будет. — И он ткнул пальцем в стоящий чуть поодаль сверкающий «БМВ».

Небось дерет взятки с родственников заключенных, на милицейскую зарплату подобный кабриолет не приобрести. Мы начали прощаться и раскланиваться, и тут у проходной затормозил «воронок». Конвойный позвонил у ворот. Решетки раздвинулись, «зек» медленно вкатил на охраняемую территорию. Спустя минут пять, когда я уже заводила мотор, в воротах распахнулась калитка, и пожилой милиционер крикнул:

— Феликс Михайлович!

Улыбнувшись на прощание, начальник пошел на зов. В открытую калитку стало видно, как от грузовика отходят несколько только что привезенных заключенных. Последний двигался както боком, неловко размахивая левой рукой. Калитка захлопнулась. Я поехала в Москву. Кто из моих знакомых ходит точно так же, словно его попа пытается обогнать ноги? Что-то знакомое было в этом уголовнике.

Глава девятнадцатая

Весь Птичий можно изъездить за четверть часа. Поэтому на дорогу до дома улыбчивого Феликса Михайловича потратила буквально пять минут. Небольшое здание из светлого кирпича, дверь заперта, у входа домофон. Прогресс добрался и до Птичьего.

Я принялась накручивать колесики, наконец раздался дребезжащий голос:

— Да.

— «Скорая помощь».

Дверь немедленно отворилась. Давно заметила, что доктора люди моментально впускают внутрь. Попробуйте назваться работником коммунальных служб или даже милиционером — измучают вопросами, перед врачами рушатся все запоры.

В подъезде неожиданно оказалось светло и чисто. В довольно просторном холле, у письменного стола мирно читал газету мужик лет шестидесяти, крепкий, с характерным лицом отставного военного. Прямо за ним начиналась устланная красной ковровой дорожкой лестница. Лифта в пятиэтажке, очевидно, не было.

— Вы к кому? — осведомился лифтер.

Стараясь улыбаться как можно более приветливее, я вытащила удостоверение и пояснила:

— Открываем в Птичьем корпункт НТВ, хотим снять квартиру, в мэрии сказали, что ваш дом самый комфортабельный.

— Это верно, — согласился секьюрити.

Тут в глубине холла распахнулась дверь, и

вышла девушка лет двадцати. Значит, в здании все же есть лифт.

— Здравствуйте, Федор Степанович, — сказала она.

— Добрый день, Светочка, — ласково ответил дежурный, — что так легко оделась, на улице совсем холодно.

— Ну да? — удивилась женщина и, подойдя к окну, принялась обозревать пустынную улицу. Федор Степанович повернулся ко мне.

— Телевидение уважаю, а ваше НТВ в особенности, мне там такая черненькая нравится, остроносенькая, новости читает...

— Миткова?

— Она и сама красавица, и говорит складно. А дом наш и правда лучший, элита живет, начальство. Только квартир никто не сдает, и не ищите.

На столе зазвонил телефон. Лифтер поднял трубку и потом пошел к подъемнику. Светочка оторвалась от окна и робко спросила:

— Вы с телевидения?

— Да, НТВ, хотели в вашем доме корпункт обосновать, да, видно, не судьба.

— А как к вам на работу попадают?

— По-разному. Кто сам пришел, кого знакомые привели...

— Ну, чтобы сам, небось неправда, — протянула девушка, — всю жизнь мечтала в телевизоре работать

Я вздохнула: в телевизоре можно работать только тогда, когда снимаешь заднюю стенку аппарата и копаешься во внутренностях этого прибора.

— Слушайте, — продолжала Светочка, — а если подскажу, к кому обратиться, чтоб в нашем доме квартиру снять, поможете мне, познакомите с нужными людьми?

Тут распахнулась дверь лифта, и Федор Степанович вывез коляску.

— Пойдемте, — шепнула девушка, — тут недалеко есть одно место, посидим поговорим. — Она завела меня в небольшое кафе и, лихо закурив «Мальборо», сообщила: — Феликс Михайлович Самохвалов коттедж построил прямо на выезде из города. Из красного кирпича, с башенкой. Так он моей маме сказал, что квартиру сдавать хочет. Могу вас к нему отвезти.

— Так у него, наверное, семья есть?

— Дочь Нина, взрослая уже.

— Вот видите, — прикинулась я разочарованной, — скорей всего захочет отдельно от родителей жить, квартира ей и достанется.

— Да нет, — отмахнулась Света, — Нинка в Москве учится, сюда не показывается.

— Совсем не приезжает?

— С лета не видела.

— Может, просто не замечаете.

— Дом углом стоит, из моей комнаты ее окно видно, так там даже занавески с августа ни разу не раздернули. К тому же мы в хороших отношениях. Нинка в июле на несколько дней прикатила и сразу ко мне, похвастаться новой машиной. Ну да и понятно, отец ей небось денег сколько хочешь дает, — откровенничала девица.

Я пообещала подумать над ее предложением и поехала в Москву. На выезде из Птичьего притормозила и оглядела огромный двухэтажный дом из огнеупорного кирпича. Похоже, совсем готов, окна застеклены, и даже в саду заасфальтированы дорожки. Интересно, откуда у милейшего Феликса Михайловича такие средства? Хотя понятно откуда. В колонию попадают разные люди, а жить по-человечески хочется везде. Насколько знаю, отправить лишнюю продуктовую передачу в Бутырской тюрьме стоит сто долларов. А в колонии возможностей больше — свидание продолжительностью три дня, отпуск домой, отправка на поселение, — и за все можно получить приличную мзду. Так что источник финансового благополучия известен. Мне важно другое — Нина тут не показывалась и Базиля не привозила.

Тучи слегка раздвинулись, небо немного просветлело, зато крепко похолодало. Я включила печку на полную мощность и понеслась по шоссе, стараясь крепче держаться за руль. Восемьдесят километров в час — страшная скорость. Вожу уже пять лет и даже научилась парковать «Вольво» задом, но предпочитаю ездить не слишком быстро, редко спидометр показывает больше шестидесяти. И никак не могу отвыкнуть от дурацкой привычки тянуть изо всех сил на себя руль во время торможения. Ехидный Аркадий советует при этом обязательно приговаривать «тпру, лошадка». Но я стараюсь не обращать внимания на колкости, ну не все же рождаются с ключом от зажигания в руке.

После сонного Птичьего Москва показалась особенно шумной. Естественно, при въезде на Волоколамку попала в огромную пробку и проскучала в толпе автомобилей, двигаясь вперед черепашьим шагом. Возле метро «Аэропорт» притормозила. Пойду пешком на ту сторону Ленинградского проспекта и посмотрю, может, Нина приехала?

В подъезде сидела уже другая бабуля.

— Утром на месте была, — сообщила она, — потом вроде ушла. Может, в институт? Или в больницу за инвалидом каким? Она вроде как с ними работает.

Дворника Юры тоже не нашла. Обычно он день-деньской торчит на глазах, но сегодня его никто не видел. Окончательно разочаровавшись, поехала в Ложкино.

Дома было тихо. Я взяла в кабинете толстый справочник и устроилась в спальне. Через полтора часа подвела итог. Патронажных медсестер, то есть медицинских работников, ухаживающих за беспомощными одинокими инвалидами, предоставляют муниципальные общества Красного Креста, и ни в одном из них не работает Нина Самохвалова. Но в столице существует множество частных агентств. Я набрала номер «Помощника» и тихонько проблеяла в трубку:

— Хочу пригласить медсестру для ухода за парализованным отцом.

Вежливый голос моментально сообщил расценки: один день — десять долларов. Лекарства, памперсы, моющие средства — естественно, за счет хозяев. Еще медицинского работника полагается покормить. Сопровождение в другой город — в два раза дороже.

Повесив трубку, я через минуту вновь обратилась в то же агентство, постаравшись изменить голос.

— Вам нужны сотрудники?

Тот же безукоризненно вежливый голос осведомился:

— Имеете медицинское образование?

— Медсестра широкого профиля.

— Сто долларов в месяц плюс обед в семье у больного, и, естественно, чаевые никто не отбирает.

— Много дают?

— Долларов на двадцать можете твердо рассчитывать.

— Берете только профессионалов?

— С предъявлением диплома, — уточнил голос.

Я повесила трубку и позвонила в другое агентство. Расценки примерно совпадали, и везде требовались только дипломированные сотрудники.

В глубокой задумчивости я пошла вниз. Где же подрабатывает Нина? У девушки нет никаких шансов устроиться официально, она не имеет документов медсестры, учится в гуманитарном институте. Бешеных денег за уход не платит никто, двадцать долларов в месяц считаются роскошными чаевыми. А Самохвалова небось только за квартиру отдает триста, плюс машина, бензин, джинсы «Труссарди», кофточки «Naf-Naf»... Папа присылает? Но он только-только построил новый дом, все средства туда вложил. Наверное, все-таки зарабатывает сама. Но как? Может, это Базиль содержит любовницу? Корзинкин, безусловно, обеспечен, но, как все французы, жаден до невозможности. Россияне, начитавшись «Трех мушкетеров», составили неправильный образ парижанина — этакого гуляки, весельчака, бабника, не считающего расходов на прекрасных дам и выпивку. На самом деле среднестатистический француз предпочитает укладываться спать в десять, никогда не позовет знакомых в гости, а если все же сподобится устроить вечеринку, то к столу подадут фисташки, орешки да блюдо с сыром. Впрочем, могут торжественно внести ветчину. Причем, если гостей шестеро, то на роскошном, доставшемся от бабушки подносе сиротливо будут лежать только шесть ломтиков — по одному на человека, добавку просить не принято. Так что вряд ли Корзинкин обеспечивает своей даме сердца роскошный образ жизни. Ну, духи может подарить или недорогое колечко...

В гостиной на диване валялся Кешка. На столике — несколько журналов, я машинально схватила одно издание.

— Не смотри, — велел сын.

Но я уже в ужасе уставилась на первую страницу. Ее целиком занимало фото молодой улыбающейся женщины. Ее можно было бы даже посчитать хорошенькой, если б не уродливое тело. Левой груди нет, на ее месте змеится белый шрам, от правой сохранились жалкие остатки. Внизу подпись — Виола, тридцать пять лет, радикальная мастэктомия, агентство «Лотос».

— Что это? — еле-еле ворочая языком, спросила я, машинально продолжая листать странное издание.

Следующие фото оказались еще отвратительней. Милые дамы демонстрировали результаты ампутации рук или ног, далее шли снимки молодых мужиков с телами, покрытыми шрамами. Все фото сделаны с почти обнаженной натуры — крохотные трусики прикрывали лишь небольшой участок тела. На последних страницах были настоящие уроды: карлики, отвратительно ожиревшие бабы, парочка парней с невероятными родимыми пятнами.

— Какого черта ты купил эту гадость да еще приволок домой? — накинулась я на сына. — Где взял кошмарный журнальчик?

Кешка потянулся и глянул на стол.

— Данную порнографию приволок Ефим. Если сейчас начнем возмущаться и жечь в печке, моментально притащит десяток новых и примется всем показывать. Лучше сделать вид, что нас это не волнует, и оставить их валяться тут. Ты же его знаешь.

Абсолютно точно. Стоило старику сообразить, что вас что-то смущает, как он тут же моментально начинал педалировать ситуацию. Такой вот омерзительный тип — получает настоящее удовольствие, глядя, как мучаются его несчастные жертвы.

— Боюсь, Машка полезет посмотреть, — вырвалось из моей груди.

Кеша вздохнул.

— Если сейчас спрячем, дедуля точно ей покажет. В конце концов, ничего страшного, просто несчастные, изувеченные люди. Естественно, ребенку не следует рассказывать, зачем бедолаги тут свои фотки выставили. Ладно, сам объясню. Мол, журнал выпускает общество инвалидов, чтобы поддержать в людях мужество. Тебе сделали страшную операцию — не переживай, посмотри на других, может, им еще хуже, а они улыбаются! И ты придерживайся этой версии. Да не переживай так, пролистнет и бросит!

— А правда, зачем подобное демонстрировать?

Кешка сел и поглядел на меня.

— Мать! Тебе что, двенадцать лет? Наивная, как щенок.

Я обиделась.

— Ну, прости глупую, уж объясни ей...

Аркашка хмыкнул.

— Про сексуальные извращения слышала?

Я кивнула. Уж не настолько наивна, вроде знаю и про гомосексуалистов — и про педофилов.

— А это просто разновидность другая, — пояснил сын, — есть такие кадры, которых привлекают только убогие. Ну не стоит у него на нормальную бабу, подавай чего пострашней. В конце концов — это личное дело каждого, с кем спать. И ничего плохого нет в том, чтобы изуродованная женщина нашла себе пару. Но продавать такие журналы открыто на лотках нельзя. Следует распространять через больницы или общества инвалидов — словом, не знаю как! Честно говоря, не хотелось, чтобы подобное издание попадало в детские руки. Но пока нет криминала, это имеет право на жизнь. Есть же у лесбиянок «Розовая пантера», а эти чем хуже. Помнишь Диму Петровского?

Я кивнула. Тучный, одышливый мальчик, бывший одноклассник Аркашки. Никогда не гулял с девочками и по большей части угрюмо сторонился приятелей.

— Женился на бабе без ноги, старше себя лет на десять, — продолжал Кеша, — все его обжалелись. Бедный Димочка, за супругой-инвалидом ухаживает. А мужик прямо расцвел, счастлив безмерно. Не нужны ему здоровые, и все тут.

Я задумчиво поглядела на первую страницу журнала. «Присылайте свои фотографии по адресу: К-9, абонентский ящик 18», и телефон для справок».

— А какой тут может быть криминал? Закон запрещает печатать подобные фото?

Кешка пожал плечами.

— Под запретом порнография, эротика разрешена. Но как провести грань? Почему дама, обнажившая грудь, эротична, а демонстрирующая голый зад — это уже порнография? А про снимки убогих вообще ни слова. Ты погляди, журнальчик называет свои публикации брачными объявлениями. А уж в каком виде снялись «соискатели», никого не касается. Приличия соблюдены — причинное место прикрыто.

Я повнимательней пригляделась, и правда, сверху над каждой картинкой стоит рубрика «Ищу пару».

— Так где криминал?

— Он начинается тогда, когда торговцы живым товаром уговаривают людей на ненужные операции. Предлагают ампутировать руку или ногу за деньги, конечно, а потом продают богатым любителям экзотики.

— Неужели люди идут на такое? — пришла я в ужас.

— Мать, — строго спросил Аркадий, — ты знаешь, что в России средняя зарплата меньше пятидесяти долларов в месяц? А в Молдавии и Белоруссии до двадцати не доходит? Некоторые на все ради заработка готовы.

— Ура, — раздалось из коридора, — Мишенька, любименький, дай я тебя поцелую!

— Твоя дочь, а моя сестра, очевидно, опять получила пятерку за контрольную, — засмеялся Аркашка и быстро бросил на журнал газету.

Он оказался прав. Влетевшая Манюня принялась с восторгом рассказывать о своих успехах. За ее спиной маячил Миша.

Девочка перевела дух и накинулась на математика.

— Ну, сделал Гале предложение?

— Маня! — возмущенно вскрикнули мы в один голос с Аркадием.

— Даже не представляю, как начать, — пробормотал профессор.

— Горе луковое, — завопила Маня, — видел, Ефим приехал? Будешь тормозить, уведет Галку из-под носа, большой мастер по женибельной части, мухомор вонючий!

— Маша! — опять в один голос крикнули мы с Кешкой.

— Ну и что? — повернулась к нам девочка. — Хотите сделать вид, будто вы в восторге от визита? Ольга вчера сказала Аркадию, что Ефим мерзкий потаскун и... В общем, не стану повторять...

— Вот и не надо, — принялся воспитывать сестрицу брат, — лучше промолчи, и потом откуда так хорошо знаешь, что Зайка мне в нашей комнате говорит, когда мы находимся там с глазу на глаз?

— А из моей ванной всю жизнь слышно, что в вашей ванной делается, — бесхитростно призналась Маня и, увидав слегка изменившееся лицо Кеши, быстренько добавила: — Но никогда не подслушиваю, особенно когда вы вдвоем душ принимаете.

Аркадий, всегда бледный, словно вампир, вдруг приобрел вид молодой редиски — лоб и подбородок белые, щеки ярко-розовые. Но Машка, не обратив внимания на метаморфозу, уже неслась дальше:

— Мухомор гнилой, поганка подмосковная. Вчера вечером ущипнул меня за попу.

— Так, — голосом, не предвещавшим ничего хорошего, протянул Кеша, — а ты что?

— Как дам ему коленкой с размаху по яйцам! — гордо ответила дочь и, сияя, пояснила: — Дениска научил. Прямо так и сказал: начнет кто приставать, сразу ногой по яйцам!

— Маня! — снова возмутилась я, мысленно благодаря сына моей лучшей подруги за науку. — Так вести себя просто неприлично.

— Не слушай маму, — велел Кеша, — очень даже прилично, когда тебя за задницу хватают. И что он сказал?

Маруся разинула было рот, но вовремя оселкась и сообщила:

— Лучше промолчу.

— А ты что ответила?

Машка хихикнула:

— Пожалуй, лучше снова промолчу.

Кеша тяжело вздохнул.

— Вот и молодец, больше помалкивай да наглецам спуску не давай, сразу промеж ног лупи.

— Обязательно, не волнуйся, не дура, — успокоила его сестра.

Глава двадцатая

На следующий день в районе полудня я подкатила к дому на улице Черняховского. Во дворе царило необычайное оживление. Группки жильцов взволнованно переговаривались между собой. Я увидела уже знакомую лифтершу и поинтересовалась:

— Нина приехала?

— С утра по делам отправилась, — отмахнулась бабка, — тут такие дела творятся!

— Что-то произошло?

— Юрку убили, дворника нашего! И кому помешал? Тихий такой, услужливый. Когда напьется, спит без задних ног, не дерется, не матерится. Вон, вон, гляди, жена приехала, в морг возили опознавать.

Возле стареньких «Жигулей» сгорбилась полная, преждевременно состарившаяся баба. Из ее необъятной груди вырывались судорожные всхлипывания. Увидав притихших людей, баба ухватилась за голову и взвыла:

— Юронька, муженек любимый, на кого бросил!

Несколько старух кинулось к вдове.

— Вот горе, вот горе, — словно заведенная твердила лифтерша, — и зачем он в эту больницу поехал!

— В какую больницу? — навострила я уши.

— Так Юрку нашли за городом, аккурат у ог-радки 662-й клиники, — пояснила старушка, — говорят, еще вчера убили, утром, то-то его весь день видно не было. Ну чего его туда поволокло? Далеко, в области.

Не слушая словоохотливую бабулю, я побрела к машине. Значит, Нина где-то гоняет, а дворни-ка убили. В прошлый раз он говорил, что встре-тил девушку в аэропорту Шереметьево. Вроде провожала инвалида, Юра даже припомнил, как Нина без конца повторяла незнакомое слово: «бен», «бен», «бен». Сдается, звучало слегка по-другому — «bien», «bien», «bien». Это по-фран-цузски, а по-нашему просто — «хорошо» или «ладно».

Внезапно с серого неба повалил крупными хлопьями липкий снег, почему-то стало теплее. «Вольво» в мгновение ока превратился в бесфор-менный сугроб. Я быстренько влезла в пахнущий любимыми духами салон и вытащила «Голуаз». Наверное, Аркашка прав, даме больше пристало курить «Собрание» и «Давидофф», ну на худой конец «Парламент» или ментоловый «Вог». Я же, дитя дефицита, всегда почитала за счастье ку-пить болгарские «ВТ». «Голуаз» оказались пер-выми западными сигаретами, и мое сердце при-надлежит им безраздельно. К тому же от всех других разрекламированных марок я парадок-сальным образом начинаю судорожно кашлять. «Такой вот пердимонокль», — как любила повто-рять моя бабушка, когда дедуля обнаруживал у нее на руках пятого туза. Бабушка обожала иг-рать в карты и самозабвенно жульничала. Мысли-ла абсолютно логично, курила папиросы и держала дедушку под каблуком. Любовь к детективным расследованиям у меня явно от нее.

Я тихонько пускала дым и пыталась навести порядок в мыслях. Юра сказал, что привезли вместе с Ниной инвалида из 662-й больницы, еще жаловался, что пришлось нести молодую женщину на руках. А убили его прямо у этой клиники. Зачем мужик поехал туда снова?

Внезапно перед глазами предстала ужасная картина: весь в гипсе и бинтах, Базиль медленно умирает на продавленной койке. Могло ведь быть и так. Корзинкин и Нина на обратной дороге из Горловки попадают в аварию. Ну не справился Базиль с управлением и вломился, предположим, в дерево... Шофер сильно пострадал, Нина — жива-здорова. Девушка ловит попутку и быстренько везет истекающего кровью кавалера в 662-ю больницу. Почему туда? Да все очень просто.

Клиника расположена довольно далеко от Москвы, хотя считается городской и стоит как раз на пути из Горловки в столицу. Просто — это первая московская больница, куда Нина могла доставить Корзинкина. Может, он был так плох, что до Склифа и довезти было нельзя. Вот и лежит приятель в реанимации, не в силах сообщить о себе ни мне, ни Сюзи.

А перепуганная Самохвалова, естественно, не стала звонить жене. Вообще-то в подобных случаях медицинский персонал обязан известить милицию, но, наверное, увидав пару сотен баксов, все разом оглохли, онемели и ослепли!

Как только подобная мысль сразу не пришла мне в голову! Почему не обзвонила сначала боль-

264 .... Дарья Донцова

ницы? Нет, Александр Михайлович прав, до профессионала мне ой как далеко!

Ругая себя на все корки, завела мотор и поторопилась в 662-ю клинику. Как назло, дорогу будто жиром смазали, и на ветровое стекло летят белые кляксы. Чертыхаясь, еле-еле добралась до наглухо закрытых железных ворот. У проходной маячили два здоровенных секьюрити в черных комбинезонах. Больше всего эти крупные, почти наголо стриженные блондины походили на эсэсовцев из дивизии «Мертвая голова». К тому же на груди у них виднелась нашивка с картинкой, сильно смахивающей на череп. Приглядевшись, поняла, что это и в самом деле изображение скелета, а внизу мелкие цифры — 662. Ну ничего себе эмблему придумали!

— Въезд только для машин «Скорой помощи» и персонала, — довольно вежливо сообщил один из парней.

Я протянула ему 10 долларов. Но секьюрити не дрогнул и мзду не взял.

— Простите, — сказал второй, — нам строго запрещено принимать чаевые, оставьте машину на стоянке за шлагбаумом. Можете не вынимать магнитофон, мы проследим.

Пришлось подчиниться. Прямо из проходной попала в парк. Широкая подъездная аллея вела к видневшемуся вдали корпусу. Огромные ели нависали над дорожкой. Наверное, летом это место сильно смахивает на санаторий, впрочем, даже сейчас, когда понеслась настоящая пурга, пейзаж напоминал иллюстрацию к сказке «Госпожа Метелица». В абсолютной тишине крупный снег картинно валился с неба.

Но очарование неожиданно разрушилось. Оглушительно воя, мимо промчалась белая машина с красным крестом. Выскочившие люди быстро потащили в приемный покой носилки, накрытые одеялом.

Я вошла через парадный вход и ахнула. Низенькое облупившееся от старости здание внутри скрывало царскую роскошь. Мраморные полы, дубовые двери, изящные светильники — все это походило на интерьер дорогого отеля, а не муниципальной больницы. И снова два охранника с идиотскими эмблемами. Надев по их приказу пластиковые бахилы, я добралась до «Справочного бюро» и мигом узнала, что никакого Базиля Корзинкина тут нет. Но вообще-то была готова к подобному повороту. Нина могла испугаться и выдать кавалера за москвича. Записать под любой фамилией, сославшись на отсутствие документов. Пара красивых зеленых бумажек, и дело сделано. На стене висел большой план. Так. Реанимация у них одна, на третьем этаже, скорей всего там же и операционные отделения, гинекология. Это мне без надобности, потом — 1-я хирургия, 2-я хирургия. Ну здесь операции, должно быть, плановые. А вот реанимацию и травматологию обследуем в первую очередь.

Хорошенькая медсестричка в огромном накрахмаленном колпачке быстренько спрятала десятидолларовую купюру и радостно сообщила, что на сегодняшний момент в палате интенсивной терапии одни женщины. Имя Базиль она не помнит, вообще, пациентов называют по фамилии, Корзинкина, кажется, не было. А может, и был, всех не упомнишь, тут поток, сплошные операции. Одно она помнит точно — иностранцы последнее время не поступали.

Слегка успокоившись, я двинулась в травму, от души поражаясь полному отсутствию больничных запахов. В воздухе не витал аромат хлорки, лекарств и грязной тряпки. Даже из открытой двери «Перевязочной» ничем не тянуло. Не доносились и запахи пищи. В коридорах изумительная чистота и пустота. На посту мирно раскладывала лекарства еще одна приветливая девушка. Впрочем, хрустящая ассигнация, вложенная в карман, сделала ее еще и сговорчивой. Мне разрешили осторожно заглянуть в каждую палату.

Комнаты оказались комфортабельными и больше напоминали гостиничные номера. Небольшой предбанник с холодильничком и санузлом, затем просторное помещение, разделенное перегородкой. Две кровати стоят вроде и в одной палате, но больные друг друга не видят и не смущают, только слышат. Просто европейские условия.

Но нигде нет никаких признаков Базиля, хотя жертв автокатастроф несколько. Не нашлось приятеля и в других отделениях, от отчаяния я даже заглянула в «Гинекологию».

Спустившись на первый этаж, вытащила сигареты, но охранник вежливо попросил выйти на улицу. Снег прекратился, перед дверьми сидели две лысые собачки и с надеждой поглядывали на здание. Я тоже бросила взгляд на корпус и вздохнула: опять облом. Интересно, что тут было раньше? Четыре этажа, и архитектура явно не больничная. Внезапно сигарета выпала из рук —

четыре этажа!!! А я побывала только на трех, что же там, на самом верху?

Лифт привез на последний этаж, нос уткнулся в табличку «Лаборатория. Посторонним вход запрещен. Зараженные грызуны». Железную дверь украшал «глазок» и нечто, напоминающее помесь домофона с кодовым замком. Сплошные кнопочки и колесики. Ну что ж, понятно, больница небось ведет исследования, потом должны же они где-то делать всяческие анализы. Непонятно только, при чем тут грызуны. Вряд ли станут держать в больнице зараженных чумой и сибирской язвой крыс. Скорей всего просто повесили такую табличку, дабы отпугнуть любопытных. Знаю, знаю, сами писали в свое время на туалете для сотрудников «Не входить, злая собака». Студенты, конечно, знали, что к чему, но хоть посторонние посетители не лезли.

Я молча стояла возле запертой двери, судорожно соображая, куда податься дальше. Внезапно послышалось шуршание лифта. На всякий случай отошла за массивную колонну. Чудесное укрытие. Толстый мраморный ствол скрыл меня от постороннего взгляда, я же видела абсолютно все.

Из подъемника с лязгом выехала железная тележка с бачками. Толстая санитарка потыкала в кнопки — 967.

— Кто? — донеслось из домофона.

— Обед.

Дверь распахнулась, и перед моим взором предстал длинный коридор. Охранник не впустил бабу внутрь, и она принялась накладывать порции прямо на пороге.

— Сегодня пятнадцать, — предупредил се-кьюрити.

— Чего так? — равнодушно спросила сани-тарка, плюхая на тарелки картофельное пюре.

— Двоих выписали, один помер.

Тетка с грохотом закрыла бачок и порулила назад.

— Слышь, Зина, — окликнул ее стражник, — у нас сегодня не убирали.

— Знаю, — махнула рукой женщина, — неко-му: Танька запила, а я ее подменять не стану. Мне за это не заплатят, пусть другую ищут дуру.

— Пришли кого-нибудь из девчонок, Зину-ля, — попросил охранник, — а то уже из второй палаты жаловались.

— Ты же не пустишь никого, — усмехнулась тетка, вталкивая в лифт тележку.

— Ну ладно, ладно, — забормотал охран-ник, — подбери подходящую и отправь, пусть скажет, что от тебя.

— Только после пяти, — отрезала санитар-ка. — Сейчас все заняты.

Двери лифта и отделения одновременно лязг-нули, и я вышла из-за колонны. Ну ничего себе, под видом лаборатории скрывается нечто непо-нятное. Там лежат люди, кого еще будут кормить картошкой с рыбой? Кроликов и мышей? И по-том эта фразочка «двоих выписали, один помер». Даже если у них там содержатся дрессированные обезьяны, обученные есть вилками с тарелок филе минтая, то уж выписать их никак не могли. Значит, это еще одно, почему-то тайное отделе-ние, и судьба подарила шанс. Грех не воспользо-ваться.

Спустившись на третий этаж, поймала девушку, несущуюся куда-то с эмалированным лотком, и забормотала:

— Слышь, доченька, нанялась к вам уборщицей, велели переодеться, а где — не поняла.

— Ступай на первый этаж, под лестницу, — велела девчонка на ходу.

В чуланчике нашлось несколько железных шкафчиков. Один раскрыт, внутри довольно помятый белый халат, косынка и уродские коричневые шлепки. Стащив с рук золотые часы, кольца и вынув из ушей серьги, я принялась переодеваться. Туго затянула поясок, а косынку надвинула почти до бровей. Около грязного зеркала валялась дешевая помада ярко-оранжевого цвета. Преодолевая брезгливость, нарисовала себе полные, вульгарные губы. Здесь обнаружилась и отечественная тушь, моментально осевшая на ресницах черными комьями. Ею же навела цыганские брови. С первого взгляда и не поймешь, сколько лет чучелу — от двадцати до сорока. Подумав немного, свернула из бумажного носового платка два шарика и сунула за щеки.

Бесстрастное зеркало отразило довольно странную девицу с отвратительным макияжем и щеками хомяка.

Прихватив стоявшие в кладовке ведро, швабру и пакет порошка, я поехала на самый верх.

Охранник грозно спросил:

— Ну?

— Зина прислала, — пролепетала я, прикрываясь шваброй, — полы помыть.

— Слушай внимательно, — велел мужик, — как звать-то тебя?

— Люба.

— Так вот, Любка, отделение наше особое, платное. Больные капризные, парочка совсем ненормальных, ты их не слушай, чушь несут. Если просить о чем станут, не брезгуй, сделай. Судно вынести, подушечку поправить. Они тебя за заботу отблагодарят, кто деньгами, кто продуктами. Мужиков не бойся, им тут ни до чего, лишь бы выжить. Поняла?

Я согласно закивала опущенной головой.

— Говоришь мало, это хорошо, — одобрил мужик, — ты ведь у нас новенькая?

Я вновь затрясла головой.

— Что увидишь тут, никому не рассказывай, — велел наставник, — замечу примерное поведение, порекомендую на место Таньки, давно пора пьянчугу гнать. А ты старайся, если хочешь выделиться. В нашем отделении зарплата выше, сто долларов станешь получать в месяц, да еще чаевые и еда дармовая...

Я постаралась изобразить, что у меня от радости язык отнялся.

— Ну ступай, — велел охранник.

Провожаемая бдительным взором, я влетела в первую палату и загремела ведром. Комната такая же большая, как и на третьем этаже, тот же предбанник и туалет с ванной. Но лежит только один мужчина. Молодой, не старше Кешки, весь перевязанный, настоящая мумия. Похоже, он просто не заметил моего появления.

В следующем помещении — довольно капризный мужик с ампутированной рукой. Он долго брюзжал по поводу поздней уборки, но в конце концов дал шоколадку. Униженно поблагодарив и спрятав подношение в необъятный карман халата, я последовала дальше.

Следующие три палаты оказались пустыми, кровати не были застелены, на тумбочках чистота. В остальных лежали самые разнообразные больные. От стонавшей на одной ноте тетки, выставившей из-под одеяла культю правой ноги, замотанную начинающими промокать бинтами, до совсем здорового на вид мужика, лениво щелкающего пультом телевизора. Карманы постепенно наполнялись шоколадками, яблоками и купюрами. Правда, денег давали не так много — в общей сложности получила около ста рублей, — но для нищей девчонки-санитарки совсем неплохо. Однако я с трудом сдерживала разочарование. Базиля не было. Уже ни на что не надеясь, вошла в последнюю комнату.

На кровати сидела молоденькая девчушка с перепуганным лицом. Услышав грохот ведра, она вздрогнула и затравленно глянула на меня. В больших, широко открытых голубых глазищах читался откровенный страх. Я принялась споро тыкать шваброй по углам. Две минуты поскребу тут, и ладно, пора делать ноги. Корзинкина здесь нет.

— Послушай, — неожиданно позвала больная, — как тебя зовут?

— Люба.

— Много получаешь тут?

— Сто долларов.

Больная соскочила с кровати и подбежала ко мне.

— Хочешь три тысячи баксов?

— Кто же не хочет, — резонно ответила я.

— Тогда выведи меня отсюда по-быстрому.

Я отставила тряпку и глянула на девицу. Красный нос и набухшие веки без слов свидетельствовали, что их хозяйка совсем недавно безутешно рыдала. Взлохмаченные волосы и бледные, трясущиеся губы. Впрочем, внешне производит впечатление совершенно здоровой, может, одна из сумасшедших, о которых предупреждал охранник? На всякий случай я отошла подальше.

— Спаси меня, — лихорадочно забормотала девчонка, заламывая руки, — помоги убежать.

— Тут что, СИЗО? — изумилась я. — Вроде больница, дело добровольное, езжай себе домой, коли лечиться раздумала.

— Здесь хуже, чем тюрьма, — судорожно забормотала девица, — не выпустят, раз деньги за операцию заплатили.

Я в изумлении уставилась на нее.

— Мне дали три тысячи баксов за ногу. Все тебе отдам, только выручи.

— Люди врачам платят, а у вас наоборот...

— Господи, — шепотом запричитала девчонка, — тут Алке, что со мной приехала, ногу уже позавчера отрезали, как она орала, когда наркоз отошел. Господи! А сейчас плохо ей совсем, возможно, умрет...

— Может, нельзя было конечность оставить, — осторожно пошла я на контакт, — гангрена небось или саркома!

— Да нет, — снова шепотом крикнула девчонка, — она ее продала, как и я. А теперь боюсь, боюсь, да не понять тебе!

И правда, непонятно, ну ладно почка или

глаз, теоретически можно представить, как такой орган пересаживают другому, но нога?

— Боже, боже, — не останавливалась девушка, — ты мой последний шанс, с утра Нина приходила, сказала, завтра операция. После ужина обколют транквилизаторами, и прощай!

— Какая Нина? — отреагировала я на знакомое имя.

— Да та, кому ногу продала, ой, рассказывать все времени нет.

— Что я тебя, в ведре унесу?

— Давай халат и косынку, прикинусь уборщицей.

Ну хитрюга! Сама ускачет, а несчастной санитарке вломят по первое число.

Я подошла к тумбочке и вылила всю нетронутую тарелку с супом на кровать.

— Ты чего? — изумилась больная.

— Молчи, если хочешь убежать. Сиди спокойно, сейчас вернусь.

Охранник уставился на меня взглядом змеи.

— Убралась? Быстренько.

Я протянула ему одну из полученных пятидесятирублевых купюр и прикинулась окончательной деревенщиной:

— Не побрезгуйте, дяденька!

Секьюрити секунду смотрел на бумажку, потом расхохотался:

— Оставь себе, заработала. Но то, что поделиться хотела, — ценю. Ладно, ступай, замолвлю за тебя словечко.

— Сейчас вернусь.

— Зачем? — посерьезнел охранник.

— Больная из 20-й суп пролила, просила белье сменить.

Мужик молча пошел в конец коридора, потом заглянул в палату и дал добро.

— Давай беги, одна нога здесь, другая там.

Я понеслась вниз. В каморке стояла каталка с большим мешком, набитым грязными простынями, она-то мне и нужна. Буквально через три минуты я вкатила ее в палату. Девчонка, нервно кусая губы, металась перед окном.

— Что это?

Не отвечая, я вывалила из мешка окровавленные простыни. Порывшись, нашла относительно чистый пододеяльник и ловко переменила белье. Из оставшегося сформировала некое подобие человеческой фигуры и прикрыла одеялом. Получилось крайне правдоподобно — больная спит, накрывшись с головой: может, ей свет мешает или холодно!

Растопырив на каталке пустой грязный мешок, велела:

— Лезь!

Понятливая девица ужом юркнула внутрь, я воткнула туда же испачканное супом постельное белье. Оно высовывалось из горловины, демонстрируя, что мешок набит грязным бельем.

Кряхтя, повезла тяжелую тележку по коридору. Испуганная девчонка вела себя идеально, лежала неподвижно.

— Ну и дурочка, — ласково укорил секьюрити, наблюдая, как я пытаюсь затолкать сооружение в лифт, — в другой раз просто сними грязь да унеси, виданное ли дело, такую тележку ради одной смены переть!

Чувствуя, как по спине бегут капли пота, я доехала до парадного входа и нарвалась на другого охранника.

— С ума сошла, — заорал он, — к заднему выходу давай, тут только для больных.

Пришлось разворачиваться и вновь пересекать холл. У черного входа стояло несколько каталок с точно такими же узлами. Я подергала дверь — заперто. Наклонившись к мешку, велела:

— Лежи смирно, не бойся, сейчас вернусь.

В каморке надела вновь часы, серьги и кольца, бросила в шкафчик халат и помчалась назад. Девчонка, кряхтя, вылезла из мешка.

— Чуть не задохнулась, — пожаловалась она.

Я надела на нее свою куртку, и, изображая посетительниц, мы двинулись к выходу.

Глава двадцать первая

«Вольво» мирно стоял у забора, довольно далеко от проходной. Увидав, как я отпираю переднюю дверь машины, девчонка напряглась, потом развернулась и понеслась по дороге. Я не торопясь села за руль. Никуда не денется — шоссе прямое как стрела, а по бокам глубокие, наполненные жидкой ноябрьской грязью овраги.

Догнав споро бегущую дурочку, я приоткрыла окно и крикнула:

— Ну ты даешь, обещала три тысячи, а теперь удираешь в моей куртке!

— Нужны тебе мои деньги, — огрызнулась девчонка, не останавливаясь.

— До Москвы бежать будешь? — усмехнулась

я. — Давай, давай, погляжу, на сколько твоей спортивной закалки хватит.

Минут через пять, тяжело дыша, беглянка остановилась и затравленно пробормотала:

— Ладно, твоя взяла, делай со мной что хочешь, только Нинке не отдавай, лучше сразу убей.

Я открыла дверцу, «больная» влезла внутрь и зарыдала. Она продолжала плакать до тех пор, пока «Вольво» не подкатил к метро «Аэропорт». Увидав, что машина паркуется возле подземного перехода, девчонка стала на глазах синеть и забормотала, теряя остатки разума:

— О, нет, только не сюда, только не к Нине!

Я внимательно поглядела на нее.

— Слушай, сама ищу эту Нину, если объяснишь, что она с тобой сделала, получишь хорошую сумму денег, да еще спрячу тебя в надежном месте.

— Кто вы?

— Частный детектив. Меня наняли специально, чтобы разоблачить Самохвалову.

Спутница вновь разрыдалась, но на этот раз с видимым облегчением. Глядя, как она утирает кулаком сопли, я повернула на боковую дорожку и проходными дворами выехала на Чапаевский проезд. В огромном городе есть только одно место, где мы можем спокойно потолковать, — крошечная квартирка Оксаны.

Ксюта — моя лучшая подруга, единственная из всех, кому можно абсолютно доверять. Досталось ей в жизни по полной мере. Сначала после окончания института, когда Ксюша доказывала, что из женщины тоже может получиться хирург; потом, когда одна тянула на мизерную зарплату двух сыновей. Но в доме у нее всегда было весело — по двум комнатам, похожим на коробки для часов, носилась куча разнокалиберных животных, а на плите томилось что-нибудь вкусненькое. Здесь никогда не прятали еду, а радостно угощали последним — супом, картошкой, селедкой. К сорока годам Оксанка приобрела авторитет и стала получать довольно хорошие заработки, но новую квартиру она все равно пока купить не может. Несколько раз Кешка с Ольгой предлагали:

— Давай подарим Оксане приличное жилье!

Но я знаю, что она ни за что не примет такой подарок. Сейчас подруга, естественно, на работе, режет какого-нибудь несчастного. Впрочем, что это я, если попал к ней в руки, значит, вытянул счастливый билет. Ксюта не только высококлассный хирург, она еще ухитряется успокаивать онкологических больных.

— С чего это решили, что у вас рак? — недоуменно говорит она, разглядывая неутешительные результаты пункции. — Ах в диспансере сказали! Ну так пошлите их в то место, откуда они на свет вылезли. Если это рак, то я — индийская принцесса. Ну-ка, отвечайте быстро, из носа кровь течет? Не течет. Горло болит? Не болит. В ушах ломит? Не ломит. Да вы симулянт. Операцию сделаем, уберем абсолютно доброкачественную опухоль и проколем курс лекарств. Кто говорит о химиотерапии? Огромные дозы витаминов и суперсовременный препарат «Иммуновосстановитель кроветворности», кстати, последняя разработка американских ученых. Ну потошнит немного, так это хорошо, значит, действует.

Для тех, кто с подозрением выслушивает россказни о несуществующем лекарстве, у Ксюшки наготове последний решающий аргумент. Легким движением руки она расстегивает воротничок блузки и демонстрирует почти незаметный шрам.

— Глядите, мне сделали точь-в-точь такую операцию, как предстоит вам. Ну и что? Десять лет прошло, работаю, и не потолстела ни на грамм.

Действует потрясающе. После подобных психотерапевтических бесед больной с 3-й стадией рака преспокойненько ложится под нож, ругая на все корки напугавших его до смерти докторов из районной поликлиники. И вот ведь чудеса, выздоравливает, и метастазы куда-то деваются.

— Всегда считала, что рак — болезнь психики, а не тела, — сказала мне как-то раз Оксанка, показывая украдкой на бодро шагающего по коридору парня. — Погляди на него. Когда привезли, лежал ждал смерти. А теперь летает, между прочим, вчера ночью трахнул дежурную медсестричку. Есть у нас парочка озабоченных, под всех ложатся. Я об этом знаю, но специально не увольняю, делаю вид, что не в курсе, чем они тут после отбоя занимаются. Больным только на пользу идет. Ишь, прямо несется в столовую, аппетит натрахал, Казанова.

Вот такой странный доктор.

Ключи, как всегда, мирно лежали под ковриком. Я втолкнула девчонку в крохотную прихожую. Тут же вылетели собаки: два скотч-терьера — Бетти и Пеша. Следом не спеша вышла стаффордширская терьерица Рейчел.

— Ай, — взвизгнула девушка, — ой, сейчас укусят.

— Ни за что, — успокоила я ее, — они абсолютно сыты.

— Ой, — не унималась трусиха, — ой, глядите, бедная мышка.

— Рейчел, — велела я стражу, — отдай Борьку, до смерти залижешь.

Послушная собака выплюнула на коврик морскую свинку. Рейчел обожает Борю, и, когда кто-нибудь звонит в дверь, стафф хватает грызуна и несется с ним в прихожую. Борька привык к такому передвижению и совершенно не сопротивляется. Скотчи относятся к свинке индифферентно: у них другой любимец — уж Карлуша. Гады не выносят холода, и змея предпочитает спать прямо на Бетти, зарывшись в густую и теплую шерсть.

На крохотной кухне в кастрюльках поджидал восхитительный обед. Я положила в тарелки мягкое, ароматное мясо, хоть поем разок днем по-человечески. Девица не разделяла моего восторга и вяло ковыряла вилкой гуляш, вдохновенно состряпанный Ксюшей.

— Ладно, — сказала я, утолив первый голод, — видишь, привезла, как обещала, в безопасное место, теперь рассказывай про ногу и Нину.

Но беглянка все еще побаивалась.

— Мне нужно знать подробности, иначе как сумею помочь тебе?

Девчонка отодвинула полную тарелку.

— Курить где?

Я пододвинула пепельницу.

— В этом доме можно все — курить, есть, спать, нельзя только врать.

Дым поплыл под потолок, и, провожая его взглядом, девушка принялась рассказывать.

Зовут ее Элина, и родом она с Западной Украины, из крохотного городка, что под Львовом. Родители Лины русские. Дедушка давным-давно, еще в 1945-м, осел в Вишневом, получил квартиру, завел семью. Лине всего семнадцать. Жила семья при Советской власти совсем даже неплохо. Отец работал в исполкоме, мать — бухгалтером-аудитором. Правда, Элина тех времен не знает, так как родилась в 1982-м. Осмысливать жизнь девочка начала лет в семь-восемь. Шел 1990 год. Исчезли все продукты. Соседи, совсем недавно такие любезные, начали открыто называть дедушку оккупантом, а родителей — «проклятыми коммуняками». На 9 Мая в Вишневом торжественно открыли памятник бандеровцам. Дедушку разбил инсульт. К тому же вокруг разом заговорили на «рідной мове», а в школе ввели изучение произведений Тараса Шевченко в оригинале. Продавщица в единственном магазинчике упорно делала вид, что не понимает по-русски, дети начали дразнить Элину и гнать ее от себя.

Именно в это время и появились в Вишневом скупщики квартир. Милая, интеллигентная, внушавшая абсолютное доверие женщина предложила за их пятикомнатный дом небольшую квартирку в Рязани.

— Лучше переселиться сейчас, — уговаривала агентша, — скоро русские с Украины побегут, просто так бросите, в бомжей превратитесь.

Родители поверили бойкой тетке, и та провернула процедуру за два дня. Мебель оставили в доме, как, впрочем, и заготовленные на зиму банки с помидорами, огурцами и сливами. Риэлтерша пообещала, что в новой квартире есть все, даже холодильник.

Действительность оказалась ужасной. Впрочем, упрекнуть продавца было не в чем. Обещала две комнаты — так вот они, правда, в аварийной пятиэтажке и под самой крышей. И мебель на месте — продавленные кровати, пара ободранных кресел да кухонный стол. Обнаружился и холодильник «Саратов» дремучего года выпуска.

Для родителей работы не нашлось, на учет на биржу труда не ставили, а в школе дети снова дразнили Элину, обзывая нищенкой. Через год такой жизни умерла мама, папа принялся пить горькую. Лина питалась тем, что давали сердобольные соседки, и всю суровую зиму проходила в тряпочных тапках, оборачивая для тепла ноги газетой. Отец окончательно терял человеческий облик, и в конце концов в доме появилась оплывшая бабища, сообщившая, что она новая жена и хозяйка.

Короче, Лина села в поезд и поехала не то чтобы куда глаза глядят, а именно в Москву. На вокзале девочка несколько дней пыталась клянчить милостыню, но была до полусмерти избита местными попрошайками. Отбила ее продавщица мороженого и привела к себе домой, покормила, разрешила помыться в ванной, уложила спать. Наутро к «доброй» тетеньке пришел молодой парень, одетый в черное. Узнав, что Лина еще девственница, довольно хмыкнул и забрал с собой.

Так она начала жизнь проститутки. Элине она не показалась такой уж гадкой. Поселили девочку в красивой двухкомнатной квартире, дверь, правда, запирали снаружи; гуляла Эля на лоджии, разглядывая с пятнадцатого этажа незнакомый враждебный город. Клиентов привозили каждый день. Перед ними велели разыгрывать представление: прятаться, плакать и твердить: «боюсь, боюсь, в первый раз».

— Если спросят о возрасте, отвечай — тринадцать, — учил хозяин.

Но худенькой и малорослой от постоянного недоедания пятнадцатилетней девочке запросто можно было дать и одиннадцать.

Денег, естественно, не платили, но кормили отлично. К тому же некоторые мужчины становились постоянными посетителями и приносили с собой конфеты, фрукты и мороженое. Кое-кто возил гулять по Москве, и Эля хорошо узнала столицу.

Элина просто расцвела. Клиенты не обижали, в основном это были пожилые, отлично одетые мужчины с сотовыми телефонами. Они даже баловали девчонку, делали милые подарки. В комнатах появились игрушки и кассеты с мультиками. Лине подобная жизнь нравилась все больше. День-деньской она смотрела телевизор и грызла конфеты, на улицу ее не тянуло. Огромный город пугал. Но все имеет конец, и как-то раз хозяин со вздохом сообщил:

— Сиськи у тебя, Лина, как у коровы отросли,

и жопу наела, все, больше под девочку не косишь!

Девушка от сытой и праздной жизни и впрямь поправилась, оформилась и выросла. Она превратилась в хорошенькую женщину, очаровательную, как молодой олененок, но для богатых педофилов никакого интереса больше не представляла. Эля испугалась, что сутенер просто выбросит ее на улицу, но парень привел Нину.

Сначала женщины мирно пили кофе на кухне, потом Нина неожиданно спросила:

— За границей была когда?

Эля отрицательно помотала головой.

— Про Францию слышала? В Париж хочешь?

Девушка рассмеялась.

— Кто меня туда отвезет?

— Я, — сообщила Нина и принялась рассказывать невероятные вещи.

В далеком Париже у нее есть близкий друг, богатый и добрый, а у того, в свою очередь, полно приятелей: чиновных, обеспеченных, семейных. Одна беда — у всех небольшое отклонение.

— Гомики, что ли? — хихикнула глупая Эля, думавшая, что в вопросах секса для нее уже нет секретов.

Оказалось, не так.

— Любят только инвалидов, — растолковывала терпеливо Ниночка, — хотят, чтоб у избранницы был дефект — ампутированная рука, нога или грудь, понимаешь? Поселят в отдельной квартирке, на руках носить станут. Ну какое у тебя здесь будущее? На Тверской стоять? Подцепишь СПИД или сифилис, долго не протянешь. Сутенер пристрелит, и точка. А здесь — чудесные условия, заграница, большая зарплата, а делать нечего — только ноги раздвигай. Кстати, в Москве, как только подпишешь контракт, получишь три тысячи «зеленых». Прикинь, какая сумма! В Париже еще заработаешь, вернешься в столицу, квартиру купишь...

Эля справедливо заметила:

— Я-то не прочь, только ведь вроде не инвалид, все на месте.

— Об этом не думай, — отмахнулась Нина, — есть хирург, разом операцию сделает.

Девчонка испугалась:

— Отрежет?! Ни за что!

Нина налила себе новую чашку кофе и продолжила уговоры:

— Ерунда, чего бояться-то. Аккуратненько ампутируют одну ступню, во Франции такой протез дадут, что никто эту ступню от настоящей не отличит! На электронике работает. Про Мересьева слышала?

Эля отрицательно помотала головой.

— Темнота, — вздохнула искусительница, — без обеих ног самолет водил и танцует, как бог. Ты о деньгах подумай!

То ли Нина оказалась отличным психологом, то ли подлила чего-то в чай Эле, но девушке предложение перестало казаться диким. На фоне новой московской квартиры и огромной, сказочной суммы в три тысячи американских долларов потеря ступни перестала ее пугать. И Эля согласилась...

Нина немедленно покидала кое-какие вещички в сумку и привезла девочку на другую квартиру, где та прожила неделю, ей даже разрешили выходить, и она гуляла возле метро. Потом наступило утро, когда плохо соображающую жертву запихнули в машину. На заднем сиденье уже сидела тетка лет тридцати, тоже согласившаяся на ампутацию ноги. Нина села за руль и доставила их в клинику. Провели черным ходом и оставили одних в палате. Первую неделю делали кучу анализов, потом дали подписать бумажку — согласие на операцию. Из отделения не выпускали, но друг к другу заходить не возбранялось, и Элина заглянула к Алле. Она уже знала, что та согласилась на операцию ради сына, хотела обеспечить мальчишку.

Женщину как раз привезли из операционной. Она без конца стонала, иногда переходя на крик, короткий обрубок ноги сиротливо смотрелся на фоне второй, длинной и красивой ноги. Медсестры забегали, налаживая капельницы. Очевидно, на каком-то этапе операции произошел сбой, и Алла сейчас просто умирала.

Эля выбралась из палаты ни жива ни мертва. Ее охватил ужас, в голове билась одна мысль — как убежать? И тут подоспела «уборщица».

— Что же, в отделении все такие лежат, как вы с Аллой?

— Не, там еще бандюков лечат.

— Кого? — не сразу поняла я.

— Ну бандитов, подстрелят кого или на нож поставят, так туда везут. Посторонних не пускают, двери всегда заперты. Говорят, до десяти тысяч долларов платят, — серьезно пояснила Эля, — может, врут. Только мужиков полно.

— Опиши Нину.

— Высокая, красивая, — принялась припоминать Эля, — на эту похожа, белую, руки-ноги гнутся!

— На кого?

— Кукла такая, забыла, как звать.

— Барби?

— Точно, вылитая Барби, кудрявенькая, глаза голубые, молодая совсем, чуть постарше меня.

В кухне стало невозможно дышать от дыма, и я распахнула форточку. Эля принялась судорожно зевать, пережитое волнение клонило в сон. Я уложила ее в маленькой комнатке на Денискиной кровати и стала поджидать Оксану. Морской свин Борька мирно дремал под батареей.

Сколько еще в Москве таких глупых, обманутых девчонок, без документов и денег, не нужных ни родным, ни государству? Ну ладно, Эля встретилась со мной, и я, конечно, помогу дурочке, но кто спасет остальных? Да таких, как Нина, следует публично сечь на базарной площади. Хотя, вероятно, она — не главное действующее лицо в данной истории. Вряд ли провинциальная студентка самостоятельно додумалась до криминального бизнеса. Скорей всего ее саму завербовали за большие деньги.

Ниночкина землячка, заклятая подруга детства Ира, злобно упомянула, что Самохвалову связывают какие-то таинственные дела с Верой Ивановной Никитиной. Может, дама и предложила такую выгодную подработку? И куда делся Базиль? Как он вообще связан со всем этим делом? Почему убили его компаньона Алексея Никитина? Каким образом Лола, владелица «Альбатроса», ухитряется устраивать «экзотические» туры по лагерям и тюрьмам? Нити тянутся из Москвы в Париж, может, Базиль тоже в игре? И где он, в конце концов? Достался ли ему клад?

Стаффордширская терьерица вдруг подскочила к батарее, выкатила носом свинку и понеслась в прихожую.

— Сейчас же выплюнь Борьку, — донесся Оксанин голос, — и кто здесь накурил?

Она быстро вошла в кухню и, не удивившись моему визиту, грохнула на пол набитые сумки.

— Сейчас рыбу сделаю, глянь, какая щука!

В этом вся Ксюта, сначала накормит до отвала и только потом спросит, что вы делаете у нее дома.

Услыхав историю Эли, подруга не слишком удивилась.

— Слышала о таком. Поймать мерзавцев крайне трудно. Небось история болезни насквозь фальшивая, анализы подтасованы. Представят дело так, будто саркому оперируют или рак молочной железы, не придерешься, все чин чинарем, комар носа не подточит. Убивала бы таких.

И она со злостью шлепнула рыбу о мойку. Почуяв, что хозяйка гневается, собаки предпочли убраться в комнату. Через минуту Рейчел прокралась назад и ухватила Борьку.

— Да брось ты его, — шлепнула Оксана стаффа тряпкой, — бедная свинка вся в слюнях.

Я дождалась и впрямь удивительно ароматной рыбы и порулила домой. За судьбу Эли можно пока не волноваться. Ксюта подержит ее пару дней у себя, а там купим паспорт и пристроим к кому-нибудь домработницей или няней.

Глава двадцать вторая

Утром проснулась от громового голоса Ефима. Пророкотав что-то на лестнице, он проследовал в столовую, стало тише. Часы показывали всего лишь восемь, но заснуть не удастся, и я побрела пить кофе.

Ефим Иванович смачно ел мюсли. Его безукоризненные зубы методично, словно жернова, перемалывали орехи, изюм и едва набухший геркулес. Глядя, как я с наслаждением пью горячий кофе, гость радостно отметил:

— Небось запорами мучаешься. Гадостью наливаешься.

Я не успела никак отреагировать на хамство, потому что к завтраку спустилась Галя, и дедок переключился на более достойный объект.

— Дорогая, — запел он сладким голосом, — не желаете сходить развлечься? Все сидите в четырех стенах, разве это хорошо в столь юном возрасте? Давайте отправимся прожигать жизнь, на бега, к примеру. Бывали когда-нибудь?

Женщина испуганно ответила:

— Нет.

Ефим пришел в недоумение.

— Ни разу не играли, не знаете, что такое тотализатор?

Галя отрицательно помотала головой.

— Ну надо же! — восхитился старик.

«И еще она никогда не жульничала в карты, не пила и не выходила девять раз замуж», — едва не сорвалось у меня с языка. Но Ефим Иванович тем временем не унимался.

— Тогда срочно собирайтесь, прямо сейчас поедем на ипподром.

— Зачем? — робко попробовала возразить Галя.

— Новичкам всегда везет, — плотоядно потирая руки, сообщил дедуля, — обязательно выиграешь. Давай, давай, иди одевайся, чего сидишь? Ноябрь на дворе, скоро прикроют малину!

Женщина покорно пошла к двери. Я в задумчивости поглядела на нее. Вот ведь клуша! Чуть кто прикрикнет, и готово, уже слушается. Хотя, может, ей и не вредно сходить развеяться, опять же Миша пусть хоть немного поревнует, ну ущипнет ее Ефим пару раз, не такая уж и беда!

А я поеду пока к таинственной Вере Ивановне и попробую очень осторожно и аккуратно потрясти тетку. Но сначала приму соответственный вид, сменю, как сейчас модно говорить, имидж.

В моем необъятном шкафу хранится масса всяческих нужных и ненужных вещей. Перетряхнув полки, нашла чудный прикид, бог весть как туда попал этот турецкий темно-сиреневый костюмчик, щедро сдобренный люрексом. Кажется, его забыла какая-то очередная гостья, а у меня рука не поднялась выбросить. Годы, проведенные в нищете, все-таки наложили отпечаток. Я влезла в широкую юбку и заколола пояс булавкой. Кофта тоже оказалась чуть великовата, но это даже к лучшему. В лифчик напихала ваты. Природа решила, что мне ни к чему пышный бюст, так что в случае необходимости я запросто могу сойти за мальчика-подростка. Но сегодня нужны пышные формы. Волосы стригу коротко, они у меня светло-русые, а глаза голубые. Поэтому натянула темно-каштановый парик из натуральных волос.

Так, теперь нужно заняться лицом. Нанесу-ка автозагар. Мазать надо неравномерно, тогда получится впечатление натуральной обветренной кожи. Темные тени под глаза, излюбленная народом кровавая помада, голубые веки, кирпичный румянец, угольные брови — да, теперь меня и мать родная не узнала бы. Остался последний штришок. Из крохотной коробочки достаю линзы, и, пожалуйста, из зеркала на меня глядит типичная жительница сельской местности с карими глазами, сделавшая ради визита в город праздничный макияж.

Такой бабе «Вольво» не годится. Поэтому докатила на своем автомобиле до площади трех вокзалов и пристроила его на платной стоянке. До института, где учится Нина, рукой подать, ну в крайности сяду в троллейбус. Но не успела сделать и пятнадцати шагов в сторону, как около притормозило такси. Высунулся паренек жуликоватого вида и осведомился:

— Эй, тетя, «Московский» ищешь? Садись, дешево отвезу.

Я поглядела на стоящее в ста метрах здание универмага и чуть не расхохоталась. Здорово загримировалась, если даже таксист принял за деревенщину и решил обмануть. Но наглецов следует учить, преподаватель во мне неистребим.

— Сделай милость, сыночек, добрось, а то растерялась в вашей Москве проклятой, ишь транспорту сколько.

— Не бойся, — успокоил негодник, — мигом домчу.

И он принялся кружить по переулкам. Время от времени из моей груди вырывался боязливый крик:

— Ой, ой, сыночек, не так шибко, убьемся!

Парень хмыкал и накручивал баранку. Рейс длился минут десять. Наконец такси замерло у входа в универмаг.

— Сто рублей, — велел шофер.

Я подала монетку.

— Ну, бабка, — обалдел парень, — белены объелась, это же рубль!

— Именно столько стоит в Москве проехать несколько метров, которые отделяли место посадки от входа в магазин, — спокойно пояснила я.

— Ты чего?! — обозлился парень. — Катал почти полчаса.

— Не кататься садилась, а до места ехать, впрочем, если желаете, можем позвать милиционера в качестве третейского судьи, — сообщила я, выходя на улицу.

В следующий раз поостережется врать провинциалкам.

По коридорам института шла в самом радужном настроении — люблю, когда день удачно начинается. Как запряжешь, так и поедешь.

В учебной части за столами сидели несколько женщин. Они подняли глаза и обозрели неинтеллигентного вида лицо, потом отметили дешевую китайскую куртку с мехом «норки», грязные дутые сапоги и юбку с люрексом.

— Что хотите? — весьма нелюбезно осведомилась одна.

— Веру Ивановну как найти?

— Это я, — откликнулась дама.

— Здрассти, от Прохора приехала, из Горловки, уж думала, не найду.

— Ах от дедушки! — мигом оживилась Никитина, потом повернулась к коллегам и попросила: — Девочки, пойду гостью чайком угощу.

— Конечно, — хором ответили остальные, разом потерявшие ко мне всякий интерес.

Вера Ивановна завела меня в небольшую комнатку, села за стол и, не включив электрический чайник, резко спросила:

— Так зачем пожаловали?

Деловая дама, сразу быка за рога хватает. Но я тоже не промах и из образа не выйду, потому что это опасно.

— Да вот и не знаю прям, дело-то такое...

— Говорите, — велела Никитина, раскуривая прямо мне в лицо довольно вонючую коричневую сигарку.

Я принялась судорожно кашлять, причем не притворялась — терпеть не могу чужого дыма.

— Ну, быстрей, — поторопила Вера Ивановна, — на работе нахожусь.

— Прохор говорил, документики на дом ищете? Купчую крепость и прочее...

— Знаете, где лежат? — спокойно осведомилась дама.

— Да.

— Настоящие?

— А то, Авдотья сберегла. Отдала дочери, а та мне. Только незадача выходит.

— Какая?

— В бумагах стоит фамилия Корзинкиных, а Трофим-то жил по паспорту Никитина, трудно доказать право владения.

— Ну это не ваша забота, — отрезала инспекторша, — сколько хотите за купчую?

— Дорого.

— Называйте цену.

— А ваша какая? — решила я продемонстрировать крестьянскую хитрость.

— 500 долларов, — невозмутимо сообщила Вера Ивановна.

Я поперхнулась от возмущения.

— Да вы чё?! Меньше 10 тысяч «зеленых» и говорить не стану.

Настал черед возмущаться Никитиной.

— Дорогая! Как у тебя с головой? Откуда я возьму такие деньги? Сама видишь, в институте работаю, 400 рублей получаю. Давай говорить о разумных цифрах, ну тысячу баксов, предположим, наскребу, в долги влезу...

— Ну и хитра, — нагло заявила я, — да ты по этим бумагам можешь и на дом претендовать и на землю, золотое дно просто. Нет уж, готовь как минимум восемь.

— Господи, видела усадьбу? Развалины! И участок давно заброшен, культивировать никаких средств не хватит. Просто так хотим ведь, в собственность оформить, ради памяти предков. Жить там никто не будет, нам ее и не отремонтировать, да и содержать не по карману.

Я покачала головой.

— Ну как хочешь, мое слово крепкое, семь тысяч — последняя цена, и времени на раздумья до вечера. Не хочешь платить — не надо. Другим наследникам продам, а вы уже потом в своей семье решайте, как делиться!

Вера Ивановна просто подскочила на стуле.

— Чего несешь? Какие такие наследники? Только я да сын и остались.

— Ну прям, — усмехнулась я, — брат Трофима, Николай, за границу бежал, выжил, там целая ветвь Корзинкиных. Между прочим, и Прохор, и Авдотья с ними переписывались, и адресок мне дали. Черкану пару строк, небось не забыли родной язык — откликнутся.

У Никитиной слегка порозовело лицо, и она твердо заявила:

— Две тысячи, и точка. А там, если хочешь, пиши, но знаю точно, что Корзинкиных в Париже не осталось, одна жена Василия, но она француженка. Отсудить дом ничего не стоит, даже при условии, если у нее на руках будет купчая. И потом, это еще вопрос, настоящий ли Корзинкин Николай. Между нами, матушка-то его еще та пройда была. Трофим перед смертью рассказал.

— Да ну, врешь? — изобразила я удивление.

— А ты послушай, — забыла про работу Вера, — сразу поймешь, что дело нужно только с нами иметь!

Я уселась поудобней и разинула рот.

Трофим прожил много лет, очевидно, Корзинкиным господь отсыпал богатырское здоровье. Во всяком случае, мужчина практически ничем не болел и слег только в 102 года, сломав ногу. Похоронил и сына, и сноху. На смертном одре решил исповедаться внукам — Алексею с Верой. Вот тогда-то они и узнали, что принадлежат к древнему роду, а под Москвой преспокойненько стоит «их» усадьба.

— Никому, детки, не говорите, — наставлял проживший всю жизнь в страхе мужик, — власть переменится, опять сажать начнут! Пользуйтесь фамилией Никитиных, ничем я ее не опозорил. Только имейте в виду, сдается, у дочери Евлампии все бумаги целы, и паспорт мой настоящий, и купчая на дом и землю, съездили бы потихоньку, поинтересовались, да и забрали.

Чтобы Авдотья признала господских внуков, дед снял с груди тяжелый золотой крест на витой цепочке.

— Покажите бабе, сомненья и отпадут.

Еще он припомнил Николая.

— Вор брат мой и негодяй, — плевался умирающий, — увез с собой все отцовское богатство и ни разу не написал, не поинтересовался. Хотя какой он родственник, приблудыш. Маменька согрешила, родила невесть от кого, крови Корзинкиных в нем ни капли, хоть отец и признал выблядка. Так что помните, одни вы наследники по праву, вам и владеть домом.

Алексей с Верой похоронили дедушку и поехали в Горловку. Здесь их ждало горькое разочарование. Усадьбу превратили в детский сад, а Авдотья давным-давно умерла. Правда, Прохор признал детей, долго разглядывал их и сказал:

— Трофимова кровь, что глаза, что волосы, издалека видать — Корзинкины.

Но бумаг не нашлось. То ли умиравший дедушка напутал, то ли Авдотья скончалась, не выдав секрета.

— Понимаете теперь, что владеете нашей собственностью, — втолковывала мне Вера Ивановна, — да еще хотите за нее бешеные тысячи, фу, как некрасиво.

Я забормотала:

— Так кто ж знал-то, Авдотья уверяла — есть два наследника. Трофим и Николай. Ладно, так и быть, за три тысячи верну.

— Чудесно, — обрадовалась дама, прекратив торг, — завтра вечером подъезжайте ко мне. Пишите адрес.

— Чего завтра-то? — буркнула я. — Думала, сейчас покончим с этим делом.

— Ну, милая, — улыбнулась Вера, — кто же такие деньги с собой таскает, да и документы, наверное, спрятаны?

Я поднесла руку к груди, пощупала комья ваты и сообщила:

— В самом надежном месте.

— А где остановились? — поинтересовалась «помещица».

— Тебе какая печаль? Чай, не на вокзале сплю, — схамила я, — прощевай покеда, а к завтрему деньги готовь, принесу нужное.

«Вольво» не хотел отпираться. Я довольно долго ковыряла ключом в замке, проклиная ноябрьский холод и безостановочно падающий снег. Наконец дверца поддалась. Только я собралась сесть в машину, как за спиной раздался грозный голос:

— Ты что здесь делаешь?

Пожилой, похожий на хомяка милиционер грозно глядел из-под шапки-ушанки.

— Как что? — удивилась я. — Ехать собираюсь.

— Думаешь, поверю, что это твоя тачка? —

хмыкнул мент. — Да тебе всю жизнь на одно ее колесо работать.

Я вытащила права и техпаспорт.

— Ну и где эта Дарья Ивановна? — не отставал бдительный стражник.

Вздохнув, вынула из бардачка бутылку минеральной воды, намочила носовой платок и принялась тереть лицо. Черные брови, помада, румянец и тени остались на бумаге. Потом сняла парик и цветные линзы. У мента отвисла челюсть.

— Вопросы будут?

— Отчего вы так краситесь? — не выдержал патрульный. — Честно говоря, думал, что бомжа машину обокрасть хочет!

Отдав десять долларов за бдительность, я поехала в Ложкино. Все-таки схожу завтра к Вере Ивановне домой, посмотрю там, что к чему, а потом заартачусь, начну набивать цену...

В столовой мирно обедали Миша и Галя.

— Не поехала на ипподром?

— Уже вернулась, — коротко ответила женщина.

Мы в молчании съели суп и второе, тут вошел Кеша.

— Говорю же, — твердил он в телефонную трубку, — таких дураков еще не встречал. Вашему сыну дали только два года потому, что судья и народные заседатели чуть не скончались со смеху. Пойдете на свидание, объясните ребенку, что вооруженный грабеж — совсем не его дело, лучше пусть выберет другой род занятий.

И он сердито хлопнул крышкой мобильника.

298 .... Дарья Донцова

— Что случилось? — поинтересовалась я.

Некий Иванов, 19 лет от роду, решил ограбить кассу в дорогом бутике. Подготовился тщательно, приобрел устрашающего вида макет пистолета, а на голову натянул черный чулок. Дальше как в кино. Вошел, крикнул посетителям:

— Всем лечь лицом вниз, — и отправился набивать пакет купюрами.

Но тут одна из покупательниц, весьма пожилая дама, громко спросила у него:

— Сынок, который час?

Позднее ее дочь, взявшая некстати маму в магазин, рассказывала, что перепугалась до полусмерти. Родительница давно живет в собственном мире и абсолютно не ориентируется в действительности. Но грабитель повел себя более чем неожиданно. Он посмотрел на наручные часы, потом понял, что через чулок ему никак не разглядеть цифры на циферблате, и стащил маску.

— Без пятнадцати два, бабуля, — последовал ответ, и маска была вновь водворена на лицо.

Но именно этих секунд хватило видеокамере, чтобы запечатлеть на пленке физиономию новоявленного Аль Капоне.

Нашли дурака через несколько часов. Показали кадр по московскому телевидению, и телефон раскалился от звонков соседей.

Бедный Кешка, в руки которого попало дурацкое дело, выглядел на процессе более чем глупо. Судья, откровенно ухмыляясь, спросила у адвоката:

— Значит, считаете, что подобное поведение подсудимого свидетельствует о его хорошем воспитании и отсутствии преступного замысла?

— Ваша честь, — завел Аркашка.

— Не надо, — отмахнулась служительница Фемиды и, уже не скрывая смеха, быстренько добавила: — Суд удаляется на совещание.

Итог был таков: идиот получил меньше возможного, всего два года и, вероятно, в ближайшие месяцы попадет под амнистию.

— Чем же ты недоволен? — удивилась я. — Хотел добиться оправдательного приговора? Но ведь такое невозможно.

— Да знаю я, — пробормотал сын, — просто этому клоуну и адвокат-то не нужен, и так бы ерунду получил, даже конвойные чуть от хохота не попадали. Это как? Им ведь вообще нельзя ни на что реагировать.

Я вздохнула и, оставив всех спокойно есть мясо, пошла в спальню. Неожиданно совершенно невероятно заболела голова. Иногда со мной приключается страшно неприятная штука под названием мигрень. Объяснить, что это такое, невозможно. Вообще трудно описать другому свою болячку, на моей памяти подобное удалось лишь первому мужу — Костику. У бедняги случился геморрой, и он без конца охал. Я, как могла, пыталась облегчить страдания. Но супруг только жалобно стонал.

— Ну объясни, — пристала я к нему, — что чувствуешь, может, тогда лучше сумею тебе помочь!

Муженек прекратил охать и спросил:

— У тебя зубы когда-нибудь болели?

— Конечно, — удивилась я.

— Ну так представь, что в заднице полно клыков, и все как один с пульпитом!

Ну не могу я подобрать достойного сравнения, чтобы описать мигрень!

Взяв две таблетки баралгина и запив их стаканом аспирина «Упса», я рухнула в кровать. Уже лежа на подушке, сунула в рот таблетку радедорма. Сейчас засну... Горячая палка, торчавшая в левом глазу, стала потихоньку исчезать, тошнота уже не подступала к горлу. Веки отяжелели, руки и ноги придавила неведомая сила.

— Дарья, — раздалось над самым ухом, — ты чего, дрыхнуть легла? День еще, семи не пробило! Вставай!

Я села. Горячая палка вновь прошила голову, и желудок начал судорожно сжиматься. Перед глазами возникло лицо Ефима.

— Что надо? — простонала я.

— Да тут вот дело такое... Словом, будь другом, одолжи немного.

— Проигрались?

— Все эта дура виновата!

— Кто? — спросила я, разыскивая кошелек.

— Галя, вот уж недотепа так недотепа, не видал таких.

— Что случилось?

Ефим хмыкнул и плюхнулся в уличных брюках прямо на чистое постельное белье. Видно было, что старика обуревает злость.

Они с Галей доехали до Беговой, и Ефим Иванович, как все игроки верящий в приметы, предложил даме самой выбирать лошадь. Надеялся, что новичку повезет. Верещагина остановилась на резвом жеребце по кличке Пикадор. Старик только вздохнул. Получить что-то с подобной ставки трудно. Пикадор — признанный фаворит, и три четверти публики поставили на него. А чем больше народа, тем меньше выигрыш, но делать нечего, по законам бегов, желание новичка исполняется.

Старик галантно сходил в кассу и внес не только Галину ставку, но и свою собственную тысячу, намереваясь сгрести через несколько минут примерно на триста рублей больше, потом вернулся на трибуну.

Сначала кони неслись гурьбой, потом Пикадор вырвался вперед и стрелой полетел к финишу. Стадион загудел. Чуда не происходило, скачку выигрывал лидер. Ефим опустил бинокль, поджидая удара колокола. Внезапно по ипподрому пронесся сдавленный вздох. Буквально за несколько метров до финишной черты фаворит запнулся и упал. Бегущие следом не успели притормозить, возникла куча мала, настоящая мешанина из конских тел, жокеев и бричек. В результате победу одержал дряхлый Гиацинт, никем не воспринимаемый всерьез. И конь, и наездник казались страшно удивленными, но спорт есть спорт, и единственный зритель, не побоявшийся поставить на доходягу Гиацинта, огреб сказочный барыш. Ефимова тысяча исчезла без следа.

— А все эта чертова баба, — злопыхал дед, — никогда таких невезучих не встречал. Железно известно: хочешь выиграть — ищи новичка и ставь вместе с ним. Никогда не подводило, а тут! Пикадор упал! Люди второго такого случая и припомнить не могут. Как хочешь, конечно, но я на твоем месте эту девку гнал бы из дома. От неудачников надо избавляться. Несчастья приманивают, попомни мои слова. Что-нибудь да случится: наводнение, смерч или что-нибудь подобное... Гони ее вон.

Желая побыстрей заснуть, я сунула Ефиму Ивановичу сто долларов и кулем рухнула в постель. Но не успели мои глазки вновь сомкнуться, как снизу раздался истошный вопль:

— Пожар, горим, спасите!

Прямо в пижаме я ринулась в гостиную. Комната полна дыма и дурно пахнущей белой пены. На окне совершенно обуглившиеся занавески. Рядом Аркашка с огнетушителем в руках, отчаянно вопящая Галя и подпрыгивающая Маня. Следом за мной в гостиную влетела Зайка, сжимая в руках кувшин с водой.

— Боже! — закатил глаза Кеша. — «Не стая воронов слеталась!» Ну подумаешь, занавеска вспыхнула, уже потушили.

Галя продолжала истерически рыдать, со второго этажа донесся голос Серафимы Ивановны, няни близнецов:

— Детей эвакуировать?

— Нет, — крикнула Зайка, — все кончилось.

— Пожар, — почему-то снова завопила Галя, — горим, сейчас погибнем.

— Успокойся, — сказала я, беря гостью за руку, — видишь, занавесок больше нет, а все остальное в порядке.

Женщина стала судорожно оглядываться по сторонам, потом закатила глаза и хлопнулась оземь. Но на этот раз обошлись без «Скорой помощи», просто расстегнули ее тугую грацию. Бедолага открыла веки и тихонько пробормотала:

— Простите великодушно, в детстве оказалась

одна в горящей квартире и с тех пор панически боюсь огня, просто разум теряю.

— Это заметно, — буркнул Кеша, — в следующий раз не прикуривай возле занавесок. А то вытащила зажигалку, пламя в полметра, хорошо еще, что я рядом стоял.

Галя курит? Вот это новость.

— И зачем корсет затянула? — спросила Ольга. — Ясно объяснили, что нельзя. Свалишься на улице, кто поможет?

— Галя тут? — раздался вежливый голос, и Миша вступил в комнату.

В руках он держал кипу исписанных листочков и калькулятор. Верещагина быстренько приподнялась, запахивая платье.

— Галочка, — обрадовался профессор, — погляди, никак не выходит.

Кешка с Зайкой одновременно вздохнули, Маня многозначительно покрутила пальцем у виска.

Да, зря Галя ради Миши затягивается до обморочного состояния. Мужик просто не способен ничего заметить. Вошел в комнату, где сгорели занавески, в воздухе клубы дыма, повсюду белые лужи, и, не обратив ни на что внимания, преспокойненько сел работать. Интересно, как он в обыденной жизни находит дорогу от службы до дома? Хотя, наверное, его провожают аспиранты.

Глава двадцать третья

Вера Ивановна проживала в самом обычном доме. Блочная пятиэтажка с выбитыми стеклами на лестничной клетке, двадцатипятиваттовыми лампочками на этажах и ободранными дверями квартир. Изо всех щелей немилосердно дуло. Страшная китайская куртка, хоть и выглядела на первый взгляд теплой, на самом деле совершенно не грела, и я основательно замерзла, добираясь до нужного места. «Вольво» пришлось бросить на соседней улице, а вместе с ним теплый норковый полушубок, ботиночки на меху и лайковые перчатки. Взамен нацепила «дутые» сапожки и вязаные корейские варежки из синтетики.

За дверью квартиры № 49 стояла тишина. Странно, договорились о встрече в пять часов. Часы «Картье» преспокойненько лежат в бардачке, может, сейчас без десяти? Есть у меня такой грешок — прийти пораньше. Я позвонила еще несколько раз, но в ответ ни звука. Пристроившись на подоконнике, решила подождать. Время словно замерло на месте, и пачка «Голуаз», конечно же, спрятана в машине. Подъезд будто вымер. Не кричали дети, не лаяли собаки, так тихо бывает в Париже, но не в Москве.

Наконец внизу послышались шаркающие звуки, и неопределенного возраста женщина с трудом потащилась по лестнице.

— Простите, — остановила я ее, — который час?

Тетка устало поставила сумищи и ответила:

— Без двух шесть.

Ничего себе, договаривались-то на пять. Ну нет, больше ждать не стану. Наведаюсь потом к необязательной даме в другом виде и под другим предлогом.

На улице было уже совсем темно. Угораздило

же родиться в стране, где восемь месяцев зима! Дома стояли тихие и мрачные. На детской площадке поскрипывали качели. На них сидел парень, по виду лет двадцати, лица не различить, но короткая куртка-дубленка и отсутствие шапки свидетельствуют о принадлежности к подрастающему поколению.

Я прибавила шаг, вокруг никого. Скрип оборвался, отчего-то стало жутко. Так внезапно затихает музыка в кинофильмах. Потом, как правило, следует появление инопланетян или невероятных чудовищ. Сзади послышалось сопение, ноги сами перешли на легкий бег, но тут мое тело вдруг наткнулось на какую-то преграду, и голова инстинктивно повернулась назад, и перед глазами на несколько секунд появилось безумно знакомое, можно сказать, родное лицо.

— Ба... — начала я говорить, ощущая, как отступает невероятный, предсмертный ужас. — Ба...

Но свет разом померк и наступила ночь.

— Пьяная небось, — донеслось из темноты.

— Не, — ответил другой голос, — вроде не пахнет, может, наркотиками обкололась.

— Замерзнет, жаль!

— Ну и хрен с ней, всех не пожалеешь.

Я распахнула глаза и увидела две не слишком ясные тени. Через пару секунд поняла, что лежу в углу чужого двора, между мусорными бачками, а рядом стоят две простого вида тетки, решившие наплевать на приметы и вынести помои поближе к ночи.

— Вам плохо? — осведомилась одна, на всякий случай отодвигаясь.

Я кое-как села и потрясла головой. Куртка

расстегнута, кофта тоже, вокруг валяются распотрошенные куски ваты, но юбка в целости и сохранности, булавка, придерживающая пояс, не тронута, колготки на месте. Если стала жертвой насильника, то очень странного, этакого любителя подготовительного процесса. Налетел, оглушил, залез под кофту, вытащил вату при помощи которой я весьма ловко изобразила формы Памелы Андерсон, раскидал белые хлопья и... ушел. Хотя на голове вроде бы ни шишек, ни ран.

— Вам помочь? — сурово спросила другая тетка.

— Сердце прихватило, — пробормотала я, пытаясь подняться на разъезжающихся ногах, — шла, шла и упала.

Бабы моментально сменили тон.

— Господи, — запричитали они, поднимая меня с ледяной земли, — хорошо, что мы на помойку отправились, а то так ведь и помереть недолго.

Одна из добрых самаритянок затащила меня к себе в квартиру. Небольшая «богато» обставленная комната говорила об устойчивом достатке хозяев. Полированная «стенка» с «золотой» фурнитурой забита хрусталем. Один ковер лежит на полу, другой, получше качеством, гордо висит на стене, огромный телевизор, видик с кучей кассет, несколько картин в резных рамах, телефон, стилизованный под старину, а на диване дремлют три кошки: персидская, ангорская и самая обычная, короткошерстная, тигрового окраса.

Хозяйка впихнула меня в ванную. Я оглядела забитую шампунями и кремами полочку. Нигде не видно геля для бритья, а станок с лезвиями —

женский «Жилетт» нежно-зеленого цвета. Скорей всего живет без мужа, но с ребенком. Вон здесь сколько пластмассовых бутылочек в виде Микки Мауса, Гуффи и Винни-Пуха.

— Чай или кофе? — крикнула хозяйка.

— Кофе, если можно, — отозвалась я, умываясь.

Кухня оказалась большой и красиво оформленной, кофе, хоть и растворимый, дорогим и довольно приятным. Интересно, кем работает женщина, если позволяет себе кофе «Карт нуар», сигареты «Парламент» и ликер «Бейлис»?

Хозяйка тем временем глянула на мое чисто вымытое лицо и ахнула:

— Зачем так по-уродски краситесь? Честно говоря, сначала подумала, что вам лет пятьдесят, а сейчас вижу, что мы одногодки.

Ну, это явный комплимент, потому что сидящей передо мной женщине не более тридцати.

— Спасибо, — с чувством произнесла я, — если бы не вы, могла замерзнуть.

— Запросто, — улыбнулась моя спасительница и добавила: — Меня зовут Лена. Вообще-то вас сначала Зина заметила, но подойти побоялась. В гости шли, да?

Я поглядела на ее простое, бесхитростное лицо, вроде бы с ней можно поговорить. Краем глаза увидела на подоконнике довольно потрепанный загранпаспорт. Понятно, скорей всего занимается челночным бизнесом и тянет в одиночку ребенка.

— Вот, приехала к родственнице из другого города, договорились в пять часов встретиться.

Звонила, звонила, а Веры Ивановны нет, спустилась вниз...

— Никитиной, что ли? — усмехнулась Лена. — Небось телеграмму дали о приезде?

— Да.

— Кто она вам?

— Ох, трудно объяснить. Дружили наши мамы, они троюродные сестры, а я Веру Ивановну только один раз в жизни и видела, вот надумала в столицу съездить, гостиницы дорогие...

Лена рассмеялась.

— Вера Ивановна небось дома сидит, а дверь специально не открывала, езжайте лучше на ВДНХ, там есть Дом колхозника, вроде отеля, но удобств никаких, комнаты на двенадцать человек, зато стоит копейки.

— Не могла она со мной так поступить.

— Запросто. Верка еще не то выделывала!

Закурив «Парламент», Лена принялась сплетничать, самозабвенно вываливая мне всю известную о неприятной соседке информацию.

Живут в одном доме давно, вместе въезжали, только у Никитиной тогда была обычная трехкомнатная квартира, а обитали в ней двое — сама Вера и сын Тимофей.

— Раньше соседкам врала, — усмехнулась Лена, — что муж погиб на Северном полюсе, ну не смешно ли? Вроде не в средние века живем, я вот и не скрываю — тащу дочку одна-одинешенька, по Китаю мотаюсь, ищу, где подешевле купить, а эта — Северный полюс, умора. А как разбогатела!

В голосе Лены слышалась самая настоящая досада. Еще не так давно Вера Никитина ходила зимой и летом в одном задрипанном платьишке и прямо из теплых сапог влезала в белые босоножки. С работы ездила на троллейбусе и потом, охая, тащила от остановки авоськи, из которых бесстыдно высовывались наружу хвосты минтая.

Был у нее брат, плюгавенький мужичонка в индийских джинсах и дешевеньких ботиночках из кожзама. Но сестру, очевидно, любил, потому что приезжал часто, да не с пустыми руками: то торт тащил, то фрукты...

Потом, в начале 90-х, ситуация разительно переменилась. Вера неожиданно купила двухкомнатную квартиру соседа по лестничной клетке и закатила грандиозный ремонт со сменой всего возможного и сносом стен. Сделала даже сауну. Следом появилась качественная одежда, новенькие «Жигули», а сын Тимофей отправился учиться в МГУ, на суперпрестижный юридический факультет.

Кардинальным образом изменился и брат. Вылезал теперь из роскошной иномарки и вытаскивал из багажника коробки с дорогущими бутылками и пирожными.

— Вон скольких людей обманула! — вздохнула Лена.

— Почему обманула?

— Так дерет ведь гигантские суммы за поступление в институт, — пояснила Лена. — К ней Фаина Михайловна обращалась.

У соседки с пятого этажа, парикмахерши Фаины, подрастало чадушко. Боясь армейской службы, мамаша обратилась к Вере. Мол, помоги по-соседски, пристрой к себе недоросля.

Никитина, однако, заявила:

— Подобные дела даром не проворачиваются. Придется дать кое-кому деньжонок. Общая сумма — три тысячи баксов.

Парикмахерша ойкнула, она надеялась пристроить ребенка задарма, но не тут-то было. Вера Ивановна пояснила:

— Платное отделение стоит две тысячи в год, умножь на пять, сколько получишь? А так всего-навсего за три пристроишь в бесплатную группу. И потом денежки отдаешь только в случае поступления, а не вперед.

Фаина понатужилась, наскребла нужную сумму. Сынок был благополучно зачислен на первый курс. Спустя два года он выяснил в случайном разговоре, что просто он сам отлично сдал вступительные экзамены. Вера говорила парикмахерше, будто подправляла сочинение, и даже брала авторучку мальчишки, но на самом деле работа изначально была написана на твердую пятерку.

Милый, весьма распространенный среди нечистоплотных вузовских преподавателей вид мошенничества. Сдаст абитуриент хорошо экзамены — берут мзду. Провалится — так тому и быть. Никто, естественно, в приемную комиссию не ходит и ни о чем не просит.

Фаина, узнав неприглядную правду, прекратила здороваться с предприимчивой соседкой, но той как с гуся вода.

— Парень ее без конца в Париж ездит, — вздыхала Лена, — дела какие-то проворачивает. Ничего против не имею, сама то в Пекин, то в Харбин катаюсь. Только назад короба тащу неподъемные, багажа по сто кило, а этот с педерасточкой туда, с пакетиком оттуда. Что за бизнес? Вот бы научиться. И невесту ему мать подыскала — Ниночку. Из богатых, да и отец при чинах. Приезжал он тут с будущей сватьей знакомиться. Машина роскошная. Сам прям жених, военная форма... Верка аж во двор выскочила: «Ах, ах, Феликс, пойдемте в дом!» У меня отца так звали, вот и запомнила, Сами понимаете, гости из провинции такой ни к чему! А вы зря проходным двором пошли, в Москве сейчас уголовников полно. Скажите спасибо, что не убили. Небось сумка с собой была, и кофточку расстегнули, деньги искали...

«Нет, милая Леночка, — подумала я, усаживаясь в «Вольво». — Искать-то искали, но не кошелек. Вера Ивановна решила поступить просто. Чем платить глупой бабе деньги, лучше отнять бумаги силой. Поэтому и дома никого не было, а грабитель преспокойно поджидал жертву во дворе. Наверное, бросил мне на лицо тряпку с эфиром, потому что, похоже, не били. Вот только одно непонятно, перед тем как окончательно потерять сознание, я увидела лицо нападавшего, более того, великолепно узнала мужика. И сейчас приходится констатировать, что разбоем занимался Базиль Корзинкин. Неужели приятель совсем сошел с ума? Видела его физиономию в упор, правда, ощущалась в ней какая-то странность. Значит, скорей всего Корзинкин живет дома у Веры Никитиной. Нет, совершенно необходимо попасть к бабе в гости. Но как?»

Прокрутившись полночи в постели, придумала поистине гениальный план и начала осуществлять его с утра пораньше. Правда, мне пытался

312 .... Дарья Донцова

помешать Александр Михайлович. Позвонил в десять утра и грозно велел:

— Немедленно приезжай, допрашивать буду.

— Почему?

— По кочану, — ласково ответил Дегтярев. — У кого в багажнике Никитина нашли? Вот и давай сюда. И вообще, где целыми днями носишься? Дома нет, а мобильный молчит.

Я поглядела на свой «Эрикссон». Опять забыла поменять батарейку.

— Можно после обеда?

— Нельзя.

— Но я еще не одета!

— Полчаса хватит?

— А покраситься, причесаться, позавтракать?

— Принять ванну и выпить шампанское, — съязвил полковник, — в полдень жду, захвати склерозник.

— Зачем?

Но в трубке уже противно пищало. Ладно, так и быть, сначала к Александру Михайловичу, потом к Никитиной. Но оденусь сразу как для визита к Вере — дорого и слегка вызывающе. Вот этот брючный костюмчик от «Лагерфельда» подойдет. В ушки тяжелые серьги с сапфирами, подарок Кеши на Рождество; шею обмотаем парочкой золотых цепочек; на запястья по браслету и часы. Макияж скромный, глаза голубые, зато духов побольше. Любимые «Коко» от «Шанель» сюда не идут. Вот «Дольче вита» от «Диора» в самый раз.

Искрясь и переливаясь, словно новогодняя елка, я побежала выпить кофе.

— Парадный выход императрицы, — откомментировала ехидная Зайка. — Куда отправишься с утра в таком невозможно красивом виде?

— К Маше в колледж, обещала посетить родительское собрание.

Ольга примолкла. Манюня учится в дорогом заведении, педагоги первоклассные, знания девочка получает отменные. Но коллектив, естественно, понимает, что родители у учеников не бедные. Две тысячи долларов в месяц мало кому по карману. Богатство приходит разными путями. В Маруськином классе семь человек. Определили мы ее туда, когда приехали из Парижа, и на самое первое родительское собрание я явилась в джинсах и простенькой курточке. Остальные мамаши щеголяли, несмотря на теплый октябрь, в собольих шубах до пят, сверкая золотыми цепями толщиной с ошейник Банди. Естественно, мне никто не сказал ни слова. Накануне Нового года решила проявить инициативу и позвонила председательнице родительского комитета, чтобы спросить, не следует ли собрать деньги на подарки преподавателям. Женщина слегка замялась, потом пробормотала:

— Всегда покупаем презенты, только не волнуйтесь, за вас уже сдали.

— Кто? — искренне изумилась я.

— Да так, — продолжала мямлить родительница, — нам не трудно, а вам накладно. Уж извините, но видим, как одеваетесь, и понимаем, что во всем себе отказываете, лишь бы девочку в хорошей школе учить!

Я заверила председательницу, что с финансами в семье полный порядок, и теперь хожу в колледж, как супруга магараджи — вся в золоте и каменьях. К слову сказать, дети одеты просто, и лишь наметанный глаз оценит истинную стоимость непрезентабельных джинсов «Труссарди» и «родных» кроссовок «Адидас».

Зайка тщательно обмазывала ломтик хрустящего хлебца тонким слоем масла. Бедолага постоянно сидит на диете, дотошно высчитывая содержание жиров, белков и углеводов в каждом откушенном куске. Масла ей полагается в день пять грамм. И сейчас Ольга решала сложную задачу — намазать всю норму на тостик или все же сдобрить маслом ужин? Наконец приняла решение и принялась возюкать ножиком по хлебу. Ефим, наблюдавший за процедурой, хмыкнул:

— Возьми нормальный кусок. Экономите, что ли?

— Я на диете, — спокойно пояснила Зайка, — жирного нельзя, сладкого, острого...

— Больная, значит, — протянул старик. — Какая молодежь гнилая пошла, я в твоем возрасте гвозди мог съесть, и ничего. То-то смотрю, тощая, вроде мумии, и уши торчат

— Я не лопоухая, — возмутилась Ольга, не отреагировав на сравнение с мумией.

— Да не те уши, здесь, гляди, — сообщил Ефим, показывая на тазобедренные суставы, — вот они, как ручки у вазы.

Ольга удовлетворенно провела рукой по выпирающим костям и облегченно вздохнула. Она была совершенно счастлива. Старик нахмурился, наверное, понял, что вышесказанное воспринималось невесткой как комплимент. А он получает удовольствие, только когда говорит гадости.

— Впрочем, — быстро нашелся старик, — не

расстраивайся, Вот ляжки у тебя очень даже ничего, как окорочка, жирненькие.

Зайка с подозрением покосилась на Ефима, но тостик отложила в сторону. Во взгляде гостя промелькнуло удовлетворение, и он принялся со спокойной душой прихлебывать крепкий кофе. Ну надо же! Всю жизнь курит, пьет, таскается по бабам, просиживает ночи напролет за картами, днем носится по ипподрому, и глядите — дожил почти до ста лет, в полном разуме, никаких признаков маразма или склероза. Да и не болеет никогда...

— Ефим Иванович, — не удержалась я, — вы витамины пьете?

— Только «це», — ответил он.

— Какой? — удивилась я.

— Ну тот, что в яйце, сальце, винце, да еще бабца можно прибавить, — и он захохотал, обнажая идеальные протезы. Белые, ровные клыки. Впрочем, на одном, в самой глубине, тускло сверкнула коронка. Нет, обман зрения. Не может быть, чтобы и зубы сохранил. Так не бывает. Я машинально нащупала языком слегка качающийся штифт и вздохнула. Что может быть хуже визита к стоматологу?

Но через два часа получила ответ на этот вопрос. Хуже только официальная беседа с Александром Михайловичем.

— Здравствуй, садись к столу, — сообщил полковник и принялся долго и нудно заполнять разнообразные листочки. Потом резко спросил: — Где находилась второго ноября, что делала, с кем встречалась? Опиши поминутно.

Я так и подскочила.

— Ну ты даешь, почти месяц прошел, да я не помню, где вчера ездила.

— Склерозник с тобой?

Пару лет тому назад я поняла, что катастрофически все забываю. Первый звонок прозвенел 29 сентября. Явилась домой около одиннадцати вечера и обнаружила в гостиной кучу народа, огромный торт, шампанское...

— По какому поводу веселье? — спросила я у оживленной Зайки.

Та секунду глядела на свекровь, хлопая глазами, потом со вздохом ответила:

— У моего мужа день рождения.

Я осмыслила информацию, но все же переспросила:

— У Кешки?

— Ну да, — ехидно протянула Ольга, — моего супруга зовут Аркадий, а имечко евойной маменьки Дашутка. Хочешь познакомлю?

Пришлось в спешном порядке мчаться ночью в дежурный супермаркет и покупать отвратительный набор — два бокала и бутылка псевдофранцузского коньяка.

Решив в следующий раз быть внимательной, я 13 октября в девять утра влетела в Зайкину спальню, сжимая в руке антикварную вещицу — фарфоровую фигурку бульдога. Ничего не понимающая невестка уставилась на подношение.

— Это мне? — удивилась Ольга. — Очень мило...

Обратить бы внимание на ее изумленный тон и задуматься... Но нет, я с ходу выпалила:

— С днем рождения, дорогая, хотела тебя первой поздравить.

— Ты преуспела, — ответила, зевая, Зайка, — опередила всех ровно на месяц, потому что я родилась 13 ноября.

Затем спутала день отлета в Париж, явилась в Шереметьево 29 декабря и вытащила из сумочки билет на 28-е. Словом, следовало принимать экстренные меры. Гадкие дети наперебой давали ехидные советы.

— Завязывай узелок, — велел Кешка.

— Ага, — засмеялась Ольга, — прикинь картину. Вечер, в полумраке у камина сидит Дарья и перебирает веревку с узлами, пытаясь вспомнить, зачем она их тут навертела!

— Тогда пусть, как Оксана, ставит на руке крестик, — предложила Маня.

— И превратится в татуированного уголовника, — вновь осталась недовольна Ольга.

Присутствующий при разговоре Александр Михайлович рассмеялся:

— Подарим ей ежедневник, сам туда все записываю, память стала никуда.

Я с благодарностью взглянула на приятеля и к вечеру получила от детей красивую толстенькую книжечку в кожаном переплете. Это и впрямь оказалось крайне удобно. Только нужно в нее регулярно заглядывать, но про то, что Машин день рождения 6 сентября, я уже не забыла, да и Кешке купила подарок заранее.

Полковник взял склерозник, полистал и спросил:

— Вот записано: 2 ноября — купить занавески.

— А, — радостно вскрикнула я, — точно, Зайка велела обновить гардины, и пришлось почти весь день мотаться по магазинам.

— Где была?

Я призадумалась.

— Дом ткани на Ленинском проспекте, ГУМ, ЦУМ, фирменный магазин «Драпировка» на Прямикова.

— Все?

— Вроде на Прямикова очень устала, там километры тканей, в глазах зарябило. Гуляла, гуляла по залам, но ничего не нашла и домой порулила. Бестолковый день вышел, глупый и пустой...

— Не купила?

— Нет, придется опять ехать, да еще вчера Галя ухитрилась поджечь занавески, Зайка просто вне себя была сегодня, приказала хоть какие-нибудь привезти. Вот от тебя и отправлюсь.

— Ну-ну, — процедил полковник и принялся задавать другие дурацкие вопросы, а под конец спросил совершеннейшую глупость:

— У тебя ведь вишневый автомобиль «Вольво»? Такой темноватый цвет с отливом?

— Можно подумать, никогда на нем не катался, — огрызнулась я.

— А сиденья цвета кофе с молоком?

— Да, очень маркие, в салоне даже слегка цену сбавили — никто не хотел покупать.

— А ты приобрела? И моешь теперь каждый день?

— Нет, конечно, натянула черные чехлы, и порядок.

— Номер автомобиля?

— Слушай, прекрати, — взорвалась я, — сам превосходно знаешь!

— Это официальный допрос, — отрезал полковник, — изволь отвечать, а то напишу — «отказывается давать показания» и задержу на семь суток.

— Не имеешь права, только до выяснения личности, а паспорт вот, в сумочке лежит!

— Было бы желание арестовать, а повод найдется, дай сюда. — И он выхватил бордовую книжечку.

Несколько секунд стояла тишина, потом раздался удовлетворенный голос:

— Ага, ну так и знал — под фотографией нет личной подписи, и паспорт недействителен.

— Ты чего! — заорала я.

— Того, — передразнил полковник, — нарушение нашел, непорядочек в документах, так какой номер у принадлежащего вам «Вольво», гражданочка?

— 625 ке, — машинально сообщила я и окончательно обозлилась. Задурил мне голову и добился, чего хотел. Следующий час прошел примерно так же. Наконец, сжимая в кулаке пропуск, я вылетела на улицу, где бушевала ноябрьская непогода, и утерла пот. Интересно, если Александр Михайлович ухитряется довести почти до обморока ни в чем не повинного свидетеля, то как же приходится настоящим преступникам?

Покурив и слегка успокоившись, я двинулась в институт. Та же учебная часть, те же женщины за столами, но реакция совершенно другая. При виде хорошо одетой дамы инспекторши заулыбались и приветливо, чуть ли не хором, поинтересовались:

— Вам помочь?

Но я подошла к Никитиной и довольно бесцеремонно, как, впрочем, и ожидается от богатой мадам, спросила:

— Верочка? Таня очень подробно вас описала.

Начальница учебной части на секунду призадумалась, потом лицо ее разгладилось, и она радостно ответила:

— Танечка Корнилова?

— Она самая, — подтвердила я, тоже излучая счастье, — именно Корнилова.

Давно знаю, хотите прикинуться посланцем кого-то из знакомых, называйте имя Таня, обязательно «припомнят».

— Чудесно, — щебетала Вера Ивановна, — пойдем потолкуем спокойненько.

Меня вновь завели в комнатушку с чайником, но на этот раз из шкафа была извлечена баночка отвратительного индийского кофе и несъедобный польский кекс «Киви».

— Как там Танюша? — осведомилась Никитина.

— Прекрасно, — решила я не распространяться на опасную тему, — как всегда, вот обещала, что вы мне поможете.

— Слушаю, — посерьезнела женщина.

Я принялась вдохновенно врать. Слава богу, не испытываем с мужем никаких финансовых проблем, и сын преспокойненько учится в МГИМО, а вот дочь! Сплошное наказание, а не девчонка. На уме только гулянки да наряды, никакой серьезности, брату грубит через слово, а на днях повздорила с отцом. Муж взбесился и повелел в трехдневный срок пристроить мерзавку хоть куда, лишь бы при деле была.

Вера Ивановна задумчиво повертела чайную ложечку.

— Уже конец ноября, скоро сессия...

— Вы девчонку пригрейте, — велела я, — мы справки достанем, вроде бы болела...

— Не надо бумажек, — отмахнулась Никитина, — сама с педагогами договорюсь, только стоить будет соответственно дороже, чем простое поступление...

— О чем речь, — махнула я рукой и, достав из кошелька платиновую кредитку, принялась постукивать ею по столу, — только Танечка говорила, что деньги после зачисления отдают.

— Естественно, — ответила Никитина, — готовьте десять тысяч, в понедельник выпишу студенческий, тогда и расплатитесь.

Я изобразила смущение.

— Заплачу больше, если сделаете еще одно дело.

— Какое? — насторожилась Никитина.

— Поговорите с моей идиоткой, напугайте чем-нибудь или постарайтесь убедить, что учиться надо, нас она не слушает.

Вера Ивановна улыбнулась:

— Ну за такую услугу денег не берут, приезжайте сегодня вечером ко мне домой, в пять, попробуем обломать девицу. У самой сын подрастает, поэтому отлично понимаю вашу тревогу. Да, маленькие дети спать не дают, от больших сам не уснешь!

Провожаемая этой сентенцией, я ринулась к машине. Надеюсь, мои дома, и удастся кого-нибудь уговорить.

Иногда судьба бывает благосклонна. За столом преспокойненько обедали Маня и Зайка. Мой взгляд бегал по их лицам. Безусловно, Ольга больше походит на студентку, но может с презрением отвергнуть дурацкую просьбу, Маруська тут же радостно согласится. Но на ее мордашке четко написан почти детский возраст.

Дождавшись, пока невестка проглотит вареную капусту, пошла за ней в спальню и лицемерно завела:

— Заинька, по-моему, пора перестать сидеть на диете, ты так исхудала за последнее время, скелетик, да и только.

Девушка удовлетворенно вздохнула и сообщила:

— Борьба с целлюлитом скоро окончится моей полной и бесповоротной победой!

Но я уже неслась дальше:

— Какая хорошенькая новенькая собачка, где взяла?

Последовал длительный рассказ об удачном приобретении фарфоровой фигурки.

Потом я с восхищением ухватила начатое вязанье и принялась нахваливать работу:

— Удивительный орнамент, настоящее произведение искусства! Сложнейший узор!

Но Ольга заподозрила неладное и сурово поинтересовалась:

— Чего надо?

— Неужели не могу зайти просто поболтать?

— Дарья, — не выдержала Зайка, — говори живо, зачем я тебе понадобилась!

— Съезди со мной к одной даме и изобрази избалованную дочку «новых русских».

— Зачем?

— Очень надо.

— Кому?

— Мне.

— Насколько помню, — протянула Ольга, разглядывая себя в зеркале, — последний раз, когда я по твоей просьбе ездила на свидание с неким красавцем, дело весьма плохо закончилось. Просто скандал. Аркадий нас чуть не убил.

Я молча повернулась и пошла к двери.

— Постой, — оживилась Зайка, — ты куда?

— Попрошу Маньку, вот уж у кого отличные актерские способности.

Ольга не снесла такого унижения.

— Я тоже могу изобразить что угодно. Когда едем?

— Сейчас, только одеться надо соответственно.

— Не учи ученую, — отмахнулась невестка, подбегая к шкафу, — значит, капризная девица богатеньких Буратино? Иди к себе, минут через пятнадцать спущусь.

Я выждала для верности полчаса и, сев в «Вольво», погудела.

Из парадной двери выпорхнула невестка. Челюсть у меня тихо отвисла — никогда не видела Ольгу в подобном виде.

Длинная шубка из светлой норки подолом подметает пол. Под ней надет ярко-красный кожаный костюмчик с умопомрачительным вырезом почти до пупка. Впрочем, юбка заканчивалась примерно там же, где и декольте. Длинные и стройные Ольгины ножки засунуты в белые лайковые сапоги с ботфортами, платформа такая, что, спрыгнув с нее, можно покончить жизнь самоубийством. Там, где заканчиваются ботфорты, мелькают черные сетчатые колготки.

Но основная метаморфоза произошла с головой. Обычно аккуратно причесанные волосы блондинки от природы сейчас были взлохмачены, на глаза свисали разноцветные пряди — розовые, красные, фиолетовые. В ушах куча серег, лицо размалевано до невозможности.

Увидав мою отвисшую челюсть, Зайка ухмыльнулась и, растопырив украшенные перстнями пальцы, протянула:

— Маманя, защелкни протезы, ты чего, в натуре, дочурку не признала, старая жаба!

Потом вытащила откуда-то из-под мышки Жюли и спросила:

— Ну как?

Я глянула на йоркширскую терьерицу. Челку собачки украшал сапфировый зажим, а на тоненькой шейке моталась золотая цепочка.

— Впечатляет.

Ольга выдула громадный пузырь из жвачки, потом ловко щелкнула его и заявила:

— Давай, мамашка, инструктируй, мы тебя не подведем.

На этот раз, не успели мы позвонить, как дверь распахнулась, и мы вступили в холл. Судя по обалделому взгляду Никитиной, внешний вид Зайки произвел на нее должное впечатление. Ольга небрежно дернула плечом, шубка упала.

— Мама, — протянула девушка, — подыми.

Я подхватила пахнущий духами мех и водрузила на вешалку. Нас провели в гостиную. Скорей всего ее сделали из двух комнат, потому что в середине потолка провисала балка. Помещение обставлено роскошно — белая кожаная мебель, туркменские ковры, настенные часы «Павел Буре», полированные шкафы и золоченые статуэтки лошадей. Полное смешение всяческих стилей. Похоже, хозяйка просто покупает, что подороже. Ну где она отрыла эту картину, висящую между окнами? Нагая, весьма толстомясая дама томно возлежит на парчовом диване, рядом — косорыленький амур с кувшином. Варварское великолепие. Но чудовищнее всего люстра. Двадцать четыре бронзовые паучьи лапки, украшенные розетками и завитушками.

— Пить хочу, — капризно протянула Ольга.

— Сейчас чай вскипит, — приветливо ответила хозяйка.

— Только цейлонский, — строго предупредила Зайка, — велите индийский не подавать.

И она спустила Жюли на пол. Терьерица немного повертелась на месте и навалила ароматную кучку прямо посередине бежевого ковра.

— Мама, — заныла капризным голосом Ольга, — убери!

Ну, это уже слишком! Вера Ивановна бросила на меня сочувственный взгляд и велела Зайке:

— Возьмите в туалете совок и веник.

— Я? — возмутилась невестка. — Я? Совок и веник? Да ты, дорогая, никак ума лишилась. За деньги небось дело делаешь, так помалкивай, Макаренко! Мать, иди и убери.

Я пошла в глубь коридора, миновала пустую кухню и походя заглянула в четыре комнаты. Никого, никаких следов Базиля.

В ванной горы разнообразных средств, в частности, штук восемь лосьонов и одеколонов после бритья. Но, насколько помню, Базиль долгие годы пользуется парфюмерией «Буржуа», а ее-то тут и не видно.

Отмотав большой кусок туалетной бумаги, я вернулась в гостиную, где Зайка, выдувая липкие пузыри, со скучающим видом слушала выступление Веры Ивановны на тему «Облагораживающая роль образования».

Тут раздался голос:

— Я пришел, — и в комнату вступил Базиль.

В первую секунду чуть было не заорала от радости, но удержалась и в следующее мгновение поняла, что вижу молодого человека лет этак двадцати. Лицом пришедший страшно походил на Корзинкина — смуглый цвет кожи, тонкий аристократический нос, чуть влажноватые карие глаза... Нет, покойный Трофим зря возводил напраслину на свою мать. Видно, в роду Корзинкиных и впрямь иногда рождаются восточные красавцы. У Николая таким получился внук, у Трофима — правнук. Но как похожи! Просто одно лицо! Только француз на несколько десятилетий старше. Жаль, не знала мужика в молодости. Но, кажется, опять тяну пустую фишку. Не Базиль напал на меня, а этот паренек.

— Знакомьтесь, Тимофей, мой сын, — улыбнулась Вера Ивановна.

— Тима, — протянул руку парень.

— Очень приятно, — пробормотала я, сжимая безвольную, мягкую, похожую на дохлую рыбу ладонь.

— Тимочка вот учится, — вновь завела Никитина, отрабатывая баксы.

Интересное, однако, дело получается! Нина

крутится в криминальном бизнесе, связанном с проституцией. Одновременно она — будущая жена Тимофея Никитина. Помню, помню, как сплетничала вчера милая соседка Леночка про приехавшего на новенькой иномарке будущего свекра, военного по имени Феликс. Сдается, это мой недавний знакомый, начальник колонии господин Самохвалов. Значит, они все между собой знакомы, более того, собираются породниться и явно проворачивают незаконные делишки. Хотя, может, я зря так думаю, и это просто случайное совпадение? Вера Ивановна разбогатела на взятках от родителей абитуриентов, Феликс Михайлович тянет денежки с родственников заключенных, Ниночка просто связалась с преступной организацией. А Тима?

Интересно, где сыночек познакомился с Ниной? Я прервала вдохновенную речь Веры Ивановны, исполнявшей вариации на тему «Ученье — свет, а неученье — тьма».

— Какой у вас сын красавец, вот была бы пара моей дочурке.

Никитина улыбнулась:

— Хороший мальчик, беспроблемный, учится отлично, и у него уже есть невеста — Ниночка. Красавица, умница, кстати, наша студентка.

— Наверное, специально сыну богатую девочку подыскали, — бесцеремонно заявила я, — но имейте в виду, дам за своей великолепное приданое — дом, землю, счет в банке. Мне бы ее хоть куда пристроить — либо учиться, либо замуж.

Вера Ивановна повнимательней поглядела на Ольгу. Зайка выдула очередной пузырь, потом извлекла из сумочки плоскую фляжку и сделала добрый глоток. Никитина, очевидно, решила, что подобный подарок не скрасит даже миллион долларов, потому что тут же сказала:

— Никого не сватала. Моя школьная подруга вышла замуж за военного, мы дружили, переписывались. Потом, к сожалению, Соня умерла, а Ниночка приехала поступать, ну и зашла в гости. Кто знал, что дети полюбят друг друга.

Поняв, что больше мне здесь ничего не узнать, я стала покашливать.

— Хочу писать, — сообщила Ольга и ушла.

Вера Ивановна вздохнула:

— От души сочувствую вам, девочка трудная, сомневаюсь, что ученье пойдет впрок, может, лучше найти мужа? Говорят, материнство меняет. Впрочем, будьте счастливы, что хоть не наркоманка, просто капризница. Давно пьет?

Я махнула рукой:

— С восьмого класса.

— Вот горе-то, — совершенно искренно сказала взяточница и добавила: — Как странно!

— Что?

— Да вот сумка, — ткнула Вера Ивановна рукой в ридикюльчик из крокодиловой кожи, который мне всучила Зайка. — Думала, второй такой нет. Тима из Парижа привез, пошла с ней в гости, а сумочку украли. Он специально искал, чтобы буква «В» висела. По-ихнему это «Б», а по-нашему «В». Очень, просто очень похожа на мою.

Я уставилась на дорогую вещицу. Надо же, несколько дней потратила, разыскивая владелицу, решила, что она принадлежит Лоле, хозяйке агентства «Альбатрос», а выясняется, что Вере.

И где Зайка ее взяла? Наверное, нашла на сиденье в «Вольво».

Отъехав несколько кварталов, я накинулась на невестку:

— Можно было не заставлять меня убирать какашки!

Зайка сдула с глаз разноцветные прядки и с деланным простодушием удивилась:

— Сама же хотела пробежаться по комнатам! Лучшего повода и не придумать, чем искать туалет в чужой квартире! Поэтому я и Жюли прихватила!

Что верно, то верно. Милая и благовоспитанная дома, в гостях терьерица первым делом какает, причем старается выполнить акт дефекации прилюдно и по возможности в центре хозяйского ковра. Поэтому практически никогда не берем ее с собой.

— Откуда сумку взяла?

Ольга всплеснула руками.

— Ну ты даешь! Здесь, в машине, на заднем сиденье валялась! Я еще удивилась, зачем покупать такое уродство — дорого, аляповато и совершенно немодно. Сейчас носят такие маленькие, почти кошелечки...

И она принялась вдохновенно рассказывать о последней моде на кожаные изделия. Я автоматически нажимала на педали, крутила руль, но голова была занята совершенно иными мыслями. Значит, Никитиной должно быть известно местонахождение Базиля!

— Давай сразу на Прямикова, — велела Ольга, — там самый большой магазин.

— Зачем?

— А занавески?

— Ты поедешь в магазин в таком виде?

— Ну и что, — ухмыльнулась Зайка, — по-моему, великолепно выгляжу, всеобщее внимание обеспечено!

Да уж, насчет внимания она оказалась совершенно права. Не успели мы войти в зал, как продавщицы, побросав рулоны с тканями, уставились на Ольгу, а единственный торговец мужского пола кинулся к невестке со всех ног и не отходил от нее ни на шаг, пока она крушила прилавки.

Я забилась между двумя стояками с образцами драпировок и принялась усиленно делать вид, будто выбираю подходящий товар. Все равно Зайка приобретет ткань по своему вкусу, а меня тошнит при виде любого магазина. Просто ненавижу толкаться среди прилавков, глубокомысленно выбирая между «красненькими в цветочек» или «беленькими в горошек». А Ольга с энтузиазмом разматывала все новые и новые рулоны... Часа через два остановится, не раньше. Правда, хуже всего ходить за покупками с Кешей. Я, как всегда, стараюсь побыстрей схватить необходимое и выскочить вон. Сын медленно бредет по отделам, тщательно разглядывая ассортимент, потом изрекает:

— Мать, тебе нужны туфли!

Никакие доводы не помогают, и меня, пришедшую купить пару упаковок туалетной бумаги, запихивают в обувной отдел, заставляют перемерить почти все выставленные образцы. В результате вылетаю из магазина, обвешанная коробками и пакетами, и уже дома вспоминаю, что туалетную-то бумагу я так и не купила.

Зайка перевернула вверх дном весь магазин, довела продавщиц почти до обморока, но все-таки нашла подходящую ткань.

— Пусть пока хоть такие повисят, потом найду лучше, — щебетала Ольга, забирая огромные пакеты, — тут еще бархат для гостиной и несколько хорошеньких кухонных полотенец. Ой, давай еще вон тот в клеточку купим, Банди и Снапу на подстилки!

Я вздохнула. Зайка покосилась на меня и велела:

— Неси покупки в машину, сейчас приду.

На улице неожиданно резко потеплело. Все правильно, скоро декабрь, а Новый год в Москве, как правило, с дождем. Вообще в столице творится что-то непонятное. Небо чистое, тучи разбежались, снег не идет, а под ногами грязная каша, мешанина из песка, соли и растаявшего льда. Просто загадка, откуда она взялась, может, осталась со вчерашнего дня?

Бормоча проклятия, я пыталась аккуратно обойти лужи. Ну почему в Финляндии и Норвегии зимой всегда чистые тротуары? Снег идет так же, как у нас, климат почти одинаковый, а вот поди ж ты! Хотя там, наверное, городские власти знают о наступлении зимы, а наши каждый раз трогательно удивляются. Вот вчера «Московский комсомолец» дал изумительный материал — «Снег выпал внезапно». Ну не ждал никто в Москве осадков в конце ноября, думали, в Австралии живем, а тут нате вам — с неба повалили снежинки, и выяснилось, что снегоуборочные машины все как одна не работают...

— Штраф сто рублей, — раздалось за спиной.

Прижимая к груди пакеты, я обернулась и увидела молодого парня в форме.

— За что?

— Видите знак «Стоянка запрещена»?

— А этим почему можно? — возмутилась я, ткнув пальцем в стоящие рядом иномарки.

— Машинам агентства «Альбатрос» и их клиентам парковаться разрешено, — вежливо пояснил мужчина, — а вы ходили в магазин тканей.

Грабеж среди бела дня! Я отдала сто рублей и собралась укладывать покупки в багажник. Открыла крышку, и тут в голове что-то щелкнуло! «Альбатрос», труп в «Вольво»! Скорей всего здесь его и сунули в мой автомобиль. Ведь в тот день я тоже ходила по магазину тканей! Но почему киллеры выбрали именно мою машину?

Глава двадцать четвертая

Вечером, когда мы сели ужинать, Зайка распорядилась:

— Давайте быстренько ешьте, а потом мы с Манькой раскроим занавески.

Кешка моментально выпил стакан кефира и пошел спать. Галя с Мишей по обыкновению забились в угол и зашуршали бумагами. Ефим Иванович отправился с бутылкой коньяка в свою спальню смотреть хоккей. Тихий вечер такая редкость в нашей сумаотошной семье.

Зайка раскатала рулон на полу и принялась

отмерять нужную длину. Мане она велела принести мыло.

— Зачем? — удивилась девочка.

Но Ольга очень не любит, когда ей мешают.

— Сказано принести, значит, давай по-быстрому, — велела она Манюне, — болтать потом будешь.

Маруська с топотом сбегала туда и обратно.

— На, — протянула она невестке бутылочку с жидким мылом.

— О боже, — простонала та, — нужен кусок, чтобы провести линию на ткани, вместо мелка, а ты притащила жидкость.

— Откуда мне знать? — возмутилась девочка.

— Вот дуй в ванную еще раз и запомни — не шампунь, не гель, не бальзам, не скраб, не крем для лица, а просто самый обычный, желательно сухой, кусок мыла! — издевалась Ольга.

Обиженно сопя, Манюня вновь понеслась в ванную. Зайка отошла налить себе чашечку чая, и Снап тут же улегся на материал.

— Фу, пошел прочь, — обозлилась невестка, — подстилку нашел!

Пес медленно, сохраняя достоинство, удалился.

— Ну вот, — сокрушалась невестка, — теперь бархат в мелких черных волосах. Марья, неси щетку! Только не для обуви, не для ногтей, не для зубов, а одежную из прихожей.

— Ладно из меня дуру делать, — огрызнулась Маня, но побежала в холл.

Наконец они отмерили нужную длину, аккуратно сложили полотнища, и Зайка занесла ножницы.

— Купили новую ковровую дорожку? — неожиданно спросил Миша и пошел прямо по бархату к столу.

Материал моментально перекосился, полотнища разъехались. Зайкино лицо приобрело цвет перезревшего баклажана.

— Марья, — велела она злобным голосом, — забирай мыло, булавки, сантиметр, и пойдем к нам в спальню. В доме, где обитают сумасшедшие собаки и гости, сделать ничего нельзя.

Они подхватили так и не раскроенные занавески и убежали. Абсолютно ничего не понявший математик преспокойненько вкушал пирожное. Тут зазвонил телефон.

— Дашутка, — раздался взволнованный голос Оксаны.

— Что случилось? — испугалась я, поглядев на часы — стрелки показывали пол-одиннадцатого. Ксюша живет в районе метро «Сокол», на работу ездит к восьми утра в Выхино и поэтому встает каждый день в шесть. Все ее приятельницы знают — звонить Оксанке после девяти вечера нельзя, скорей всего она уже в постели. Если подруга в половине одиннадцатого схватилась за телефон, значит, произошло нечто экстраординарное!

— Эля убежала!

— Как?

— Понятия не имею, давай сюда.

Я понеслась на Песчаную. Оксанка в волнении металась по комнатам. По ее словам, события разворачивались следующим образом.

Первый день девочка безвылазно просидела дома, на второй вышла погулять в садик с Рейчел. Стаффордширы — серьезные собаки, как правило, агрессивные, плохо относящиеся к чужакам. Но в Оксаниной семье просто не могло вырасти злобное существо. Поэтому Рейчел, обладательница страхолюдной пасти и акульих зубов, на самом деле безобидна, как новорожденный котенок, к тому же абсолютно послушна и любого человека считает другом. Но прохожие, естественно, этого не знают и сторонятся опасного пса. Поэтому гулять с Рейчел даже глубокой ночью безопасно, и вчера все прошло великолепно.

Сегодня Ксюша вернулась, как обычно, где-то после семи. К ее огромному удивлению, Рейчел в ошейнике и с поводком сидела на площадке у входной двери. Дениска прибегает из института в девять, а у Сережки давно своя жилплощадь. Следовательно, стаффа вывела Эля. Оксанка открыла квартиру и обнаружила, что квартирантка исчезла.

— Сразу стала звонить тебе, — подруга нервно указала на телефон, — но никто не снимал трубку.

Ну да, я, как всегда, забыла мобильник в автомобиле и, кажется, опять не поменяла батарейку.

Я поглядела на красненькие цифры, мелькавшие возле кнопок: 2 звонка.

— Автоответчик проверяла?

Ксюша нажала клавишу.

— Денька, когда придешь, позвони. Достал прикольную программу, — донеслось из динамика.

Потом послышался шорох и частые гудки, кто-то не захотел оставить сообщение.

— Во что она одета?

— Денькины старые джинсы, свитер, моя футболка и сапоги, а куртка такая красная с капюшоном. Владленка дала, соседка.

Я в задумчивости пошла в комнату, где спала Эля. На смятой кровати подушка и пульт от телевизора. Скорей всего валялась и пялилась на экран. Как узнать, куда и зачем пошла девчонка? Хотя, может, попробовать?

— Рейчел, иди сюда.

Собака послушно прибежала на зов. В свое время Ксюша, не пожалев времени и денег, водила стаффа в щенячью школу. Но мы никогда не проверяли, как «ученица» усвоила знания. Впрочем, разнообразные команды типа «сидеть», «дай лапу», «вперед» она выполняет безукоризненно.

Ткнув терьерицу носом в подушку, я велела:

— Эля, искать, нюхай, нюхай, искать!

Рейчел шумно задвигала очаровательным розовым носом и поглядела умными глазами в сторону прихожей.

— Думаешь, поняла? — шепотом спросила Оксанка, но Рейчел уже принялась изо всех сил царапать входную дверь.

Мы нацепили на нее ошейник и выскочили на темную, едва освещенную улицу. Поводок напрягся, собака понеслась вперед. Удержать почти семидесятикилограммового стаффа женщине, весящей на двадцать всемирных эквивалентов меньше, крайне трудно. И я моталась на конце поводка, как старая тряпка. Рейчел, напряженно дыша, неслась с весьма озабоченным видом. Ксюша безнадежно отстала.

— Тпру, фу, — кричала я.

Куда там! Терьерица летела по пересеченной местности резвым галопом, перепрыгивая на ходу через заборчики. Собака была крайне умна и, взяв очередную высоту, замирала, поджидая, пока я, отдуваясь, перелезу через преграду. Но только мои ноги касались земли, гонка продолжалась. Наконец Рейчел выскочила на улицу Алабяна, взяла чуть левее и резко села у киоска со всякой ерундой. Я не успела вовремя затормозить и с ходу врезалась лицом в угол торговой точки. Раздался гул, вагончик вздрогнул. Моментально распахнулась дверь, и высунулся злой продавец. Он открыл было рот, но тут заметил шумно дышащего стаффа и моментально забаррикадировался в киоске. Рейчел посидела некоторое время, потом обошла ларек спереди и принялась скрести лапами снег. Тут подоспела потная Оксанка, с трудом переводившая дыхание.

Собака поставила передние лапы на небольшой прилавочек и с чувством сообщила:

— Гав!

— Ой, — донеслось из ларька.

— Гав, гав, — не успокаивалась терьерица, — гав.

Кое-как мы оттащили разбушевавшуюся псину в сторону. Я наклонилась к окошку. Испуганный паренек выдал тираду:

— Убирайте немедленно вашу уродку, а то милицию вызову или пристрелю сам, пистолет имею.

Но по дрожащему голосу было понятно, что револьвером продавец обладает только в мечтах.

Я вытащила 20 долларов. Мальчишка поглядел на купюру.

— Впусти меня, поговорить надо.

— А собака?

— На улице останется, с хозяйкой.

Щелкнул запор, и я влезла внутрь тесного помещения, заставленного бутылками, банками и коробками. Вблизи торговец оказался совсем молоденьким — на вид лет шестнадцать.

— Чего надо?

— Ты здесь часто работаешь?

— Каждый день с пяти вечера до утра.

Вот бедолага, когда же он спит?!

— Девушку не видел вчера? Молоденькая, худенькая, в джинсах и красной куртке.

— Ваша, что ли? — спросил паренек и грозно добавил: — Тут двадцатью баксами не отделаетесь, всех клиентов вчера распугала.

— Кто, Эля? — удивилась я.

— Уж не знаю, как вашу проходимицу зовут, — поежился парень.

Получив еще одну бумажку, он заметно повеселел. Вчера, около половины шестого, в самом начале его смены, к ларьку подошла девушка и купила «Парламент». Девчонка как девчонка, в джинсах и красной куртке, он бы и не запомнил никогда такую обычную покупательницу, но девчушка отошла к проезжей части и стала раскуривать сигарету. Через пару минут возле нее притормозили неприметные «Жигули» темного цвета. Открылась передняя дверца. Какое-то время покупательница переговаривалась с водителем, потом влезла внутрь и уехала. С ней была собака.

Оставшись одна, псина метнулась к ларьку и принялась бегать вокруг.

— Наверное, целый час носилась, — жаловался мальчишка, — самое удачное время для торговли, люди с работы едут. Никто не подошел.

Рейчел бегала возле его ларька, изредка принимаясь лаять. Но продавец испугался и не высовывался наружу. Наконец собака убежала, волоча за собой поводок.

— Опиши «Жигули», — велела я.

Юноша вздохнул.

— Машина как машина, темная, без всяких мулек и прибамбасов. А вот на заднем стекле ручка на присоске. Знаете такую? Едешь, а она покачивается?

Я кивнула. Паренек продолжал:

— И номер смешной.

— Ты номер запомнил?

— Такой любой упомнит, еще подумал: куплю машину, ни за что на подобный не соглашусь. Мент, как увидит, никогда не забудет — 666 — число дьявола. Вот ведь девки какие пошли, ничего не боятся. Я бы ни за что, никогда, примета плохая.

— Почему девки? — спросила я.

— Так за рулем баба сидела, — пояснил продавец. — Волосы длинные, на лицо свесились, очки громадные.

— Как ты только заметил в темноте.

— Она дверь открыла, в машине свет зажегся.

— Куда поехали?

Мальчишка махнул в сторону Ленинградского проспекта.

Мы с Ксюшей побрели домой, Рейчел мирно плелась рядом.

— Что за машина? — удивилась Оксанка, услыхав мой рассказ. — Эля говорила, что никого в Москве не знает, кроме бывших клиентов!

— Значит, врала, — задумчиво пробормотала я, — только зачем? — Ушибленная бровь задергалась, Оксанка взглянула на мое лицо и ахнула:

— Надо положить свинцовую примочку, иначе раздует!

Но спешно принятые меры не помогли, и к завтраку пришлось спуститься в темных очках. Ефим глянул на меня и спросил:

— Чего занавесилась?

— Да так, — ответила я, не вдаваясь в подробности.

Но тут влетела Маруся и со всего размаху толкнула мой стул. Очки свалились прямо в омлет. Старик глянул и расхохотался.

— Ручная работа. Мужик жизни учил? Небось не дала, кочевряжилась.

Я обозлилась.

— Просто ударилась.

— Скажи кому другому, — заржал дедушка, радостно пожирая горячий омлет.

— А кому и что ты должна была дать, мамуля? — поинтересовалась Манюня.

Стараясь не сорваться и не заорать на наглого гостя, я с невинным видом пояснила:

— Ефиму Ивановичу кажется, что мне следовало заплатить кому-то деньги, а я этого не сделала и получила в глаз. Но он ошибается, просто вчера в темноте налетела на угол ларька.

— Ну, если ты еще мужикам и платишь, —

продолжал измываться Ефим, но тут вошел Аркашка, и противный старикан примолк. Кешку он слегка побаивается. Сын посмотрел на заплывший глаз и буркнул:

— Опять помойное ведро?

Ну и память! Почему ближние ориентированы только на дурацкие события, происходившие со мной. Ну спросите, как мать училась в институте? Никто и не обмолвится, что получила красный диплом, а про помойное ведро каждый рад напомнить.

Дело было страшно давно, лет пятнадцать тому назад. Меня как раз только-только взяли на полную ставку ассистента. Времена были «далекие, теперь почти былинные». Устроиться молодой женщине, да еще разведенке с ребенком, на приличную работу было практически невозможно. Ни одна организация не хотела лишних проблем, кадровики морщились. Ребенок без отца, и бабушек нет! Значит, мать начнет бюллетенить и качать права. По советским законам, женщина, в одиночку воспитывавшая детей, имела значительные льготы — отпуск на пять дней больше обычного, стопроцентно оплаченную путевку в санаторий... Ее нельзя было послать в командировку и заставить работать сверхурочно... Поэтому я и сидела преподавателем-почасовиком, а тут вдруг невероятно, просто сказочно повезло, и декан подписал приказ.

Во вторник заведующая кафедрой собралась представить новую преподавательницу коллективу сотрудников. Накануне вечером я решила помыть пол на кухне. Развела в ведре стиральный порошок «Лотос». Никакого геля «Комет» мы тогда и в глаза не видели. Швабра мерно скользила по линолеуму, но тут раздался звонок в дверь, я неловко повернулась, босые ноги разъехались в мыльной луже, и тело начало стремительно падать. Стараясь удержаться, замахала руками и ударилась, так сказать, мордой лица об открытую дверцу мойки, как раз на то место, где помещалось помойное ведро. Железная ручка пришлась мне чуть пониже правой брови.

Остаток ночи пыталась бороться с последствиями. В ход пошли все известные подручные средства — соскобленный из морозильника лед, бабушкин серебряный половник, разрезанная картофелина и даже кусок сырой говядины. Однако утром бесстрастное зеркало отразило довольно сильно опухшую физиономию, заплывший правый глаз и удивительной красоты синяк павлиньей раскраски — сине-желто-зеленый.

Пришлось отправиться на заседание кафедры в темных очках.

Дело происходило в августе, педагоги только вернулись из отпуска, и мои очки никого особенно не удивили. Заведующая принялась читать характеристику — «морально устойчива, политически грамотна...». И тут раздался голос Семена Давыдовича, старейшего сотрудника, всегда мирно дремавшего в дальнем углу. Я ни разу не слышала после, чтобы он открывал рот на собраниях. Но здесь вдруг проснулся и заявил:

— Анна Петровна, какая странная нынче пошла молодежь! Деточка, приподнимите очки, чтобы мы могли разглядеть ваше прелестное личико!

— Глаза болят от солнечного света, — принялась я отбиваться.

— Ну на две-то минутки можно, — поддержала старика заведующая.

— Да уж, пожалуйста, — настаивал Семен Давыдович.

Пришлось подчиниться и снять маскировку. Воцарилась плотная тишина. Потом Анна Петровна, деланно улыбаясь, быстро затараторила:

— Теперь следует решить вопрос об учебной нагрузке...

После собрания побежала в туалет, но не успела запереться в кабинке, как в комнатушку вошли другие женщины.

Послышался плеск воды.

— Слышала, — спросила одна, не подозревая, что я сижу за закрытой дверцей, — на кафедру иностранных языков взяли новенькую, говорят, алкоголичка.

— В наш институт бог знает кого берут, — вздохнула вторая, — у нее вся морда разбита. Светка рассказывала: глаза, лоб — сплошной синяк. Пьет горькую и дерется с мужем.

Журчание стихло, дамы удалились.

Отогнав неприятные воспоминания, я сердито ответила сыну:

— Ударилась лицом о ларек!

Кешка замер с чашкой в руке.

— Обо что?

— О ларек, ну такая лавка, где всякой ерундой торгуют.

Сын расхохотался, но комментировать ситуацию не стал. Мне же пришла в голову замечательная мысль, как можно использовать ситуацию с больным глазом, только бы Александр Михайлович оказался на месте.

Полковник сидел у телефона.

— Ты внизу? — недовольно спросил он. — Чего надо?

— Поднимусь, расскажу, выпиши пропуск.

Когда я вошла, он мрачно глянул на меня из-за абсолютно чистого стола — всегда убирает все бумажки и папки при моем появлении.

— Видишь ли, — завела я, — попала в неприятную ситуацию.

— Ничего нового, — вздохнул полковник и поинтересовался, — нашла труп?

— Упаси бог!

— ДТП?

— Можно, конечно, назвать данный факт дорожно-транспортным происшествием...

— Короче.

Я сняла очки. Александр Михайлович выскочил из-за стола.

— Господи, кто это тебя так? Опять нос в чужие дела совала?

А еще полковник. Полное отсутствие логического мышления, если совать нос, то его и оторвут, глаз-то при чем? Но объяснять приятелю его ошибку не стала.

— Вчера пошла вечером гулять с Банди и решила купить шоколадку. Встала у ларька, вдруг рядом тормозят «Жигули» темного цвета, выскакивает здоровенный мужик, похоже, пьяный, отталкивает меня, я падаю, ударяюсь об угол палатки, а он покупает бутылочку пива и уезжает.

— Мерзавец!

— Вот именно. Теперь скажи, можно по номеру машины установить владельца?

— Запросто, только зачем? Лучше забудь и не связывайся с подобной личностью.

— Понимаешь, на прилавке лежали мои перчатки, и он их прихватил.

— Купи новые.

— Обязательно. Только в старых лежала связка ключей от квартиры, от машины, от подвала...

— Сто раз тебе твердил: не держи все ключи на одном брелоке, — занудил приятель, набирая какой-то телефонный номер, — нет, хочется потерять весь комплект разом! Убоище!

И тем не менее через некоторое время передо мной возник листочек.

Сытин Виктор Семенович. Налимовский проезд, д. 2, телефона нет. Поблагодарив приятеля, я отправилась домой и принялась искать в атласе таинственный проезд. Старое Солнцево! Неблизкий свет, и телефон отсутствует. Приеду и ткнусь носом в запертую дверь.

О проезде не слышали даже аборигены. Я долго крутилась по улицам, сверяясь с картой. Атлас выпущен в 1997 году, и в нем четко указан небольшой проулочек, но в действительности проезда нет, кругом стоят «ракушки». Наконец между гаражами мелькнул небольшой пятачок. Там нашелся деревянный дом, настоящая избушка. Торец украшала табличка — Налимовский, 2, а на почтовом ящике у входа виднелась наклеенная бумажка — Сытин. Ну наконец-то!

Звонка нет и в помине, на ручке висит обычный молоток. Я принялась колошматить в дверь. На стук выглянул дряхлый старик.

— Здравствуйте, — вежливо сказала я, — можно Виктора Семеновича?

Дедок несколько секунд смотрел вдаль, потом исчез и вернулся, засовывая в ухо пластмассовый наушник слухового аппарата. Я повторила вопрос.

— Витька тебе? — переспросил старичок. — Ступай в комнаты.

Внутри обнаружились безумно грязные и захламленные просторы. Маленькая на вид избенка состояла из невероятного количества жилых помещений. В самом последнем на старой кровати храпел во всю глотку мужик непонятного возраста. В воздухе витали алкогольные пары такой концентрации, что стало понятно — разбудить можно только одним способом.

Я выскочила на улицу и в ближайшем магазине схватила «Столичную». Подставленная Виктору Семеновичу под нос бутылка оказала целительное действие. Сытин, пошатываясь, принял полувертикальное положение и, разомкнув красные, опухшие глазки, поинтересовался:

— Кто?

— Машина «Жигули», номер 666, ваша?

Сытин икнул и уставился на бутылку. Я вздохнула и отдала мужику живительную влагу. Все равно невменяемый, выпьет, может, на короткую минуту очмоняется. Но Витек, сделав добрый глоток, рухнул словно сноп в грязную подушку без наволочки. Вновь понесся храп. От злости я чуть не треснула алкоголика по башке.

— Доченька, — донесся из угла робкий голосок.

Худенькая, какая-то бестелесная старушка с укоризной произнесла:

— Зачем, детка, ироду водку покупаешь. Он и так у нас с дедом пенсию отнял. Вон пятый день не просыхает. Спасибо, картошечка своя, а то бы подохли!

Мне стало жаль скорей всего голодную бабульку.

— Скажите, машина у него есть?

— Была, хорошая такая, быстрая, продал недавно.

— Зачем? — вырвался глупый вопрос.

Старушка горестно вздохнула:

— Золотые руки у парня, любой механизм чинил с закрытыми глазами. «Жигули» у него только сверху битые, а внутри — зверь. Да вот с завода попёрли, совсем спился. Раньше лишь по воскресеньям гулял, а тут загудел напропалую, вот деньги на водку и понадобились...

— А по документам милиции числится хозяином...

— Так хитро продал, чтоб налог не платить, какую-то бумагу оформил, вроде баба эта и не хозяйка. Как хорошо было, когда не пил! Молоко покупала, творожные сырки в шоколаде...

— Небось не знаете, как зовут покупательницу?

Бабка потопала к ветхому комоду и порылась в бездонном ящике.

— Вот, — протянула она бумажку, — хорошая женщина пришла за ключами и подарков мне принесла — яблок, сырки творожные в шоколаде. Вот только имя нечеловеческое — Лапаналь-дой кличут, небось нехристь...

Но я уже не слушала ее причитаний. Лапанальда! Лола, владелица «Альбатроса», последняя любовь Алексея Ивановича Никитина, предприимчивая особа, устраивающая противозаконные экзотические турпоездки. Выходит, она знакома с Элей?

Старушка молча глядела на меня слегка выцветшими голубыми глазами. Проклиная всех алкоголиков на свете, я ринулась вновь в продовольственный магазин. Засовывая в сумку пакеты молока, кефира и вожделенные глазированные сырки, просто тряслась от злобы.

«Гуманитарную помощь» бабка приняла со слезами. Я влетела в спаленку Виктора Семеновича и, не долго раздумывая, опрокинула ему на голову ковш ледяной воды.

— Ты че? — разом проснулся мужик, хлопая поросячьими ресницами.

Я ухватила негодника за воротник.

— Слушай сюда.

— Да пошла...

Ну вот это зря. Из сумочки появился пистолет и уперся прямо в глупый лоб Сытина. Мужчина стал серым и разом протрезвел. Давно заметила: издевающиеся над близкими пьяницы на поверку оказываются жуткими трусами.

— Слушай сюда, — повторила я, — в каком районе живешь, знаешь?

— В Солнцеве, — проблеял Виктор.

— Вот-вот, и имей в виду. Мы, солнцевские, взяли деда и бабку под свою защиту, только тронь их, будешь иметь дело с самим Михасем!

Мужчина вытаращил глаза и согласно закивал.

Я опустила пистолет.

— Ну гляди, приеду скоро, проверю. Чтоб у старухи всегда в наличии молоко и творожные сырки имелись. В шоколаде.

— Не волнуйтесь, не волнуйтесь, — забормотал Сытин, не сводя глаз с оружия, — все будет в шоколаде.

Оставив труса переживать ситуацию, я села в «Вольво» и сунула игрушку в сумку. Надо же, как здорово сделана зажигалка, не отличишь от «ТТ».

Глава двадцать пятая

Лучше всего мне думается в «Макдоналдсе». Может, причиной тому холестериновая котлета, дружно подвергаемая остракизму всеми моими домашними. Может, бесконечные крики детей: «Мама». Есть какое-то совершенно особое удовольствие: слышать нескончаемые вопли и твердо знать, что к тебе они не имеют никакого отношения. Не знаю причину, однако самые плодотворные идеи приходят мне в голову именно в забегаловке быстрой (и нездоровой) пищи, по-английски — «фаст фуд».

Вот и сегодня, разворачивая хрусткую бумажку и чувствуя, как рот наполняется слюной, я решила — надо исследовать помещение «Альбатроса». Причем днем, когда там полно посетителей и работников, лучше не соваться. Мое время — ночь или в крайнем случае поздний вечер. Что-то слишком много непонятного творится в агентстве. Но как проникнуть туда ночью? Небось запираются на все замки!

«Биг-мак» быстро таял во рту, в голову приходили замечательные мысли.

На Прямикова я подкатила к восьми вечера. Сотрудники уже почти все ушли, только в небольшой комнатке с табличкой «Турция» молоденькая девочка перекладывала какие-то бумажки.

— Мы закрываемся, — сообщила она.

— Только на секунду, — заверила я ее.

Девчонка вздохнула и спросила:

— Хотите «горящую» путевку?

Правильный вопрос, потому что я опять влезла в китайскую куртку, грязные сапоги и серую мохеровую шапочку. Такой тетке только по льготной цене ездить, но у меня наготове другой ответ.

— Собираемся отправиться с ребенком на зимние каникулы в Косово, говорят, там хорошо на лыжах кататься!

— В Югославию? — оторопела служащая. — С ребенком? Да вы знаете, что там происходит? Газеты не читаете?

— Я, милая, на рынке торгую, просвещаться недосуг, телевизор и то не гляжу, а что случилось?

— Да война там, и как раз в Косове, лучше подобрать другой маршрут...

В это время в соседнем помещении зазвонил телефон. Девушка вышла через боковую дверь в смежное помещение. Быстрее молнии я метнулась за большой сейф, стоявший в углу комнаты. Еле-еле пролезла в щель и затаилась в узком пространстве. Сотрудница вернулась, открыла дверь в коридор и крикнула:

— Эй, куда же убежали?

Потом, пробормотав: «Вот ведь идиотка», принялась набирать чей-то номер. Через секунду послышалось:

— Лола, это Римма, я сегодня должна закрывать агентство, но сейчас позвонили и сообщили, что Петр отравился. Лежит дома с температурой. Тоже придурки, дождались вечера, нет бы с утра предупредить. И как поступить? Запереть и оставить без охранника? Сейчас я просто никого другого не найду.

Воцарилось молчание. Потом девчонка снова заговорила:

— Да, тоже думаю, что за один день ничего не случится, значит, просто запираю.

Заскрипел стул, послышалось бодрое цоканье каблуков, и наступила звенящая тишина, прерываемая иногда скворчанием факса. Подождав несколько минут, я вылезла из укрытия. Ну надо же, как невероятно, просто фантастически повезло. Неведомый секьюрити слег, а подмену вызвать не смогли. «Альбатрос» в моем распоряжении. Только вот что я хочу найти? Сама не знаю!

Комнаты были маленькие и довольно тесные, похожие друг на друга, как близнецы. Меблировка — стандартная: письменный стол, сейф, несколько стульев. Сейфы тщательно заперты, в столах разная всячина: бланки договоров, рекламные буклеты, ручки, скрепки, ластики, копирки. В некоторых пустые банки из-под пива, в других — косметика и запасные колготки в упаковке.

Никакого криминала. Обычный набор служащего средней руки, все документы и деньги скорей всего покоятся в сейфах.

Последнюю дверь украшала табличка «Директор». Я толкнула обитую кожей дверь и оказалась в небольшом предбаннике. Здесь обитала секретарша. Сама Лола занимала просторное, почти двадцатиметровое помещение. Интерьер походил на все интерьеры начальства: огромный стол, к нему приставлен другой, длинный, со стульями по обеим сторонам. В углах несколько сейфов, вдоль стен простые шкафы.

Я потянула за красивую латунную ручку. Шкаф открылся. На полках горы папок с документами. Разобраться в них — жизни не хватит. Второй и третий шкаф также забиты бумагами, в четвертом — море видеокассет. Я воткнула одну в стоящий рядом видик. На экране замелькали кадры — отель, бассейн, море, огромный парашют, парящий над водой. Ясно, рекламные ролики!

Последний шкаф разочаровал окончательно — обычный гардероб. На деревянной полке болтается несколько вешалок, в углу стоят элегантные черные лодочки на высоких каблуках. Что ж, такая обувь почти идеально подходит к любому зимнему деловому наряду. На самом верху — полочка для шляп. Я попробовала заглянуть, не лежит ли что в глубине, но полка находилась слишком высоко; пришлось подтащить один из стульев и встать ногами на сиденье.

Но там было пусто, только в потолке болталась какая-то штучка, не раздумывая долго, я сунула руку внутрь и потянула за это нечто. Раздался тихий шорох, задняя стенка шкафа раздвинулась, обнажив узенькую винтовую лестницу...

От неожиданности я чуть не свалилась со

стула. Просто пещеры Али-Бабы! Ноги сами по-несли меня вверх. А вдруг там в потайной ком-натке спрятан Базиль! Сейчас ворвусь в помеще-ние, а он лежит на кровати связанный, с кляпом во рту.

Лестница уперлась в стену, но с потолка вновь свисала этакая бомбочка. Я дернула за кругля-шок и оказалась внутри другого шкафа. Открыла дверцу, и в разноцветном мигающем свете передо мной предстала знакомая комната. Я уже была тут, более того, именно отсюда и начинала эти свои бестолковые поиски — издательство «Свеча», принадлежавшее Алексею Ивановичу Никитину!

Обшарпанная обстановка выглядела фантас-тично, освещенная разноцветными мигающими огоньками. Я повернулась к окну и глянула вниз. Внизу переливалась разноцветными лампочками вывеска — «Альбатрос».

Закрыв тщательно шкаф, вновь пошла в агент-ство, но на этот раз медленно, внимательно ог-лядывая каждую ступеньку, ничего! Интересно, зачем сделан тайный ход? Кто им пользуется? А то, что пользуются активно, понятно сразу: пыли нет и воздух не затхлый.

Я вернулась назад, задвинула вход, и тут мне в голову пришла мысль: а как же мне выйти от-сюда?

Оказалось, что практически невозможно. Па-радная дверь заперта на суперсовременный за-мок, черный вход тоже охранял «стражник», но попроще, похоже, российского производства. Но ни тот, ни другой нельзя открыть изнутри. Вер-нее, можно, если иметь ключ. А его-то и нет!

Следующий час я лихорадочно рылась в ящиках, пытаясь обнаружить ключи, но тщетно! Очевидно, они имеются только у хозяйки и дежурного сотрудника! Что делать? Лечь спать на диван, а около девяти утра спрятаться в туалете и, дождавшись прихода первого служащего, втихаря выскользнуть наружу? Ну, это уж на самый крайний случай.

Я подошла к телефону. Гудки понеслись в ухо. Наконец сонный голос пробормотал:

— Алло!

— Заинька, — залепетала я, — выручай!

— Дарья, ты? — удивилась невестка. — Откуда звонишь?

— Из агентства «Альбатрос».

— Откуда?

— Турагентство «Альбатрос», меня тут случайно заперли.

— Знаешь, который час?

Я глянула на часы, висевшие прямо над головой, и ахнула.

— Полпервого.

— Вот именно, — гневно прошептала Зайка, явно боясь разбудить Аркадия.

Потом в трубке послышался треск, очевидно, невестка прошла в ванную, голос ее звучал теперь более громко и сердито.

— Что случилось?

— Служащие по ошибке заперли меня в турагентстве «Альбатрос».

— Зачем ты туда пошла?

— Ох, долго объяснять, сделай милость, помоги.

— Как?

— Иди в мою спальню.

Мембрана вновь затрещала, раздались скрипящие звуки, и Ольга объявила:

— Стою у кровати.

— Залезь в гардероб, найди красные туфли на шпильках и сунь внутрь руку.

— Ну!

— Вытащила?

— Железное колечко, а на нем болтаются палочки и крючочки?

— Это отмычки, приезжай с ними в «Альбатрос».

— Думаешь, знаю, где это? — спросила вконец обалдевшая невестка.

— На Прямикова, как раз напротив магазина «Ткани», там увидишь гигантскую вывеску. Только не иди с парадного хода, там слишком сложный замок, зайди со двора.

— Ну ничего себе, — возмутилась в последний раз девушка и шлепнула трубку.

Я отправилась к двери черного выхода. Минуты тянулись томительно. Еще хорошо, что Лола, понадеявшись на ночных секьюрити, не провела сигнализацию!

Наконец снаружи донеслось:

— Дашка! Что делать?

— Засовывай по очереди отмычки в скважину и пытайся повернуть.

— Не лезут!

— Какая-нибудь подойдет...

Минут пятнадцать несчастная Зайка безрезультатно ковырялась в замке, потом отчаянно зашептала:

— Ну никак, может, с парадной дверью попробовать?

— Ни в коем случае, патрульные заметят, объясняй потом, что не хотела обворовать агентство. Ладно, иди на улицу, войди в соседний с «Альбатросом» подъезд, поднимись на второй этаж, найди дверь с табличкой «Издательство «Свеча» и жди. Там фиговые запоры, разом откроем.

— А ты как туда попадешь?

— Иди, иди, все потом объясню.

Но даже самый простенький отечественный замок оказался невестке не по зубам.

— Да у тебя просто руки не из того места растут! — обозлилась я.

— Сама попробуй, — огрызнулась с той стороны Зайка.

А что, хорошая идея! Под дверью щель примерно в два пальца.

— Слышь, Зайка, положи отмычки на листок, а краешек подсунь под дверь, я втащу сюда.

— Где, по-твоему, тут можно взять бумагу?

Удивительная беспомощность! Я бы тотчас все нашла. Так, поглядим. В первом ящике письменного стола под толстым конвертом обнаружилась целая стопка листочков. Подняв конверт, я вытащила бумагу и протолкнула в коридор. Через секунду отмычки оказались в комнате, а спустя пару минут дверь была открыта.

Увидав мое торжествующее лицо, Ольга проговорила:

— Ну извини, нет такого опыта по взламыванию квартир, как у тебя. Вот Ленкина свекровь...

Тут Ольга задохнулась от гнева и стала переводить дух. Ленка — лучшая подруга невестки.

Высокая, статная, красивая девушка. Но почему-то ей все никак не удавалось выйти замуж. Наконец в прошлом году нашла супруга — милого, обеспеченного мужика, старше ее лет на десять. Мужем он оказался замечательным и буквально сдувает с женушки пылинки, но свекровь! Бедная Ленка частенько плачет у нас в гостиной, рассказывая о фокусах дорогой мамы.

— Так вот, Ленкина свекровь — Медуза Горгона и полная сволочь, — кипела Зайка, пока мы бежали к машинам, — но и она никогда не выделывает подобных глупостей.

— Хочешь, чтобы тебя без конца пилили «за плохо заваренный чай»? — осведомилась я, открывая «Вольво». — Это нам запросто, только прикажи!

— Чай Ленка и впрямь делает омерзительный, — вздохнула Ольга, усаживаясь в «Фольксваген», — только, когда свекровь без конца плюется огнем, к этому в конце концов привыкаешь. А с тобой, моя радость, свыкнуться невозможно, потому что ты просто ненормальная. Скажи спасибо, что я не собираюсь рассказывать Аркадию, как его мамочка взломала турагентство и украла там некий пакет.

— Какой пакет? — изумилась я.

— Хватит, — рявкнула Ольга, — тот, что в левой руке!

Выпалив эту фразу, она рванула с места на второй скорости и унеслась.

Я поглядела на левую руку. И правда, в кулаке пухлый конверт, тот самый, что лежал в письменном столе поверх стопки бумаги. Надо же, совершенно машинально ухватила, даже не задумываясь!

На следующий день было воскресенье. В отличие от всех нормальных людей я не люблю выходные и праздники. Наверное, потому, что в будни не работаю. Как правило, в «красные дни» календаря все оказываются дома, и семейный уют расцветает буйным цветом...

После бессонной ночи я выползла в столовую около двух. Там над тарелками в полном составе восседали все члены семейства и гости. Я поискала глазами кофейник и спросила:

— А что, кофе к завтраку не положен?

— К завтраку всенепременно, — каменным голосом ответила Зайка, — а мы обедаем.

Я тихо села за стол, плохо соображая, что к чему. Голова гудит и слегка кружится. Ольга тоже выглядела не лучшим образом — бледная, с опухшими веками. Аркадий, как всегда, вяло ковырял вилкой котлету. Миша и Галя с растрепанными волосами меланхолично хлебали бульон. Только розовощекая Манюня, сверкая яркими глазами, быстро-быстро откусывала мясо и радостно что-то рассказывала.

На улице бушевала непогода. Сыпался ледяной снег, дул резкий ветер, в Москве окончательно установилась зима.

— А где Ефим? — спросила я, заметив отсутствие старика.

— Воскресенье, — кратко сообщил Кеша.

— Ну и что?

— Поехал на ипподром.

— Скачки? В такую погоду?

Аркадий пожал плечами.

— Так он сказал, еще вчера, часов в пять.

— А ты поверил?

Кешка отодвинул почти полную тарелку и потянулся.

— Многие знания — многие печали. Слава богу, Ефим не маленький, не хочет говорить, куда пошел, и не надо.

После трапезы Миша с Галей отправились в кабинет. Манюня, не доев сладкое, рванулась за ними. Мне показалось странным подобное поведение, и я двинулась за девочкой.

Дверь в кабинет была приоткрыта, и звонкий Марусин голосок катился по коридору:

— Дорогая Галочка, Миша очень стеснительный, интеллигентный человек, вот и попросил меня сказать, что любит вас и просит вашей руки. Правда, Мишенька?

— Ну в общем и целом, конечно, вроде бы так, — начал заикаться огорошенный профессор.

— Ой, — ответила гостья.

— Что я говорила?! — воскликнула Манюня. — Миша, Галя сообщает о согласии. Правда, Галочка?

— Ой, — снова прозвучало из кабинета.

— Прекрасно, — воодушевилась Маня, — теперь подайте друг другу руки и поцелуйтесь.

— Ну как же, — забормотал Миша.

— Может, не надо? — робко осведомилась Галя.

— Еще чего, — обозлилась Маруська, — нечего церемонию нарушать. Так положено. Сначала страстное объяснение в любви, потом предложение руки и сердца, следом горячий поцелуй и вручение кольца.

— Какого кольца? — изумились «молодые».

— При помолвке жених дарит невесте кольцо, обязательно с камнем. Вот.

Я решила вмешаться и вошла в тот момент, когда Миша довольно неловко обнял Галю за плечи и запечатлел на ее щеке поцелуй. На столе лежала коробочка.

— Мусик, — завопила Маня, — тащи быстренько фотоаппарат и зови немедленно всех.

— Зачем?

— Ой, мамуля, — махнула рукой Маруська и, высунувшись в коридор, завопила как ненормальная: — Зая, Кешка, Серафима Ивановна, Ира, Катя, все сюда, скорей, скорей...

Послышались возбужденные голоса и топот. Первым в кабинет влетел с огнетушителем Кеша.

— Горим?

— Нет, — гордо заявила Маня, — сейчас вы все станете свидетелями исторического момента.

— Какого? — робко спросила Ирка, пряча в карман пыльную тряпку.

— Миша обручается с Галей.

Домашние замерли с открытыми ртами, впрочем, жених с невестой тоже. Нерастерявшаяся Зайка тут же притащила кинокамеру. Маруська торжественно открыла коробочку и ткнула ее в руку жениху:

— Действуй!

Миша неловко откинул крышечку и принялся вталкивать Галин палец в тонкий золотой обруч с серым камнем.

— Сними крупным планом руки, — велела Маруська.

Ольга послушно подошла поближе и воскликнула:

— Надо же, у меня есть точно такое же колечко!

Я повнимательней взглянула на ободок, украшающий изящную ручку Гали. Ох, сдается мне, это оно и есть, Зайкино колечко. Манюня, долго не раздумывая, позаимствовала драгоценность у невестки.

Камера тихо жужжала, Миша и Галя с обалдевшими лицами держались за руки. Волосы взлохмачены, у жениха выбилась из джинсов рубашка, у невесты оторвалась подпушка платья. Чудесная парочка! Плохо одно — у них есть шанс помереть голодной смертью. Сядут вычислять дурацкие уравнения, забудут про все на свете и...

— Сделаем целый фильм, — ликовала Маруся, — сначала обручение, потом свадьба, следом медовый месяц.

— Ну уж медовый месяц они без нас проведут, — сказал Кеша.

— А еще крестины, — не унималась Манюня.

Галя принялась медленно заливаться краской, Миша пребывал в отключке, его рука медленно поднялась вверх и принялась накручивать на палец прядь волос. Небось опять о задачах размышляет! Хотя в Машкиных планах нет ничего невыполнимого. Верещагина молода, еще тридцати не исполнилось, да и профессор не стар. Вполне вероятно появление крохотных математиков. Представив себе, как через несколько лет вокруг счастливых родителей будут бегать мальчик с девочкой, накручивая на пальчики спутанные кудри, я хихикнула и пошла в спальню. Надо хоть посмотреть, что лежит в украденном конверте.

Там оказались снимки. Отличные цветные фото. Целая куча незнакомых людей, весело проводящих время на даче. Вот стол, заставленный едой и питьем, а здесь какие-то парочки в спортивных костюмах и джинсах; мангал с шашлыком под ветвями раскидистой ели... В углу каждой картинки стояла крохотная дата — 7 ноября. Я стала разглядывать остальные снимки, и глаз тут же наткнулся на знакомые лица — Вера Ивановна Никитина, сжимая в руке бокал, чуть пьяновато глядит в объектив. А вот и милый мальчик Тима с шампуром в руке. Я поглядела повнимательней и чуть не выронила карточки. На негодном мальчишке надет светло-коричневый кардиган. Узор на трикотаже составляли многократно переплетающиеся буквы «В» и «К», выполненные шерстью светло-песочного цвета, бежевые пуговицы небрежно расстегнуты...

Я собственноручно заказала эту вещь в Париже, у Монро, славящегося подобными изделиями. Мы с вязальщиком долго подбирали размер шрифта. Не хотелось ничего аляповатого, вычурного... Базиль получил кардиган на Рождество и был очень доволен — теплая, дорогая, красивая, эксклюзивная вещь. А теперь вижу, как в ней щеголяет юный прощелыга! Трудно представить, что Корзинкин дал поносить кому-нибудь предмет из личного гардероба. Во-первых, он крайне брезглив, а во-вторых, у французов подобное просто не принято.

Не веря глазам, я пялилась на снимок. Кажется, у моего подарка были другие пуговицы — из слоновой кости. Может, Монро сошел с ума и решил повторить понравившуюся модель? Очень сомнительно, как правило, он создает единичные экземпляры. Но вдруг! А Тима, приехав в Париж, отправился в небольшую мастерскую и приобрел кардиган? Да, но эта вещь стоила три тысячи франков, то есть почти 500 долларов! Откуда у мальчишки такие деньги? К тому же Монро завален заказами на год вперед, ради меня сделал исключение только потому, что Ольга дружит с его дочерью. Нет и нет, кофта принадлежит Базилю, но вот пуговицы...

Оставался только один способ проверить. Я пошла в кабинет и вытащила видеокассету. Рождество праздновали у Корзинкиных и, как всегда, засняли фильм.

На экране замелькала Маня в маске зайчика, Сюзи в белой шапочке с длинными ушами, Кешка в пушистой фуфайке. Вот Ольга прикалывает муженьку на брюки пумпонообразный хвост... Мы все нарядились в тот вечер кроликами и веселились как малыши.

Так, теперь зажигаем елку, открываем бутылку...

Я, как всегда, облилась шампанским...

Вот и момент вручения подарков. Манюня подпрыгивает от удовольствия — Сюзи подает ей золотые серьги с хрусталем в виде груши, новейший прикол парижской моды. В ответ Маруся протягивает собственноручно написанный пейзаж «Зимняя Россия». Буря восторга, выпиваем за талант. Теперь очередь Зайки, и она получает чудовищно уродливую фигурку болонки. Лимож, XVIII век, ужасно дорого, настоящий раритет. Вновь полный экстаз, обмываем собачку.

Наконец камера запечатлевает Базиля, сосредоточенно открывающего коробку. Через секунду кардиган трясут перед присутствующими. Быстрый взгляд на ярлычок, где на белом фоне стоит скромная черная подпись «Монро», и шквал упреков за расточительность. Вот радостный приятель натягивает обнову, застегивает на пуговицы... Пуговицы! Бежевого цвета!

Я переводила глаз с остановленного кадра на снимок. Да, кардиган тот самый, исчезли последние сомнения... Экран ожил, и Базиль, повернувшись спиной, пошел к столу за бутылкой, собираясь обмыть презент. У него удивительная, очень неловкая походка. Сначала вперед выносится бедро, потом вперед выдвигается нога. Со стороны кажется, будто попа пытается обогнать тело. Что-то он рассказывал про дефект тазобедренного сустава, полученный при рождении... Никогда не видела человека, передвигающегося так странно. И эти вывернутые ладони, тоже не совсем привычно. Обычно при ходьбе человек поворачивает ладони в бок, а Базиль отводит назад...

Внезапно в мозгу возникла картинка: красивый, импозантный начальник колонии Самохвалов Феликс Михайлович, попрощавшись, направляется к воротам. А в открытую калитку ясно видно, как от автозака отходит группка вновь прибывших зеков. Последний из уголовников устало тащится чуть поодаль. Бедро заносится вперед, нога покорно передвигается следом. Странная, неловкая походка и вывернутые назад ладони...

Меня пробрал внезапный озноб, липкая испарина покрыла спину, ноги задрожали, я плюхнулась в кресло, прямо на пульт. Картинка на экране замерла. Весело улыбающийся Корзинкин глядел с экрана, держа в руке пузатый бокал с коньяком. Я тупо смотрела вперед. Базиль! Кажется, я нашла тебя.

Глава двадцать шестая

Ночь прошла без сна. Выкурила возле открытого окна почти полную пачку «Голуаз», замерзла окончательно, но так и не сумела связать концы с концами. В сознании мелькали образы — убитая Майя Колосова, проживший всю жизнь под чужой фамилией Трофим; тоскующий в брошенной деревне старик Прохор; убитый дворник Юра; лежащий в багажнике «Вольво» труп Алексея Ивановича Никитина; глупая девочка Эля, решившая разбогатеть, продав собственную ногу; Вера Никитина, обманывающая родителей абитуриентов, и Нина, хладнокровно предлагающая людям стать калеками. Что их всех связывает? Ведь определенно есть между ними какие-то ниточки. Только я никак не могу увидеть эту паутину. И кто паук, соткавший узор?

Только под самое утро стала оформляться идея, как встретиться с заключенным, удивительно напоминающим Корзинкина. Начнем с «Альбатроса», вот только дождусь десяти утра.

Но в девять тридцать зазвонил телефон, и суровый мужской голос осведомился:

— Дарья Васильева? Ефим Иванович Галактионов вам знаком?

— Да, — испугалась я, — что произошло?

— Прихватите документы, удостоверяющие

его личность, и приезжайте в отделение, записывайте адрес, — не пошел на контакт милиционер.

Вытащив из чемодана старика паспорт, я понеслась к трем вокзалам. Милиция находилась недалеко от Комсомольской площади.

Полный, одышливый дядька в серой рубашке поглядел сурово в книжечку и безнадежно спросил:

— Кем вам приходится Галактионов?

Ну как объяснить в двух словах, пришлось соврать:

— Свекром.

— Бойкий родственничек, — вздернул брови мужчина и вздохнул: — Говорил, что шестьдесят лет, а самому без малого сто... Ну как не стыдно безобразничать в таком возрасте.

— Да что он наделал?

Капитан опять устало вздохнул и взял со стола рапорт.

— Вот, послушайте: «Подойдя к гражданину Петренко, гражданин Галактионов вначале оскорбил того посредством нецензурной брани, а именно употреблял матерные выражения, повлекшие за собой удар по лицу. Получив удар, гражданин Галактионов нанес ответный удар гражданину Петренко в область солнечного сплетения, а когда гражданин Петренко принял полувертикальное положение, гражданин Галактионов нанес еще один удар в передне-боковую поверхность шеи, вследствие чего гражданин Петренко получил кратковременное расстройство здоровья и незначительную стойкую утрату общей нетрудоспособности». Понятно?

А чего же тут не понять, хотя стиль изложения хромает. Ефим сначала поругался, а затем накостылял по шее какому-то Петренко!

— Ну и что делать будем? — демагогически вопрошал капитан. — Оформлять задержание?

— Может, решим вопрос полюбовно? — защебетала я.

— Как? — заинтересовался мент.

— Я вам что-нибудь дам, а вы мне вернете дедушку.

— Что дадите-то? — нервно откликнулся сотрудник.

— Ну, например, сто долларов.

— Так, — вздохнул милиционер, — взятку суете?

— Упаси бог, гуманитарную помощь.

— Ладно, вынимай, — неожиданно перешел на «ты» страж закона.

Симпатичная зеленая бумажка перекочевала в лопатообразную руку, и капитан, сняв трубку, что-то быстро пробормотал. Минут через пять конвойный ввел Ефима, но в каком виде! Один глаз заплыл и украсился синяком, куртка в грязи, брюки абсолютно изжеваны, шапки нет, зато здоровый глаз горит злым огнем. Увидав меня, милый дедуля сообщил:

— Во, видала придурков, в обезьянник посадили! И всю ночь продержали, компьютера у них нет, чтобы личность проверить!

— Компьютер есть, — оскорбился долларолюбивый капитан, — только сами виноваты, зачем назвали 1939 год рождения? Мы и искали такого Галактионова и, конечно, не обнаружили. Органы обманываете. Вот, в паспорте черным по белому — 1906 г. Сказали бы вчера правду и проследовали бы по месту проживания. Кто ж со стариком связываться станет? Прямо смешно, ведь не баба!

Услышав напоминание о возрасте, Ефим Иванович обозлился до предела:

— Да я в свои девяносто больше могу, чем ты в тридцать, дурачок, дело не в возрасте.

Капитан, оформлявший какую-то бумажку, буркнул:

— Это точно, никогда не дрался на улицах.

— Задора в тебе нет, — вздохнул старик, аккуратно трогая опухший глаз, — я придурка того здорово поколотил?

— Петренко? — спокойно переспросил мент. — Ерунда, до кратковременного расстройства здоровья.

— Надо же, — пригорюнился дедуля, — думал, хоть ребро ему сломал...

— Хорошо, что не сломал, — пробормотал капитан, лихорадочно заполняя бесконечные бланки, — статью за хулиганство никто не отменял.

— Скучный ты, — вызверился старик, — сидишь целый день жопой на стуле, небось весь прибор отсидел, с женой и не поиграть...

Милиционер уставился на деда, ручка замерла в воздухе.

Испугавшись, что он сочтет подобное высказывание оскорблением при исполнении служебных обязанностей, я ухватила деда за воротник и защебетала:

— Сейчас, сейчас, быстренько, спасибо, товарищ капитан...

— Тамбовский волк ему товарищ, — незамедлительно отозвался Ефим.

Капитан вновь замер с ручкой над столом и осведомился:

— Сидели когда? За что срок мотали?

— Что вы, — залебезила я, — никогда, абсолютно добропорядочный член общества, просто кино недавно глядел «Дело было в Пенькове», вот и цитирует теперь к месту. Вы уж извините, все-таки сто лет скоро, мозговые изменения.

— У тебя у самой мозговой паралич, французенка чертова, — взревел дедок.

— Вот видите, — обрадовалась я, — французенкой обзывает, совсем плохой.

— Так она и есть натуральная гражданка Франции, паспорт гляньте, — не унимался Ефим, — ну придумала, сумасшедшим меня выставлять!

Я вытащила из сумки российский паспорт и показала капитану.

— Второй есть, — не унимался старик, — Родину продала, на Запад подалась за длинным рублем, миллионы теперь имеет, дом в Париже, богатство несметное, одних собак у нее пять штук, а еще кошки, мыши, попугаи...

Милиционер сочувственно глянул на меня, я развела руками и повертела пальцем у лба.

Садясь в «Вольво», спросила у Ефима:

— Из-за чего драка вышла?

— Начали в картишки перебрасываться, а этот хмырь на кон бубнового туза выкладывает.

— Ну и что?

— Так у меня на руках два бубновых туза и колода моя, значит, шулер, ну и врезал маленько.

Через секунду информация улеглась в голове, и я нажала на тормоз. «Вольво» притормозил.

— Как два бубновых туза?

Старик хмыкнул:

— Просто, два бубновых туза, прикинь, как обозлился, когда третьего увидел.

Представляю, сам решил сжульничать, а на дороге другой хитрец попался!

— Вы его знаете?

— Первый раз вижу!

От негодования я, начав было движение, снова нажала на тормоз. «Вольво» опять замер.

— И сели играть в карты с незнакомцем у трех вокзалов? Да там самое криминальное место. И вы что, ходите с шулерской колодой в кармане?

— Он первым подошел, — огрызнулся Ефим, — и давай прикидываться, выиграть сначала дал!

— И согласился играть вашей колодой?

— Зачем, в ларьке новую купили. Дальше — дело техники.

Я опять затормозила.

— Вам не стыдно?

— Мне? — возмутился Ефим. — Пусть ему будет стыдно, молодой еще с профессионалами тягаться. Я на жизнь зарабатывал преферансом в Сочи. Выйдешь на пляж и вистуешь. Квартирку купил кооперативную, «Победу»... Три месяца поработаешь — девять проживаешь. Сентябрь в Сочах был самым доходным месяцем, бархатный сезон. Директора гастрономов приезжали, начальники продуктовых баз, богатейшие люди. Проиграются и молчком в номер. Милицию никто не звал. Боялись, что спросят: а откуда у вас, гражданин хороший, такие денежки?

Я не нашлась, что сказать.

— В чем дело? — раздался голос.

Пожилой гаишник стучал в боковое стекло.

— Я что-то нарушила?

— Почему стоим, а не движемся в потоке?

Действительно, забыла тронуться с места, услышав откровения старика, и теперь машины, недовольно гудя, объезжали «Вольво».

— Простите, задумалась.

Повертев в руках права, постовой велел:

— Снимите солнечные очки.

Я покорно стащила оправу.

Милиционер оглядел мой сверкающий всеми цветами радуги глаз, потом перевел взгляд на лицо старика, украшенное замечательным «фонарем», и радостно произнес:

— С супругом разбирались? Ну и кто кого победил?

Ефим демонстративно отвернулся к окну, гаишник засмеялся и вернул права.

— Правильно, дамочка, — благодушно заявил он, — нечего нам, мужикам, спуску давать, лупи сковородкой или чем ты там привыкла размахивать? Скалкой?

— Сам дурак, — сообщил Ефим, но мы уже тронулись с места, и его слова остались безнаказанными.

Следующие два дня пришлось безвылазно просидеть дома, смазывая синяк всем, что попадалось под руку. В результате к среде только легкая зелено-желтая тень напоминала об увечье, впрочем, ее было нетрудно заретушировать тональным кремом. Задержка в расследовании злила, но, с другой стороны, временно лишенная всяческой активности, я детально продумала план.

К Лоле поехала после обеда. Целых два часа потратила на то, чтобы принять соответствующий внешний вид. Конечно, женщина видела меня только один раз, мельком, на довольно темной лестнице, но все же...

Вместо худенькой блондинки с голубыми глазами в зеркале отражалась кареглазая шатенка с плотной фигурой примерно пятидесятого размера. Элегантный темно-серый костюм я позаимствовала у Гали, а лицо только чуть-чуть тронула косметикой. Вульгарность сегодня ни к чему.

В приемной у Лолы сидела не секретарша, а секретарь — молодой красивый парень со слегка апатичным лицом. Полное отсутствие какого-либо огня в глазах делало его безупречную физиономию слегка глуповатой, впрочем, он весьма приветливо спросил:

— Чем могу быть полезен?

— Хочу побеседовать с Лолой.

Парень кивнул на дверь кабинета.

Хозяйка агентства стояла возле одного из шкафов, держа в руках папку с документами.

— Вы ко мне? Садитесь.

Я отодвинула тяжелый стул и достала из сумочки французский паспорт. Кинув взгляд на синенькую книжечку, Лола стала еще любезней, просто расцвела от восторга.

— Желаете отдохнуть в России? Чудесный выбор. Есть изумительные места — озеро Байкал, Долина гейзеров на Камчатке. Или тур по «Золотому кольцу»... Правда, сразу скажу — сервис не всегда европейский. Вот Суздаль, например, присвоил своим гостиницам пять звезд, но это отнюдь не «Отель де Виль», по моему мнению, и четырех будет слишком. Зато музеи, природа... Нигде такого не увидите.

Я отрицательно помотала головой и, понизив голос, сообщила:

— Мне посоветовал обратиться к вам Клод Рабель, говорил, что вы устроили ему незабываемый отдых!

Лола ловко выдернула крупное, статное тело из вертящегося стула и вытащила из шкафа папочку:

— Ах Клод! Он у нас уже второй раз.

— Вот именно. Хочу так же расслабиться.

Лола посмотрела на меня бездонными глазами. И без того большие, они были ловко увеличены при помощи светлых теней и подводки. Неизвестно от чего засмущавшись, я быстро-быстро принялась врать.

Родилась и выросла во Франции, в семье эмигрантов, дома всегда говорили по-русски, поэтому в совершенстве владею языком предков. Работаю в той же фирме, что и Клод Рабель. Последнее время тоска заела, ничего не радует, сплошная скука. А тут приезжает посвежевший Клод...

— Вы замужем? — осведомилась Лола.

— Одинока, детей нет.

— И куда бы хотели — заброшенная деревня, сексуальное приключение? Какие фантазии?

Я постаралась изобразить крайнее смущение, потом принялась мямлить:

— Фантазии есть, только, наверное, трудно осуществить...

— Еще ни разу не сталкивались с невыполнимыми мечтами, — улыбнулась Лола, — дерзайте,

говорите, сделаем все, если, конечно, за расхода-
ми не постоите.

Я достала из портмоне платиновую карточку
«Лионского кредита» и многозначительно постучала пластиковым прямоугольником о письменный стол. Хозяйка успокоилась и повторила:

— Ну, о чем мечтали?

— Очень хочу попасть на зону, расположен-
ную в городе Птичий, пожить там недельку-дру-
гую.

Лола изумилась.

— Птичий? Прекрасно знаю, но там мужская
колония, женщин не берут. Хотите под Рязань?
Изумительное место для дамы: шьют белье для
новорожденных, и бараки без всяких удобств, а
уж кормят! Живо лишний вес сбросите.

— Заплачу в два раза дороже, если устроите
Птичий.

— В качестве заключенной маловероятно,
если только кем из вольнонаемных — медсе-
строй или на приеме продуктов... Да зачем вам
Птичий, давайте в Рязань!

— У меня дома телик принимает ваши кана-
лы, — мечтательно пробормотала я.

— Ну и что? — не поняла Лола.

— В передаче «Человек и закон» было интер-
вью с начальником этой зоны. Такой мужчина!
Красавец, что рост, что фигура, что голос... Невероятный любовник, наверное...

— Понятно, — пробормотала Лола задумчиво.

Но я решила уточнить все до конца и продолжала:

— И зовут так романтично — Феникс, просто
мечта!

— Феликс, — поправила машинально хозяйка «Альбатроса», — имя начальника колонии — Феликс Михайлович. Только вот не уверена, что он обратит на вас внимание. Сами понимаете, с рядовым сотрудником, положим, наш агент смог бы договориться, а с господином Самохваловым сомнительно...

— Вы только пристройте в зону, — настаивала я, — а там уж разберемся...

Лола хлопнула ладонью по столу. И тут я увидела сбоку, за стопкой бумаг, — сумку. Красивую, дорогую, из крокодиловой кожи, на ручке болтается буква «В». Очевидно, на лице отразилось изумление, потому что Лола, проследив за моим взглядом, тут же сказала:

— Жуткая вещь, дорогая и безвкусная. Ни за что бы не приобрела такую, но сын приятельницы привез в подарок. Мне и своей матери, одинаковые! Ну не идиот ли. Не хочется обижать глупого мальчишку, вот и держу тут, вроде пользуюсь! Впрочем, вернемся к делам. — И она назвала сумму.

Да, невероятные фантазии и стоят невероятно. Теперь поеду домой обрабатывать домашних.

Но, к удивлению, ничего не пришлось придумывать. Только сели ужинать, как Кеша заявил:

— Сегодня ночью еду на недельку в Петербург.

— Зачем? — удивилась я.

— Пригласили на процесс, — пояснил сын, — Зайка заодно прокатится, по музеям походит.

— Кешенька, любименький, миленький, возьми меня с собой, — моментально заныла Маня.

— Ни за что, — отрезал братец, — будешь без конца болтать и мешаться.

— Рта не открою, — пообещала Манюня.

— А колледж? — не сдавался Кеша. — Каникулы начнутся, тогда и съездишь.

— Кешик, ну, пожалуйста, — ныла Маня.

— Нет, и точка, — отрезал Аркадий.

Маруська опустила голову, крупные слезы закапали в тарелку. Дочка тихонько вздыхала и горестно шмыгала носом. Если сын чего не выносит, так это вида женских слез. Изо всех сил Аркадий крепился, но Машка продолжала «солить» котлеты, и он не вынес:

— Ладно, собирайся, но чтобы тихо себя вела!

— Ура! — завопила девочка, вскакивая и роняя стул. — Ура, наша взяла!

Она вихрем понеслась в спальню складывать сумку. Из холла немедленно послышался визг Банди — питу отдавили хвост. В душе я тоже ликовала. Так, самые опасные уедут. Миша с Галей ни за что не заметят моего отсутствия, Ефиму дам «зелени», и старик кинется в казино, Ирка с Катериной привыкли, что хозяйки целый день нет дома. Впрочем, в девять вечера они запираются в своих комнатах и сначала самозабвенно смотрят новости, а потом детективы. Няня близнецов Серафима Ивановна так устает от безобразников, что, уложив их в восемь спать, тут же падает в кровать. А сон у нее богатырский. Один раз, когда по дому носился, стреляя из пистолета, сумасшедший тип, она даже не проснулась!

И потом прислуга, как правило, не задает никаких вопросов хозяевам. Реально следовало опасаться только Зайки, Кеши и Машки, а они укатят в Петербург!

Я пришла в эйфорическое состояние и кинулась к сыну:

— Аркашенька, какой костюм возьмешь?

Сын подозрительно глянул в мою сторону.

— Мать, что за суета?

— Хочу помочь!

— Надеюсь, ничего не задумала провернуть в наше отсутствие?

— Господи, — испугалась я, — ну и мысли!

— Очень правильные соображения, — отпарировал Кеша, — иначе с чего бы ты так суетилась? Готова чемодан сложить и сама к двери тащить! Ох, не нравится мне такая забота, подозрительно как-то!

— Не хочешь, не надо, — изобразила я крайнюю обиду, — даже к машине не выйду, если тебя раздражает мое внимание!..

Но во двор я, конечно, вышла и долго махала вслед «Мерседесу» рукой.

Утром, едва проснувшись, позвонила в платную справочную и узнала, что «Стрела» благополучно прибыла в северную столицу. Чудненько, сейчас девочки отправятся в Эрмитаж, потом в Михайловский замок, объездят пригороды... А я помчусь в банки, снимать денежки со счета.

К полудню все великолепно уладилось. Необходимая сумма преспокойненько лежит в сумке, еще часть денег надежно запрятана под стельки туфель... Ефим Иванович, получив малую толику, тут же умчался прочь, Галя и Миша тихонько копошились в кабинете. Я заглянула внутрь: кучи листочков и безумный взор обрученных...

Отлично, ничего не видят и не слышат. Катерина чем-то звякала на кухне, Ирка мирно жужжала пылесосом в Машиной спальне. Никем не замеченная, я выскочила во двор.

На этот раз Лола оказалась предельно деловита. Сначала аккуратно пересчитала деньги, потом спросила:

— Готовы?

— Хоть сейчас поеду.

— Вот и прекрасно, — произнесла хозяйка и протянула небольшой саквояжик, — переодевайтесь.

Я раскрыла «молнию» и брезгливо уставилась на атласный розовый лифчик, примерно четвертого размера, невероятные трусы с резинками и темные эластичные колготы. Заметив гримаску, Лола пояснила:

— Вы же не можете работать в зоне, одетая по парижской моде. Никто из сотрудников и заключенных знать не будет, кто вы на самом деле. Жить придется в общежитии, женщины любопытны, вдруг заглянут в чемоданчик к коллеге, а там дорогая одежда и косметика, сразу начнут подозревать во взятках, настучат начальнику... Не сомневайтесь, вещи абсолютно новые, просто неказистые.

Действительно, на уродском белье болтались бирки. Еще там лежали кое-какие теплые вещи, жуткая ночная сорочка и сумочка с дешевой, пахнущей вазелином косметикой.

Лола улыбнулась:

— Переодевайтесь, — и вышла в коридор.

Я моментально стала натягивать обновки, стараясь равномерно разложить толщинки. Наконец полноватая, бесформенная тетка была готова.

— Великолепно, — одобрила вернувшаяся хозяйка и протянула паспорт.

Я открыла документ — Елена Михайловна Казанцева, 1950 года рождения. С фотографии смотрела безвозрастная полноватая баба с дурацкой химической завивкой.

— Давайте ваш паспорт, — велела Лола.

Я насторожилась. Совершенно не хочу лишаться документа, подтверждающего иностранное гражданство.

— Зачем?

Лола терпеливо пояснила:

— Спрячу в сейф, мало ли что. Закончите отдыхать, верну.

— Ни за что!

— К сожалению, таковы правила, — неожиданно резко отреагировала хозяйка «Альбатроса», — не желаете подчиняться — забирайте назад деньги.

Со вздохом протянула ей синенькую книжечку. Лола резко сбавила тон и сообщила:

— Тем, кто хочет изобразить из себя заключенных, вообще никаких документов не даем — у зеков паспорта при аресте отбирают. А вот с вами пришлось повозиться. Вы — вольнонаемная, добропорядочная гражданочка, у вас и ксива на руках.

— Не очень я на фото похожа...

— Ерунда, — отмахнулась Лола, — никто и не сличает никогда физиономию в паспорте с реальным лицом. Потом, смотрите, Казанцевой сечас 49 лет, а снимок вклеили, когда исполнилось 45. Четыре года прошло! Будет кто удивляться, смело отвечайте — изменила прическу, пополнела, постарела... Да не волнуйтесь так! Не первый год работаем, осечек не случается. Идемте.

И она распахнула дверь гардероба.

— Куда? — изобразила я полнейшее удивление.

— За мной, — улыбнулась Лола, — приключения начинаются, видите, как здорово, прямо как в кино.

Мы полезли вверх по винтовой лестнице. Так вот зачем тут потайной ход.

В издательстве «Свеча», мирно читая какую-то рукопись, сидела дурно одетая секретарша Надежда Николаевна. Увидав нас, она и глазом не моргнула, даже головы не подняла!

Пройдя длинный коридор, толкнули дверь и оказались на черной лестнице. В маленьком дворике стояли неприметные, грязноватые темно-синие «Жигули». Номерной знак 666 ДЕ. Число сатаны! Машина алкоголика Сытина, в которой кто-то увез в неизвестном направлении дурочку Элю!

Хозяйка «Альбатроса» положила мой саквояжик в багажник и ласково проворковала:

— Садитесь, Ниночка вас мигом домчит.

Чувствуя себя глупым кроликом, угодившим прямиком в пасть удава, я полезла в пахнущий сигаретами и ароматизатором салон. Кашель подступил к горлу. Терпеть не могу кокосовую отдушку.

Глава двадцать седьмая

Сидевшая за рулем девушка улыбнулась голливудской улыбкой. Я попробовала ухмыльнуться в ответ, но, честно говоря, получилось плохо. Глупая Эля оказалась права — Нина удивительно походила на ожившую куклу Барби. Такие же блондинистые, явно осветленные, кудри до плеч, узенькое треугольное личико с правильными чертами, большие, абсолютно невинные голубые глаза, длинная шея и руки. Пахло от девчонки супермодной в прошлом сезоне туалетной водой «XS».

— Курите? — мелодичным голосом поинтересовалась Нина и протянула пачку «Парламента».

Я покачала головой.

— Только «Голуаз».

Автомобиль помчался по шоссе. Нина уверенно крутила баранку. Девушка не металась из ряда в ряд, не неслась на бешеной скорости, педантично соблюдала правила, включая мигалку каждый раз при повороте или обгоне, — почти идеальный водитель, мечта гаишника. До Птичьего добрались в момент.

Припарковавшись у административного корпуса, Самохвалова затормозила и, выключив мотор, сказала:

— В зоне никто не знает, кто вы, кроме одного человека, с которым непосредственно работает наше агентство. По условиям договора, я не имею права сообщить вам его имя. Придется рассчитывать только на себя. Документы абсолютно надежны. Здесь 500 рублей. Через десять дней выдадут зарплату. Конечно, предприятие рискованное, но ведь вы как раз и хотели приключений, опасностей и ужасов. Идите в 21-й кабинет, там ждут медсестру Казанцеву, которая должна заменить уходящего в отпуск медработника. Желаю удачи и хорошего отдыха.

Не успела я вытащить из багажника чемоданчик, как машина взревела и умчалась. Я толкнула тяжелую, железную дверь и оказалась в небольшом тамбуре, перед другой, точно такой же дверью. Справа звонок и табличка «Больше трех в накопителе не скапливаться». Лязгнул замок, и я вошла в узенькое пространство — слева, за решеткой, словно попугай в клетке, сидела довольно полная молодая женщина в зеленой форме. Она весьма приветливо, даже дружественно сказала:

— Передачи принимают в соседнем помещении.

— Я в двадцать первую комнату.

— Казанцева? Предъявите паспорт.

Бросив мельком взгляд внутрь красненькой книжечки и даже не раскрыв страничку с фотографией, дежурная нажала кнопки, и находившаяся передо мной очередная дверь открылась. Я оказалась на узенькой асфальтированной дорожке, окаймленной с двух сторон решетками. Справа и слева — глухие ворота. На одних надпись — «Жилая зона», над другими — «Промышленная зона». Я пошла было вперед.

— Стой! — раздалось откуда-то с неба.

От неожиданности чуть не уронила чемоданчик.

— Вернитесь к дежурному, — прогремел тот же голос.

— Куда пошли! — укорила женщина.

— Искать административное здание, — робко проблеяла я.

— Запомни сразу, — велела охранница, — женщина одна в зону не ходит никогда, даже такая, как мы с тобой.

— Почему?

— Здесь почти шестьсот мужиков, которые бабу годами не видели, сообразила? — Увидав мое изменившееся лицо, дежурная добавила: — Правда, до сих пор ничего не случалось, но береженого бог бережет. Как выйдешь из накопителя, тут же поверни за угол и иди до административного подъезда в нашем здании.

Я покорно двинулась вперед. Первую дверь, встреченную на пути, украшала вывеска: «Помещение длительных свиданий. Вход по пропускам». Вторая дверь оказалась на удивление деревянной и открытой. Комната 21 была на третьем этаже. В начале коридора транспарант — «Спецчасть». Судя по всему, тут обожали всевозможные вывески, таблички и трафаретки.

В нужной комнате довольно пожилой мужик вяло глянул в паспорт и сообщил:

— Знаю, звонили. Значит, вы замените на месяц Викторию Евгеньевну. Сейчас подите ознакомьтесь с медпунктом, потом выдадим форму, талон на общежитие и питание. Сема, проводи.

Молоденький щекастый солдатик повел в самый последний подъезд. Естественно, дверь украшала надпись — «Медпункт», тут же висело расписание: 1-й отряд — понедельник с 9 до 11, 2-й отряд — вторник с 9 до 11 и так до воскресенья. Внизу мелкими буквами сообщалось: «В случае непредвиденной болезни обращаться к отрядному». Интересные тут порядки, по мне, так любая болячка приходит неожиданно.

В медпункте мирно читала газету тетка лет шестидесяти в довольно грязном белом халате. Увидав «коллегу», она оживилась и представилась:

— Виктория Евгеньевна.

— Дарья, то есть Елена Михайловна...

— Принимай хозяйство.

Я оглядела крохотный кабинетик и на всякий случай пояснила:

— Вообще-то специального образования не имею, только курсы медсестер гражданской обороны.

— Да не надо тебе никакого диплома, — отмахнулась Виктория Евгеньевна. — Вот гляди — йод, если кто поранится, пластырь. Тут вот анальгину немножко, аспирин, дибазол с папаверином и капли Зеленина. Эти медикаменты знаешь, как употреблять?

Я кивнула.

— Ну и чудненько. Всех пришедших записывай в журнал, в сейфе но-шпа, но ее мало, только для сотрудников.

— Это и все лекарства?

— Хорошо еще, что такие есть, — пояснила Виктория Евгеньевна. — Да ты не бойся, сюда больше поболтать приходят. Видишь чайничек? Не пожалей, заведи пачечку чаю и сахарку, угостишь кого, сразу в авторитете будешь.

— А вдруг что серьезное? Аппендицит или сердечный приступ?

— Десять лет работаю, не припомню подобного. Вот вилки глотали...

— Зачем?

— Чтоб в больницу попасть, оттуда убежать можно — в город отвозят, в охраняемую палату, а из зоны удрать — без шансов!

Прямо над столом висела «Памятка медицинского работника». Чего там только не было. Медсестре предписывалось снимать пробу с обеда, проводить санитарную обработку бараков, вести беседы о здоровом образе жизни...

— Да не смотри ты туда, — сказала Виктория Евгеньевна, — платят копейки, а работы хотят на миллион. Приняла до 11 утра народ и сиди спокойненько, читай. Никому не нужно, чтоб ты по лагерю шлялась, одна головная боль — охранять надо... Если комиссия какая собирается, занавесочки постирай и халатик, впрочем, проверяющие сюда редко заглядывают. Да, вот еще.

И она выложила на стол тонометр и стетоскоп.

— Градусник никому не давай, — велела добрая сестричка, — один-разъединственный, разобьют еще, не дай бог! Температуру и так определить можно.

— Как?

— Ну лицо красное, глаза блестят, пульс частит, лоб пощупай...

— А вдруг туберкулез?

— Пульмонолог приезжает раз в год с передвижной флюорографией.

— Раз в год?

— А ты на воле, что, каждую неделю к фтизиатру бегаешь? Небось лет пять на рентгене не была.

— Вдруг зубы заболят...

— Ерунда, раз в три месяца стоматолог принимает, а если уж совсем невмоготу, отрядный вырвет.

— Отрядный?!

— Чего так удивляешься? Тут отрядные все могут — и зубы рвать, и нарывы вскрывать, а в женских зонах роды принимают... Познакомишься с ними. Нормальные мужики, с пониманием, зря никого не обижают. Ты замужем?

— Нет.

— Тогда на Константина Яковлевича, воспитателя из шестого отряда, обрати внимание. Холост, не пьет, не курит, во всех смыслах положительный. Ну, беги оформляйся!

День прошел в хлопотах. Выдали зеленую форму и халат. Поселили в общежитии, где, кроме меня, в комнате оказалась еще одна женщина, вручили талон на питание...

Во вторник утром отсидела за столом положенные часы. Явился только один «больной». Парень лет двадцати пяти с жалобой на головную боль. Я обслужила его как могла. Померила давление, поглядела горло, поводила стетоскопом по татуированной груди, потом дала таблетку анальгина и спросила:

— Кофе хотите?

Парень замер, потом уточнил:

— Это вы мне?

— Вам.

— Очень хочу.

Я налила кружечку «Нескафе», пододвинула

коробку с рафинадом и пачку печенья «Глаголики». «Больной» моментально опустошил кружку, схватил несколько сдобных комочков и неожиданно спросил:

— Первый раз на зоне работаете?

Я кивнула.

— Оно и видно, — вздохнул уголовник, — кружечку еще одну заведите, для десятого номера.

— Для кого?

— Вообще-то, конечно, сами должны предупреждать, — продолжал просвещать меня мужик, — но есть такие падлы! Обязательно возьмите кружечку и напишите на ней «№ 10». Всем и понятно.

— Да зачем?

Парень вздохнул:

— Порядок такой, не могу же я с петухом из одной посуды хлебать! И кофе тоже всем без разбору не давайте, баловство это.

Так и не поняв, при чем тут петухи, я вызвала охрану, закрыла медпункт и пошла в 21-ю комнату.

— Ну чего еще? — недовольно спросило начальство.

— Должна снять пробу с обеда.

— Етит твою налево, — буркнул мужик, — зачем?

— Инструкция предписывает.

— Может, ну ее на фиг?

— Нет.

Меня с эскортом препроводили в столовую. По дороге спросила у охранника:

— Почему нельзя пить с петухом из одной кружки?

388 .... Дарья Донцова

— Ни в коем разе, — испугался парнишка, — петух — опущенный, гомосексуалист пассивный. Его вещи брать западло, тронул — сам таким же считаешься. У них и посуда своя, «№ 10».

В столовой работали заключенные, я пожевала перловую кашу, хлебнула «Суп из капустного листа с рыбой» и с умным видом поставила в блокнотике крестик. Ладно, завтра пойду проводить санитарную обработку бараков...

Через три дня я облазила весь лагерь. Развела в огромном бачке раствор марганцовки и сделала из марли какое-то подобие кисти. Двое заключенных таскали «дезинфекционный раствор», сзади плелся охранник. Я засовывала «кисть» в бачок и кропила все подряд. Вечером, лежа без сна на продавленной койке, подводила итог увиденному. В лагере шесть отрядов, в каждом около ста человек. Отряд занимает громадную спальню, где на двухэтажных железных кроватях проводят ночь заключенные. Еще им положена полка в тумбочке. Зеки везде ходят строем — в столовую, баню, клуб. Гулять можно только в небольшом пространстве, огражденном колючей проволокой. Это так называемая локальная зона. У каждого подразделения она своя, и пообщаться с приятелем из другого отряда практически невозможно.

В столовую сначала входят несколько человек, которые и разливают по алюминиевым мискам баланду. Когда основная масса бодрым шагом вваливается в обеденный зал с песней, на столах уже стоят миски с едой и лежит хлеб. На обед дают два куска, к завтраку и ужину — по одному. Нечего и говорить, что каждый отряд ест в определенное время и только в своем тесном коллективе.

Имеется штрафной изолятор — ШИЗО. Туда запихивают за незначительные прегрешения примерно на пятнадцать суток. Более суровое наказание БУР — барак усиленного режима, и совсем плохо в ПКТ — помещение камерного типа. Словом, это тюрьма со всеми вытекающими прелестями. Во все места, приспособленные для наказаний, харчи в огромных, отвратительного вида бачках разносят баландеры.

Увидав в бараке шестого отряда мышь, я начала активную кампанию под лозунгом «Грызуны — разносчики чумы» и принялась лазить по всем углам и закоулкам зоны, щедро рассыпая повсюду абсолютно невинную смесь из соли, сахарного песка и соды. Начальство только крякало при виде стараний столь усердной медсестры, но сделать ничего не могло — я четко придерживалась должностной инструкции.

В конце концов пришла к неутешительному выводу — ни в жилых бараках, ни в ШИЗО, ни в БУР, ни в ПКТ Базиля нет. Не появлялся он и в мастерских промзоны. Где же спрятали мужика?

Помог случай. Наблюдая, как работающий на кухне зек раскладывает в бачки порции для ПКТ, обратила внимание, что он накладывает двенадцать половников каши, но камер там только одиннадцать, хорошо помню, а лишней миски никому не дадут.

После обеда, размахивая тетрадным листочком, кинулась к начальству. Толстый капитан, увидав меня, просто побелел:

— Ну, что еще придумала?

— Смотрите, смотрите, — сунула я ему под нос бумажку.

— Ну таракан, только странный.

— Не таракан, а lupus individus[1].

— Кто? — окончательно обалдел капитан.

— Lupus individus, африканское насекомое из семьи тараканьих, обладает редкой способностью к размножению, страшно ядовит! Укус вызывает тошноту, рвоту, возможен даже смертельный исход, чревато эпидемией.

— Да ну? — удивилось начальство, на всякий случай отодвигаясь подальше. — То-то гляжу, зеленый такой, чудной. Как он к нам попал?

— В ПКТ поймала, небось с продуктами передали, сейчас в посылках что хочешь найти можно.

— В ПКТ передачи не носят, — сообщил капитан.

— А помните, позавчера батюшка приходил, ему еще Феликс Михайлович разрешил там служить, так он всех печеньем угощал, импортным, в пачках.

— Непорядок, — нахмурился начальник, — просто безобразие... Ладно, чего делать-то надо?

— Ничего особенного, — успокоила я его, — lupus individus дохнет от обычной хлорки. Нужно обработать помещение, и порядок, только побыстрей, а то вдруг размножится.

— Хлорки у нас завались, — удовлетворенно отметил капитан, — ладно, уж не знаю, что за зверь такой, но, наверное, и впрямь лучше провести дезинфекцию. Что для этого требуется?

---

[1] Набор несуществующих слов, похожих на латынь.

— Двоих парней дайте — бидон таскать!

— Хорошо, иди готовь отраву, сейчас пришлю.

Сжимая в кулаке листочек с несчастным насекомым, я побежала в медпункт. Надеюсь, когда-нибудь Базиль оценит весь героизм поступка. Сначала отловить таракана, а потом покрасить зеленкой, на такое, знаете ли, не всякая женщина способна.

Я облила вонючей жидкостью одиннадцать камер ПКТ. Пары хлорки повисли в воздухе. Заключенные, тащившие бидон, начали кашлять, охранник притормозил на пороге. Обработав помещение для солдат, я сердито спросила, ткнув пальцем в неприметную железную дверь возле туалета.

— А там что?

— Особое помещение, вход запрещен.

Я начала требовательно кричать:

— Хотите эпидемию? Разом получите, в Москву сообщу, в центральную санитарную службу. Не желаете по-хорошему, будет по-плохому, приедут обработчики, карантин объявят, никого не выпустят по домам. Просидите тут 45 суток.

— Тише, тише, — замахала руками охрана, — ну чего расшумелась, давай по-быстрому.

Заклацал замок, и я вошла в тесное, метров пять, помещение без окна. На деревянных нарах без подушки и одеяла лежал исхудавший и постаревший Базиль. Меня он, конечно, не узнал. Отчаянно кашляя, охранник стоял на пороге. Я брызгала во все стороны мерзкой жидкостью, Базиль чихнул.

Прости, милый, но иначе ничего не выйдет, придется потерпеть немного. Только, пожалуйста, не удивись, когда к тебе упадет тоненький листочек...

Корзинкин не подвел и моментально спрятал маляву.

Я выскочила из камеры и объявила акцию законченной. Утром прибежала в медпункт и замерла в напряженном ожидании. Что-то никто не идет, может, просчиталась? А как долго придумывала план! Сначала хотела спрятать приятеля в бочке с отбросами, но потом увидела, как содержимое каждого контейнера несколько раз с силой прокалывают железным прутом! О побеге на автомобиле нечего было и думать. Любую машину сперва загоняют в так называемый шлюз и осматривают всю до последнего винтика. Оставался последний шанс — больница. Надеюсь, Базиль четко выполнит инструкции. Для конспирации я написала записку на французском и обратилась к приятелю так, как его называет иногда в минуту нежности Сюзи: «Мой милый шу-шу». Надеюсь, что он не принял бумажку за провокацию...

Тут раздался стук, и в медпункт вошел встревоженный офицер.

— Здравствуйте, Леня, — радостно сказала я, — кофейку хотите?

— Не сейчас, Елена Михайловна, неприятность у нас.

— Что случилось?

— Да вот один в ПКТ, Арсеньев, совсем ему плохо. Рвет с вечера, прямо наизнанку выворачивает, и поносит вдобавок... Может, конечно, симулирует, но что-то непохоже. Белый весь, аж до синевы, лоб липкий. Как бы не помер в мое дежурство. Воскресенье сегодня, Феликса Михайловича нет, Андрея Сергеевича тоже, я за старшего. Уж гляньте, сделайте милость.

— Ведите.

— Да идти не может, уж вы сами, конечно, не положено, но сделайте исключение, я и охрану привел.

— Ради вас, Ленечка, согласна на все, — прощебетала я, и мы двинулись в помещение камерного типа.

Базиль лежал на шконках, запрокинув голову, рядом стояло отвратительно пахнущее ведро. Я отметила, что ему дали подушку и некое подобие одеяла — рваный кусок сиреневой байки.

Лицо приятеля приобрело землистый оттенок, глаза ввалились и украсились черными полукружьями, губы по цвету сливались со щеками... Корзинкин тяжело дышал, изредка постанывая.

Я удовлетворенно вздохнула и вытащила стетоскоп, надо же, как здорово подействовало. Ай да Дарья, ну не умница ли! Офицер и охранники топтались возле нар.

— Советую отойти подальше, — грозно велела я, — судя по всему, страшная зараза!

Храбрых мужчин как ветром выдуло в коридор. Я наклонилась над Корзинкиным и тихонько шепнула:

— Не бойся, через несколько часов отпустит, сейчас поедем в больницу, стони там погромче.

— Чегой-то с ним? — робко поинтересовался Леня.

— Rexom bulgïs operendum, по счастью, вовремя заметили, еще успеем спасти.

Офицер буквально схватился за голову.

— Господи, мне за него руки-ноги повыдернут — велели следить, как за куриным яйцом!

Я хотела было поинтересоваться, зачем требуется следить за куриным яйцом, но прикусила язык. Леня тем временем лихорадочно пытался заниматься непривычным делом — принятием решения. На лице несчастного офицера отражалась настоящая мука. Отправить в больницу? А вдруг начальство заругает? Оставить в ПКТ? Если умрет, по голове тем более не погладят!

Тут Базиля вновь затошнило, и бедолага скорчился над ведром.

Леня напрягся в последний раз и железным голосом произнес:

— Готовьте транспорт и конвой.

Глава двадцать восьмая

Через полчаса солдаты впихнули Корзинкина, лежавшего на носилках, в машину. Я с умным видом сидела рядом. Конвойные, молодые мальчишки, смотрели на Базиля с легким оттенком жалости.

— Чего это с ним? — робко спросил один.

Я махнула рукой.

— Долго объяснять, видишь ли, delinius bord воспалился.

— Заразно?

— Весьма и весьма.

Конвойные с ужасом уставились на носилки и больше не произнесли ни слова.

В приемном покое они встали было по обе стороны от «больного», но я тихонечко шепнула:

— Мальчики, сами видите, ему не то что убежать, пошевелиться трудно. Сейчас войдет доктор, начнет осмотр, вирусы так в разные стороны и полетят. Лучше посидите в коридоре, а то не ровен час заразитесь, лечи вас потом целый год.

Конвойные с сомнением поглядели на лежащего без сил Базиля.

Я выдвинула последний аргумент:

— Жаль мне вас, молодые еще, детей небось нет.

— При чем тут дети? — спросил более бойкий.

— После этой болезни в девяноста процентах из ста у юношей наступает половое бессилие, импотенция.

Мальчики, не говоря ни слова, выскочили в коридор. Нет, все-таки приятно иметь дело с мужчинами — всегда знаешь их самое слабое место.

Тут появился доктор. Глядя на его розовощекое, круглое лицо, украшенное жидкой бороденкой, я лишний раз похвалила себя. Молодец, Дарья, правильно наметила день побега — воскресенье. Лагерное начальство в полном составе отправилось праздновать пятидесятилетие местного мэра. Разговоры о покупке подарка велись почти всю неделю, а в больнице на дежурстве оставили совершенного ребенка, вчерашнего студента.

— Ну, — пробормотал врач, — на что жалуемся?

— Отравился баландой, — спокойно пояснила я, — нам испорченных кур с птицефабрики прислали, вот результат.

— Безобразие, — возмутился терапевт.

— И не говорите, коллега, — вздохнула я, — издеваются над людьми, черт знает чем кормят! Пользуются, что зеки абсолютно бесправны.

— За что он сел? — поинтересовался доктор, беря Корзинкина за руку.

— Да ерунда, накладные подделал, продавал маргарин под видом сливочного масла. Попал под статью о мошенничестве, семь лет дали!

— Какой ужас, вот бедняга, а Мавроди в депутатах! — воскликнул парнишка, испытывая жалость к Базилю.

— Собственно говоря, уже все сделала, — отчиталась я, — желудок промыла, глюкозу прокапала, активированного угля дала, должен оклематься. Вот, хочу попросить только, оставьте его у себя денька на два, жаль парня назад тащить, слабый еще!

— О чем разговор, естественно, оставим!

Корзинкина повезли в палату, я побежала к телефону и позвонила в лагерь. Дежурный офицер немедленно схватил трубку, небось сидел у аппарата, ждал вестей:

— Ну, живым довезли?

— Вот что, Ленечка, положение оказалось не таким серьезным, скоро выздоровеет. Хочу предложить вам такой вариант. Насколько понимаю, Феликса Михайловича и его замов в понедельник не будет.

Леня красноречиво промолчал. Не хочет выдавать старших, только и ежу ясно, что после грандиозной попойки они будут пить рассол и анальгин. Какая уж тут работа.

— Давайте не скажем им, что Арсеньева увозили в больницу. Я тут посижу сегодня вечер, ночь и завтра день. А в понедельник вечером доставим вашего Арсеньева потихоньку назад. Боюсь, влетит нам от начальства. Так что, если вдруг товарищ Самохвалов позвонит, лучше молчите. А то улыбнется ваше повышение по званию.

Леня крякнул:

— Елена Михайловна, дорогая, да я для вас за это все сделаю, ну спасибо!

— Ладно, ладно, Ленечка, свои люди — сочтемся. Вы только меня в понедельник прикройте, а то первый отряд на прием придет.

— О чем речь! Скажу, что в Москву за лекарствами укатила, да перебьются они, больных нет, одни симулянты, мастырщики!

Уладив полюбовно щекотливое дело, я заглянула к Базилю. Палата на первом этаже, в самом конце коридора, окна забраны решетками, дверь заперта, у порога — конвойные.

— Вот что, мальчики, — решила я испугать их еще разок, — сами понимаете, не во всякой больнице есть охраняемая палата. Арсеньева бы по-хорошему следовало в инфекцию положить, да возможности нет. Вот и сунули сюда, врач станет говорить, что у него отравление, — не верьте. Это специально, чтобы другие больные не бунтовали: мало того, что приходится с уголовником рядом лежать, так еще и заразный. А вы помните, что я вам говорила, лишний раз в палату не суйтесь, никуда он не денется, лежит почти без сознания, на окнах решетки.

Парни согласно закивали головами. Я побежала к выходу, время подбирается к трем, а еще предстоит сделать кучу вещей.

К одиннадцати вечера я, отдуваясь, притащила в больницу довольно большую сумку и оставила ее в ординаторской. Из медицинского персонала в отделении было только двое сотрудников — уже знакомый бородатый доктор и молоденькая медсестра, хорошенькая и бойкая, явно старавшаяся понравиться терапевту.

Я вытащила из баула кастрюльку с салатом и горячей картошкой, палку «Докторской» колбасы, большой торт с ужасающе зелеными розами и бутылочку «Клюковки».

— Давайте поужинаем, коллеги!

Медики радостно пошли к столу.

— Может, охрану кликнем? — предложила я и вышла в коридор.

Парни скучали на табуретках у двери.

— Вас кормили?

— Кашу дали, — откликнулся один.

— С селедкой, — пояснил другой.

— Ну тогда пошли.

— Мы на службе, — пояснил первый.

— На минуточку, да чего будет-то? Дверь заперта, решетки...

Поколебавшись минутку, парни двинулись в ординаторскую. Инструкции на то и писаны, чтобы их нарушать. К тому же начальство далеко, можно и расслабиться.

Минут через пятнадцать все они спали. Клофелин в алкоголе — старое, испытанное средство, дешево и эффективно.

Вытащив у охраны ключи, я полетела в палату к Базилю.

Приятель поднял голову.

— Не пугайся, это я, Даша.

— Боже, — пробормотал Корзинкин, — что ты мне подсунула, что за таблетки?

— Ничего особенного — циклофосфан, дают онкологическим больным в качестве профилактической химиотерапии. Побочный эффект — сильная тошнота. Да ты не волнуйся, проходит без следа, люди годами пьют, и ничего, живы! Правда, три штуки сразу — крутовато, но мне нужен был очевидный эффект.

— Ты его получила, чуть концы не отбросил, — простонал Базиль и сел.

— Хватит ныть, — обозлилась я, — тоже мне, белый ландыш, давай быстрей отсюда... Впрочем, если хочешь назад в лагерь, можешь оставаться.

Корзинкин вихрем слетел с койки.

Через час мы сидели в вагоне поезда Бутовск — Москва, неизвестно почему останавливающегося ночью в Птичьем. На языке роились вопросы, но приятель рухнул кулем на полку, и через полтора часа я с трудом растолкала его, когда экспресс замер на Казанском вокзале. Во всей Москве было только одно место, где никто не спросит, почему я заявилась посреди ночи в гриме, под руку с небритым, грязным мужиком, одетым в какие-то непонятные тряпки. Такси повезло нас в район метро «Сокол», в крохотную квартирку Оксаны.

На ранний звонок в дверь подруга откликнулась сонным голосом:

— Кто там?

— Открывай, Ксюта, это я, Даша.

Послышался шорох, легкий топот, звяканье

цепочки, и дверь распахнулась, впуская нас в темную и тесную прихожую.

— Слышь, Оксана, — пробормотала я, спотыкаясь о какой-то предмет, — нельзя ли...

Но тут во всей квартире разом вспыхнул свет. Чьи-то крепкие ладони с силой схватили меня за руки, нога в мужском ботинке пребольно стукнула по щиколотке, давая понять, что следует расставить ноги.

— Стоять! — заорал кто-то над ухом.

В комнате было полно мужчин, пахло потом и чем-то непонятным.

— А где собаки? — вырвалось у меня.

— У Владленки, в соседней квартире, — ответила машинально Ксюта и вдруг истошно заорала: — Дегтярев, Дегтярев, это не она! Чужая баба с Дашиным голосом! Да поди же ты сюда!

— Слышу, слышу, — произнес полковник, входя в комнату, — незачем визжать. Вид посторонний, а внутренность наша — гляди!

И он жестом фокусника сдернул с меня парик.

Ксюша налетела с воплем:

— Как ты могла! Я чуть с ума не сошла!

Я растерянно хлопала глазами.

— Это, надо думать, господин Корзинкин? — спросил полковник. — Где же прятали бедолагу?

Я открыла было рот, но, вспомнив уроки Аркадия, мрачно произнесла:

— Имею право на один телефонный звонок и без адвоката ничего не скажу.

— Ушла в глухую несознанку, — засмеялся приятель, — и кому, интересно, собралась звонить, как правило, ко мне обращаешься. Ладно, иди умойся, переоденься. Небось вспотела вся! Ты чем там обложилась? Ватой?

Я ушла в ванную и долго плескалась под душем, смывая грим, грязь и усталость. Когда наконец выбралась наружу, в квартиру проникал серенький декабрьский рассвет.

Полковник и Базиль пили на кухне кофе.

— Где Оксанка?

— На работу ушла, не выспавшись по твоей вине, — огрызнулся Александр Михайлович, — теперь зарежет кого-нибудь дрожащей рукой.

Вот шутник! Я тоже молча налила себе кофе и села рядом.

— Значит, так, ребятки, — ласково прощебетал полковник, — дров вы оба наломали предостаточно, теперь сообща подумаем, как из неприятной ситуации выбираться с наименьшими неприятностями. Кто начнет?

Мы с Базилем переглянулись.

— Наверное, я, — вздохнул Корзинкин, — Дашка и четверти правды не знает.

Глава двадцать девятая

Базиль был более чем обеспеченным человеком. Но хороший капитал заработал не сам, деньги достались от родственников, в частности, от деда. Николай, обожавший внука, никогда ни в чем не отказывал ему, вот Корзинкин и привык, что его вытащат из любой ситуации. Женитьба на Сюзетте только прибавила мужику уверенности. Сюзи из семьи богатых виноторговцев, она принесла мужу великолепное приданое.

Долгое время приятель, как говорится, искал себя. Но что-то у него не получалось. Попробовал заняться торговлей — прогорел, решил наладить производство прохладительных напитков — и тоже облом. Потом в голову пришла мысль об издательском бизнесе. Собственно говоря, Корзинкин мог жить без хлопот на родительские деньги, но ему хотелось самостоятельно добиться успеха, заслужить почет и уважение...

Издательское дело, как, впрочем, любой бизнес, жестоко к дилетантам, к тому же рынок был давным-давно поделен между крупными дельцами. Издавать пользующуюся огромным спросом детективную литературу и любовные романы Корзинкину просто не дали.

Серьезные, пользующиеся популярностью авторы предпочитали иметь дело с солидными фирмами. Но Базилю удалось найти собственную нишу. «Голос» начал работать с советскими авторами-диссидентами, издавал книги, которые не имели никаких шансов появиться в СССР. Корзинкин даже снискал славу борца за правду и справедливость, этакого рыцаря свободы, но, к сожалению, доходов «Голос» не приносил. Наоборот, одни убытки. Приходилось без конца вкладывать в предприятие деньги, франки исчезали, как в черной дыре... Базиль сначала протратил свой капитал, потом влез в деньги Сюзи...

Внешне все выглядело крайне пристойно. У него была огромная квартира в престижном округе, дом в Ницце, машина, прислуга. Сюзетта носила дорогие шубки и красивые драгоценности, но настал момент, когда Базиль понял, что скоро показное благополучие накроется медным тазом, и ему с женой придется, продав все, съезжать в крошечную квартиру, где-нибудь в Пантене, одном из самых бедных районов Парижа.

Пришлось бросаться в ноги к деду. Но Николай неожиданно сурово отказал в дотации, выговорив внуку:

— Не умеешь, не берись. Не стану больше поддерживать твои проекты, деньги текут как вода. Закрывай издательство.

Но Базиль был упрям и, решив самостоятельно выпутаться, заложил квартиру. Стоит ли говорить, что и эта сумма пропала без следа.

Вот таким было положение вещей, когда однажды утром в квартире Базиля зазвонил телефон. Приятный мужской голос сообщал невероятные новости. У Корзинкина есть родственники в Москве! Встречу назначили в самом центре, в кафе на Елисейских полях. Базиль вошел в переполненный зал и принялся шарить глазами по столикам. Сидевший у стены мужчина помахал ему рукой.

Сначала он показал Базилю семейный альбом. Сомнения у мужика разом отпали, когда он увидел первый снимок — хрупкую молодую женщину в белом платье и плотного блондина с пшеничными усами. Точно такое же пожелтевшее фото висело в спальне у Николая. И Базиль знал, что на нем запечатлены родители деда. Потом перед глазами почему-то замелькали его личные фотографии.

— Это же я в отрочестве, — пробормотал Корзинкин, разглядывая снимок, с которого на него глядел серьезный мальчик примерно пятнадцати лет, — только вот не пойму, где засняли?

Алексей Никитин засмеялся:

— Не угадали, вы видите перед собой моего племянника Тимофея, сына сестры Веры. Но он и впрямь безумно похож на вас, та же масть. Кровь причудлива!

— Господи, — всплеснул руками Базиль, — что же вы раньше не объявились?

Алексей вздохнул:

— Недавно узнал, лишь после смерти деда.

— А мне Николай всегда твердил, будто спасся один, остальные якобы погибли...

Алексей Иванович принялся рассказывать о семейных тайнах, о подозрениях Трофима, об обиде за украденное богатство, о боязни признаться в дворянском происхождении...

Живший всю жизнь в демократической Франции, Базиль только качал головой, мысленно осуждая деда...

Проболтали они несколько часов, и наконец Алексей сообщил то, за чем приехал.

В России теперь капитализм и можно заниматься любым бизнесом. У него самого — издательство «Свеча», но только для прикрытия. На самом деле он владеет крупным турагентством «Альбатрос». Правда, оформлено оно на имя его любовницы, но это никакой роли не играет. Десятки маршрутов в разные страны, теперь хочет открыть филиал во Франции. Но как иностранный гражданин должен будет отдать бешеные деньги в казну Республики. Вот если оформить контору на Базиля...

— Турагентство, — хмыкнул Корзинкин, — это даже хуже, чем издательский бизнес, все уголочки заняты, разом прогорим.

И тут Алексей раскрыл карты. Агентство, да не простое. Они давно организуют для богатых, пресыщенных клиентов невероятные, экзотические туры. Базиль слушал, раскрыв рот. «Отдых» на зоне или в тюремной камере, игра в Робинзона Крузо на необитаемой территории, разнообразные сексуальные приключения... Путешествия пользуются невероятной популярностью у немцев, в Германии отлично налажены связи, а во Франции — никого.

— Ты даже не представляешь, какие денежки потекут, — искушал Алексей.

Базиль дрогнул и согласился. Через год он забыл о финансовых неприятностях. Неожиданные барыши объяснял великолепной работой издательства. Кстати, Сюзи муж ничего не рассказал, понимая незаконность предприятия. Женщина так и не знала о московских родственниках, считая Никитина партнером по бизнесу. Дела шли великолепно, правда, теперь приходилось часто ездить в Москву.

Примерно через год Алексей сообщил, что можно расширить услуги. Привозить во Францию увечных людей, уродов, инвалидов, калек на потребу определенному сорту мужчин и женщин. Базиль сначала не поверил, что такое возможно, но прихватил в Париж одну безногую даму. Успех превзошел ожидания, и конвейер заработал. В самом центре они сняли несколько квартир. Корзинкин челноком мотался между двумя столицами. Оформлялось все крайне просто: богатый французский коммерсант бескорыстно оказывает помощь бедным российским калекам. Устраивает несчастных на лечение. Сопроводительные бумаги составлены по всем правилам, да и сами обездоленные люди вызывали у таможенников обоих государств жалость. Естественно, Базиль не собирал с несчастных денег, этим занимался специально нанятый сутенер. Просто раз в неделю он получал увесистый конверт; пятая часть содержимого причиталась ему, а остальное переправлял в Москву.

Сотрудничать бы им и дальше, к обоюдному удовольствию, но тут скончался Николай, рассказавший перед смертью о тайнике, где хранился клад. Подумав, что в дедовых словах может быть правда, Базиль тайком от Алексея приехал в Москву и отправился в Горловку. Но случилось непредвиденное. Корзинкин четко велел Сюзетте, чтобы она никому не говорила, где он. Но когда позвонил Алексей, наивная Сюзи решила, что от партнера тайн нет, и простодушно заявила:

— Да он к вам отправился.

Алексей заволновался, тут же позвонил в гостиницу «Интурист», узнал, что господин Корзинкин приехал и заказывал такси. Дальше дело техники. Сначала Никитин выяснил, что таксист довез пассажира до Рижского вокзала, потом кассирша припомнила, как продавала билет до Качалинска, а там водитель автобуса сообщил, что мужик слез у заброшенной деревеньки Горловка...

Короче, разгорелся скандал. Умирая, Трофим тоже сказал Алексею про клад, но мужик не слишком поверил. Тем более что дедушка путался в деталях, каждый раз называя разные могилы...

— Обмануть меня хотел, — кричал Алексей на

Базиля, — твой дед моего деда надул, а теперь ты меня! Отдавай половину сокровищ!..

— А что там лежало? — прервала я Базиля.

— Да ничего, обнаружил пустую, затянутую паутиной нишу, — ответил Корзинкин.

То же самое он сказал и Алексею, но тот ему не поверил. Лаялись всю ночь, потом успокоились и поехали к Никитину домой, чтобы скрепить мир. Хорошо выпили, закусили, и все — больше Базиль ничего не помнит.

Очнулся в маленькой кругленькой комнатке с узеньким окошком-бойницей на самом верху, почти под потолком. На крики явилась Ванда Никитина и спокойно сообщила, что орать нет никакого смысла — обслуга глухонемая, да и в гостинице его никто не хватится, поскольку вещи забрали. Лучше сразу сообщить, где припрятал сокровище, тогда выпустят.

— Станешь упорствовать, — пояснила Ванда, — только хуже будет...

— Так ведь Никитин ушел от Ванды к Лоле, — вырвалось у меня.

— Только для виду, — пояснил Базиль, — он жутко жадный, как только ввели налог на недвижимость, разом представил дело так, будто не живет с Вандой, и переоформил дом на ее имя. У них там бордель для высокопоставленных клиентов, вот и изображали, что Ванда одинокая. А на самом деле Алексей жил в саду, там домик стоит, что-то вроде сторожки. Лола лишь изображала любовницу и хозяйку агентства, за плату, конечно.

Бедный Корзинкин твердил про пустую нишу, даже рассказал, как ее открыть, но ему не верили. Убежать не представлялось возможным. Дверь заперта, а в узенькое оконце с трудом просовывалась рука. Кстати, подтащив стул, Базиль пытался обозреть окрестности и увидел... меня.

— Я кричал, кричал, даже платком махал, а ты села в машину и уехала, — сообщил мужик.

Я схватилась за голову, вспомнив кусок белой материи, мелькавший в бойнице. Ведь стояла рядом! Ну кто мог подумать?!

Через несколько дней в темницу вошла Вера и сказала, что ее сын Тимофей ездил в Горловку и проверил могилу младенца Земцова. Ниша и впрямь пуста, поэтому Корзинкина... отвезут в такое место, где он точно расскажет, куда дел богатство.

— Лучше отдай, — велела Вера.

Но Базиль твердил про пауков и пустую «хованку».

— Ладно, — вздохнула Вера, — начнешь гнить, расколешься!

Влетели два мужика, скрутили, что-то вкололи... Очнулся в автозаке. Привезли в лагерь и бросили в камеру. Каждый вечер к Базилию заглядывал красивый рослый мужик и спрашивал:

— Ну что, вспомнил?

Корзинкин снова и снова заводил прежний рассказ про паутину. Его не били, просто отвратительно кормили, не давали постельного белья и не выводили из вонючей комнатенки.

Но в эту пятницу ситуация изменилась. Вошедший, как всегда вечером, красавец с отеческой заботой сообщил:

— Ну ты как, еще не надумал? Нехорошо нас, родственников, обманывать.

— Вы-то мне кем приходитесь? — огрызнулся Базиль.

— Пока никем, — миролюбиво пояснил мужик, — но моя дочь вот-вот выйдет замуж за Тимофея, сына Веры, тогда и породнимся. И как будущий член семьи от души советую вам признаться, потому что поступил приказ с понедельника изменить к вам отношение. Кстати, по документам вы отвратительный человек, Арсеньев. В личном деле одни красные полосы. Выведут на прогулку, чуть в сторону отойдете, и охрана выстрелит без предупреждения. А что делать прикажете, если вы склонны к побегу и к нападению на конвой? Так что до понедельника! Советую хорошенько подумать!

Базиль приуныл. Еще в башенке его заставили написать дурацкое письмо жене в Париж, и он был уверен, что обиженная Сюзи не станет устраивать поисков. Положение казалось безнадежным, но тут, словно в сказке, явилась я с таблетками циклофосфана в кулаке.

— И как вы только узнали, что мы приедем сюда? — подивился Корзинкин.

— Да, как? — поддакнула я.

Александр Михайлович вздохнул:

— Честно говоря, ждали не вас, а Нину или Тимофея.

— Расскажи скорей, — потребовала я.

Дегтярев поколебался минуту, потом сообщил:

— Ну в общих чертах дело было так. Личность найденного в твоем «Вольво» человека установили сразу. Опознали его Лола и Юля. Они же в один голос твердили, что Алексею Ивановичу

Никитину угрожали неизвестные, пугали убийством. Но оперативники, сделав вид, что поверили в мифического киллера, принялись потихоньку изучать ситуацию. Сначала узнали про великосветский бордель у Ванды, затем разобрались с «Альбатросом» и в конце концов поняли, кто убил издателя.

— Кто? — не выдержала я.

— Видишь ли, — проговорил полковник, — его сгубила элементарная жадность. Сначала, чтобы не платить налог, перевел дом на жену, потом оформил «Альбатрос» на Лолу. Ей он безоговорочно доверял.

— Почему?

— Да просто. У милой Лапанальды за плечами две отсидки за кражи. Только в то время даму звали Анной Петровной Каретниковой. Алексей Никитин знал о ее неприглядном прошлом и держал женщину за горло. Так что, как ему казалось, ничем не рисковал.

Первое время у них все шло чудесно. К Ванде регулярно приезжают клиенты, «Альбатрос» работает как часы.

Подавляющая масса сотрудников ничего не подозревает. В деле только свои, близкие друзья, почти родственники.

Вера Ивановна Никитина дружила с мамой Нины Самохваловой. Феликс Михайлович охотно согласился принимать у себя в лагере «заключенных».

Селил их в специальном месте с двумя мошенниками, готовыми ради человеческих условий на все. Да и потом, кто им поверит, этим уголовникам, если начнут болтать. Сама Нина бойко выискивает дурех, согласных ради денег стать калеками. Кстати, у этой милой девушки были налажены связи почти со всеми столичными сутенерами.

В шестьсот шестьдесят второй больнице есть парочка хирургов-живодеров. К тому же в этой клинике открыли тайное, охраняемое отделение.

— Братков за бешеные деньги оперировали и в милицию не сообщали, — вырвалось у меня.

— Откуда знаешь? — удивился полковник.

— А как вы добрались до врачей? — спросила я в ответ.

— В овраге около больницы обнаружили тело Юрия Мамонова, работавшего дворником в доме, где снимала квартиру Нина Самохвалова.

Началось расследование, и снова следы привели к девушке. Потом оказалось, что Юра решил шантажировать Нину. Подстерег девушку возле больницы и начал требовать денег за молчание.

— Он думал, что они перевозят наркотики, вот дурак, — сообщила я.

— Именно, — подтвердил полковник, — только Нина в тот день была не одна, а с Тимофеем. Девушка пообещала мужику большую сумму и привезла его к оврагу. А там Тимофей и убил Мамонова.

— Боже, — ужаснулся Базиль, — он же совсем ребенок, к тому же будущий юрист, студент...

— У этого студента руки по локоть в крови, — вздохнул полковник, — теперь ему скорей всего придется осваивать тюремные университеты, но мы отвлеклись.

В общем, криминальный бизнес давал отличные доходы.

И чем больше Никитин получал денег, тем меньше норовил дать другим членам банды. Постоянно у него находились оправдания — то сунул кому-то взятки, то якобы покупал какую-то мебель в «Альбатрос». Первой поняла, что ее обманывают, Ванда. Муж просто-напросто почти перестал давать жене деньги. Затем начали возмущаться Вера и Лола, последней взбунтовалась Нина. В общем, бабы объединили усилия...

— Кстати, Лола бывала у Ванды, у меня есть ее фотография, сделанная в комнате для гостей!

— Да уж, — крякнул полковник, — наш пострел везде поспел!

На своей сходке «дамы» решили убить Алексея. Бизнес мог великолепно процветать без него. А поскольку посторонних в это дело вмешивать не хотели, роль палача поручили Тимофею.

— Родному племяннику?! — схватился за голову Базиль.

— Когда речь идет о больших деньгах, семейные связи роли не играют, — ответил Александр Михайлович. — Короче, вечер второго ноября, семь часов, на улице непроглядная темень. Алексей Никитин выходит из «Альбатроса» и направляется к своей машине. Его окликает Тимофей, они подходят к «Вольво», племянничек достает пистолет с глушителем и ловко убивает дядю. Затем запихивает тело в багажник и уходит. Расчет прост. Автомобиль принадлежит Никитину, и его долго никто не тронет. Ванда и Лола будут молчать, как партизаны на допросе. На улице холод, процесс разложения замедлен. Ну, может, через неделю начнут поиски. Но время будет упущено, у всех алиби... Так бы и вышло. Подвела роковая случайность. В тот вечер рядом с машиной Никитина стоял точно такой же автомобиль марки «Вольво», даже цвет совпадал — бордовый. До смешного походили и их номера. У Даши — 625 КЕ, у Алексея 652. Тимофей просто элементарно перепутал, очень торопился и скорей всего нервничал. Багажник он приоткрыл заранее отмычкой, начал спорить с дядей, в мгновение ока поднял крышку, выстрелил, втолкнул тело и, произведя контрольный в лоб, захлопнул багажник. Представляете ужас Веры, когда ей через несколько часов сообщили о смерти брата! Ванда, хитрюга, подалась в Карловы Вары, а остальные просто не успели обеспечить алиби, думали, что у них по крайней мере неделя в запасе!

После убийства дождем посыпались неприятности. Во-первых, Вера обнаруживает пропажу сумки, в которой лежал паспорт Корзинкина. Сначала думают, что ридикюль завалился за комод в холле, и Никитина спокойно едет домой. На следующий день с утра перезванивает Юля и успокаивает — в щелке виднеется кусочек ремня, значит, улика и впрямь упала за мебель, но достать ее непросто. Прихожая выполнена на заказ, чтобы пролезть за заднюю стенку, нужно отломать комод, приделанный намертво. Но Вера просит не беспокоиться, главное, что вещь в доме.

Наконец приезжает специалист от мебельной фирмы, отковыривает панель и достает... пояс от кожаного пальто. Дамы впадают в панику — в доме вор! Путем размышлений вычисляют Колосову и отправляют к ней Тимофея. А парень — прирожденный садист. Он пытает несчастную больную женщину, убивает ее, вытаскивает на балкон, обыскивает комнату, но сумка бесследно исчезла... Кстати, он стрелял в мертвое тело. Экспертиза доказала, что Колосова умерла до выстрела, сердце не выдержало мучений.

Преступная группа нервничает. А тут еще господин Корзинкин никак не хочет выдать спрятанное. Нина, Лола и Юля предлагают убрать его, но Вера уверена, что клад есть. Базиля перевозят на зону к Самохвалову и грозят всяческими ужасами. Но господин Корзинкин не колется. Тут на зоне появляется Дарья и делает кучу глупостей! Один перемазанный зеленкой таракан чего стоит! Но мы не вмешиваемся, просто наблюдаем.

— Ты знал?! — оторопела я.

— Капитан Евдокимов, хоть и похож на толстого одышливого енота, на самом деле проницательный и ловкий оперативник. Мы специально внедрили его в лагерь, чтобы размотать клубок. Ну и веселился же он, глядя, как ты, моя радость, носишься по баракам с раствором марганцовки! А уж когда явилась с тараканом, еле-еле сдержался, чтобы не расхохотаться в голос, но смолчал и подыграл тебе.

— Почему не арестовали Самохвалова? — вскипела я.

— Во-первых, было недостаточно улик, во-вторых, мало срезать верхушку, следует удалить и корни. Мы выясняли, кто в лагере в курсе дела, хотели выявить всех участников аферы.

Кстати, нити от господина Самохвалова тянулись дальше, в женскую тюрьму Рязани и СИЗО Покальска. И там, и там принимали «туристов».

Я разинула рот от удивления.

— Так что ты, моя радость, здорово нам помешала, — вздохнул полковник, — но решили не трогать «туристку». Честно говоря, не ожидали подобной прыти, из ПКТ практически невозможно выйти, как тебе удалось утащить господина Корзинкина?

— Потом объясню, — гордо пообещала я.

— Она меня чуть до смерти не отравила, — пожаловался Базиль.

Скажите, какой нежный!

— Вконец спутала планы негодяев глупая Элина.

— Где она? — закричала я. — Жива?

— Жива, жива, — успокоил полковник, — чего ей сделается, только нога сломана.

— Боже, — испугалась я, — хотели отрезать?

Александр Михайлович вздохнул.

— Эля — удивительное существо, абсолютно безголовое и наивное до крайности, но в момент опасности даже у нее появляется мыслительная деятельность.

В тот вечер она пошла гулять с Рейчел и встала у ларька, разглядывая конфеты. Тут рядом притормозили «Жигули». Нина ехала домой и решила купить сигарет. Она, конечно, знала, что Эля удрала из больницы, и, наверное, страшно удивилась, увидав беглянку на улице да еще с собакой. Открыла дверцу и крикнула:

— Девушка, скажите, который час.

Не ожидавшая ничего дурного, Эля наклонилась к окну машины и была моментально втащена в салон. Узнав Нину, жертва замерла от ужаса, почти лишившись ума. Но, очевидно, кое-какие остатки разума сохранились, потому что, увидав на Ленинградском проспекте пост ГАИ, Эля открыла дверцу и выкатилась прямо в руки патрульных, сломав правую ногу. Нина умчалась, догнать ее не удалось.

Истерически рыдающую девушку отправили в Склиф, и мы поняли, что пора всех брать. Арестовали Веру, Юлю и Лолу. Дамы моментально принялись топить друг друга, сваливая вину на покойного Алексея... Но Нина и Тимофей, заподозрив неладное, скрылись. Эля вызвала Нину по номеру ее мобильного и жалостливым голосом принялась требовать обещанные ей три тысячи долларов.

Нина согласилась вернуть деньги и спросила, где та остановилась. Элина дала адрес Оксаны...

На квартире устроили засаду. Днем у окна с сигаретой в руках стояла сотрудница милиции в бронежилете под халатом. Она изображала собой Элю. Но никто не пришел. То ли Нина сообразила, что никогда не давала Эле номер сотового, то ли просто почуяла опасность, но группа захвата бесцельно маялась в крохотной квартирке, и тут появилась Дарья!

— Просто безобразие, — в сердцах вскричала я, — как ты мог?! Видел, что ищу Базиля, мучаюсь, и просто наблюдал! Сам же признался, что мешалась у вас под ногами, ну почему не остановил, не объяснил, в конце концов?! Просто садомазохизм какой-то!

Александр Михайлович широко улыбнулся:

— Ну, в конце концов, ты нам все же помогла!

— Чем?

— Хотели отправить в «Альбатрос» под видом туриста своего сотрудника. Думали посмотреть, как работает канал, а тут ты, моя радость, с щенячьим энтузиазмом кинулась с головой в омут, вот «засланный казачок» и не понадобился. Проследили сначала за Лолой, потом за сотрудниками лагеря, которые готовили «посещение». Так что большое спасибо. Хочешь благодарность в приказе, как внештатному работнику, объявлю? А можно часы с гравировкой «За храбрость» вручить, — издевался полковник.

Я потрясенно молчала.

— Впрочем, ты тоже должна меня поблагодарить, — не успокаивался приятель.

— За что?!

— Ну с чего бы это все твои домашние укатили в Петербург?

— Ты хочешь сказать...

— Именно. Просто попросил их на денек убраться из дома, чтобы сумасшедшая мамаша чувствовала себя в безопасности. Я-то понимал, как кипят твои мозги при мысли о том, что нужно придумать, дабы родственники не заметили твоего отсутствия.

— И они согласились? Все?!

— Ну не совсем бескорыстно, — гадко хихикнул приятель, — пришлось потратиться. Две коробки корзиночек с белым кремом, фигурка таксы и баллон суперполироля для «Мерседеса» — вот твоя цена.

Слова не вылетали из горла. Продать мать за

пирожные, фарфоровую собачку и автомобильную натирку — непостижимо!

— А что будет со мной? — робко поинтересовался Базиль.

Полковник с сомнением поглядел на Корзинкина.

— В зависимости от того, как поведете себя на следствии. Скорей всего просто выдворят из страны и запретят в дальнейшем въезд в Россию. Вы знали, что людей специально калечили, делали из них инвалидов?

— Нет, нет, — испугался Базиль, — думал, и правда инвалиды детства или жертвы болезни. Конечно, некрасиво, но это давало им заработок... А экстремальный туризм выглядел вообще невинно... Кстати, я ничего не организовывал, лишь находил клиентов. В Москве проблемы решали Никитины.

— Вот и расскажите следователю, — посоветовал полковник, — ладно, поеду переоденусь и на работу.

В дверях он остановился и сказал:

— Не вздумайте куда-нибудь деться, пускаться в бега или прятаться.

Мы остались одни.

— Зачем дал кардиган Тимофею? — спросила я.

— Ничего никому не давал, — возмутился приятель, — все вещи у меня отобрали еще в доме у Никитина.

Так, значит, Тиме понравилась кофта, и он решил ее просто-напросто присвоить. Не подумал, что вещь станет уликой.

Базиль принялся бегать по кухоньке, натыкаясь на мебель.

— Боже, Тимофей! Мальчик! Воспитанный, интеллигентный, говорит по-французски, играет на пианино — и вдруг хладнокровный киллер! Не верю! В роду Корзинкиных никогда не было убийц! На протяжении всей семейной истории — ни одного!

— Вот и нет, — обозлилась я, — твои прапрабабушка и прапрадедушка преспокойненько удавили свою дочь, да еще и ее новорожденного младенца в колыбели. А милый, воспитанный Тимофей напал на одинокую женщину и не постеснялся залезть к ней в лифчик, чтобы украсть документы на дом и землю.

Выпалив эту фразу, я моментально вспотела. Только сейчас поняла, чем рисковала, заявившись в гости к Вере Никитиной!

Базиль растерянно глядел в пустую чашку.

— Слушай, — велела я, — рассказывай теперь, что лежало в могиле несчастного младенца Земцова.

— Ничего, — упорно ответил Корзинкин.

— Хватит! Может, Дегтярев тебе и поверил, но только не я!

— Отчего же!

— Да ты сто раз повторил, что ниша была затянута паутиной... А там чисто, сухо и никаких признаков пауков.

Базиль открыл было рот, но я быстро замахала руками.

— Ой, только не надо врать, будто обтирал тайник носовым платком. Я охотно верю, что, когда ты открыл «хованку», там и в самом деле была паутина, но, когда вытащил сундучок, она порушилась.

Корзинкин вздохнул:

— Да не было там никаких драгоценностей в сундуках.

— А что? Что там лежало?

— Письма.

— Письма? — разочарованно протянула я. — Весь сыр-бор из-за исписанных бумажек?

— Личные послания невинно убиенного императора Николая II к жене Александре Федоровне. Всего двадцать пять штук.

Я онемела. Это почище любых сокровищ! Да сейчас за эти «бумажки» можно получить миллионы долларов!

— Как попала царская переписка к Корзинкиным?

— Мать Николая из семьи дворян Вяземских. Ее старшая сестра служила фрейлиной. Когда стало ясно, что дело худо, близкая подруга императрицы Анна Вырубова стала прятать архив. Что-то увезла сама, что-то раздала особо приближенным с наказом беречь пуще глаз. Елена Вяземская привезла письма в деревню и велела спрятать. Про тайничок в могиле знали все родственники.

У Гликерии Корзинкиной после убийства дочери слегка помутился рассудок. Она принялась замаливать грех, потом вызвала мастера и велела сделать нишу. Хотела, чтобы сын кремировал ее после кончины, а урну поставил в могилу к Насте. Но Андрей не исполнил последнюю волю покойной, похоронил, как подобает по христианскому обряду, на кладбище, а не за оградой... А когда пришлось прятать переписку, вспомнили про «колумбарий», там и сложили. Елена вернулась в Петербург. Дворянство искренне считало, что большевики ненадолго пришли к власти и надо только переждать, пока все вернется на круги своя. Кто же знал, что так печально закончится — Мария и Андрей погибнут, Николай окажется на чужбине, а Трофим всю жизнь проведет под чужим именем! Теперь род Корзинкиных окончательно прервется... У нас детей нет, а Тимофей — убийца... Эх!

Он безнадежно махнул рукой.

«Да и избалованная Риточка, дочурка Алексея, тоже не может считаться лучшим представителем семьи», — подумала я, но вслух произнесла:

— Ну и где документы?

— У Прохора, в Горловке.

— Как? Ты виделся со стариком?

— Да, я велел спрятать шкатулку получше, он и снес в погреб.

Ну, Прохор — кремень. Вот она, старая выучка — ни словом не обмолвился, что знает о приезде Базиля, даже увидав паспорт, не раскололся. Вот это верность!

— Что же не рассказал Алексею о кладе, когда тебя спрятали в башне?

— Он убил бы меня сразу, — сообщил Базиль, — у него так нехорошо блестели глаза, что я понял: если узнает правду, мигом пристрелит. Жадный очень был.

Да и ты, дружок, не лучше!

Корзинкин, однако, продолжал:

— Вот и рассудил: пока молчу — жив. Крепился, как мог, но уже в лагере, честно скажу, из последних сил, все надеялся на что-то, на чудо... И надо же, тут ты!

Кстати, мог и спасибо сказать! В голову не пришло. После всего услышанного Корзинкин нравился мне все меньше и меньше.

— А как узнала, что я открывал нишу? — поинтересовался Базиль.

— Нашла зажигалку возле скамейки, и горничная в гостинице рассказала, что тебя не было какое-то время, а потом явился и затеял постирушку. Вот и подумала: стоял, должно быть, на коленях в грязи и не захотел, чтобы об этом кто-нибудь знал!

— Там дорога идет под уклон, — пояснил Базиль, — пошел назад и свалился прямо в жуткую грязь.

Да уж, грязи в этой истории предостаточно!

Эпилог

Забегая вперед, сразу скажу, что Вера, Лола и Ванда получили минимальные сроки. Хитрые женщины свалили всю вину на Нину и Тимофея. Кстати, их так и не нашли. Они ловко замели следы и легли на дно.

Юлю отпустили, она взяла Риту и исчезла с ней в неизвестном направлении. Дом Никитиных конфисковать не имели права, и сейчас он сдан какой-то фирме. Эля благополучно вышла из больницы, и Александр Михайлович, выправив ей документы, пристроил девчонку учиться на парикмахера.

Феликс Михайлович Самохвалов и ряд работников правоохранительных органов отправились на зону, но уже в качестве заключенных.

Базиль вернулся в Париж. Скорей всего он провез драгоценные письма во Францию, так как продал квартиру, купил дом в предместье столицы и зажил на широкую ногу. Я не выдала его тайну, но в гости к ним больше не хожу, хотя регулярно получаю приглашения.

Однако в тот холодный ноябрьский день, возвращаясь от Оксаны домой, я, естественно, очень многого не знала. Домашние мирно сидели в гостиной. Я налетела на них как ястреб:

— Предатели!

Аркаша с Зайкой уткнулись носом в газету, делая вид, что не слышат. Маруся моментально бросилась мне на шею.

— Мусик! Александр Михайлович так просил помочь! Он говорил, что устал бороться с тенью.

— С кем?

— Ну, он объяснял так: дело страшно запутанное, искать в нем истину — все равно что пытаться обнаружить тень в темноте. Понимаешь? Тень можно увидеть на свету, а не в потемках. Черное в черном!

Я вздохнула и села к журнальному столику.

— Сейчас принесу кофе, — оживилась Зайка. Аркадий выскочил вместе с ней.

Через пару минут детки вернулись, таща огромную сумку.

— Вот, — сказала Ольга, протягивая «Голуаз», — разрешаю тебе курить в гостиной, дыми на здоровье.

— А это, — пробормотал Кешка, расстегивая баул, — лекарство от скуки, читай всласть.

И он выложил передо мной тридцать томов серии «Классика детектива». Все в роскошных кожаных переплетах с золотым тиснением.

— И грызи конфетки, — проорала Маня, протягивая огромную, килограмма на три, коробку моего любимого чернослива в шоколаде.

Я поглядела на их виноватые лица и расхохоталась. Вот хитрецы, точно знают, чем меня купить!

Через неделю праздновали свадьбу Гали и Миши. Невесту одели в элегантное светло-серое платье, ловко скрадывавшее недостатки полной фигуры.

С Мишиным нарядом пришлось повозиться.

— Зачем новый костюм? — отбивался профессор, тряся перед нами пиджаком. — Вот смотрите, я в нем кандидатскую защищал, старая добротная вещь, чудесное качество.

Кешка оглядел залоснившиеся борта и изрек:

— Костюм не коньяк, от возраста лучше не становится. Этот сжечь!

В качестве подарка мы преподнесли им мебель для спальни, и Галя, заливаясь краской, выбирала в магазине самое широкое супружеское ложе.

Впрочем, женщина попросила еще кое-что.

— Дашенька, — пролепетала она, входя ко мне в комнату накануне свадьбы, — буду всю жизнь благодарить вас за все...

— Ладно тебе!

— Мне так неудобно просить.

— Что?

— Отдайте нам собачку Куку, очень к ней привязалась!

Кука и впрямь везде ходила за Галей хвостом.

— А твоя аллергия? — изумилась я.

Галочка подергала носом.

— Знаешь, абсолютно пропала, как не было.

И вот настал торжественный день. Во Дворец бракосочетания явилась уйма народа — все сослуживцы жениха из НИИ имени Курчатова, три незамужние Галины подружки и, естественно, мы в полном составе, кроме близнецов. Здесь же сидела и приукрашенная бантом Кука, надо думать, в качестве свидетельницы невесты.

«Брачующиеся» прибыли в «Мерседесе» Аркадия, украшенном лентами, шариками и куклой, привязанной к капоту. Машину собственноручно украшала Манюня, и брат, когда увидел невероятную красоту, вначале отказался садиться за руль. Но Ольга прикрикнула на него, и Кешка покорился.

— Не бойся, — напутствовал жениха Ефим, — страшно только в первый раз.

Неожиданно вышло солнце. Его лучи, проникнув в окна зала, где проходило действо, осветили полную даму лет пятидесяти с красной перевязью на могучей груди. Зазвучал марш Мендельсона, Галины подружки схватились за платки. Да и у меня комок подступил к горлу. Как все здорово, красиво получается, море цветов, кольца.

— Черт возьми, — прошипела над ухом Маня, — недоглядела за ним, вот недотепа!

— Что случилось? — спросила я шепотом.

— На Мишу глянь!

Я окинула взглядом жениха. По-моему, все в порядке. Новый отглаженный костюм, белая сорочка, даже причесан безупречно. Перед выездом Маня уложила густые кудрявые волосы математика феном и щедро обрызгала лаком.

— На ноги, на ноги посмотри!

Я перевела взор на ступни профессора и с трудом сдержала смех — темно-серые обшлага красивых новых брюк нависали над... калошами. Наш садовник надевает их поверх ботинок, когда возится в саду. Ума не приложу, где Миша отрыл мокроступы.

— Не расстраивайся, детка, — шепнула я Марусе, — все подумают, что это супермодные лаковые ботинки.

— Да уж, — вздохнула Манюня горестно, — надеюсь, он их не потеряет на лестнице...

— Ну не переживай так, главное, они счастливы.

— Ладно, — согласилась Маня, — я уже, честно говоря, привыкла, что в нашей семье все не по-людски.

Литературно-художественное издание

Донцова Дарья Аркадьевна
НЕСЕКРЕТНЫЕ МАТЕРИАЛЫ

Редактор *В. Юкалова*
Художественный редактор *В. Щербаков*
Художник *А. Яцкевич*
Технический редактор *Н. Носова*
Компьютерная верстка *В. Шибаев*
Корректор *З. Харитонова*

Налоговая льгота — общероссийский классификатор
продукции ОК-005-93, том 2; 953000 — книги, брошюры

Подписано в печать с готовых монтажей 10.07.2001.
Формат 84 × 108$^{1}/_{32}$. Гарнитура «Таймс».
Печать офсетная. Усл. печ. л. 22,68. Уч.-изд. л. 15,7.
Доп. тираж 10 000 экз. Заказ № 803.

ЗАО «Издательство «ЭКСМО-Пресс»
Изд. лиц. № 065377 от 22.08.97.
125190, Москва, Ленинградский проспект, д. 80, корп. 16, подъезд 3.
Интернет/Home page — www.eksmo.ru
Электронная почта (E-mail) — info@eksmo.ru

Отпечатано с готовых диапозитивов
в полиграфической фирме «КРАСНЫЙ ПРОЛЕТАРИЙ»
103473, Москва, Краснопролетарская, 16.

Книга — почтой:
Книжный клуб «ЭКСМО»
101000, Москва, а/я 333. E-mail: bookclub@ eksmo.ru

Оптовая торговля:
109472, Москва, ул. Академика Скрябина, д. 21, этаж 2
Тел./факс: (095) 378-84-74, 378-82-61, 745-89-16
E-mail: reception@eksmo-sale.ru

ООО «Медиа группа «ЛОГОС»
103051, Москва, Цветной бульвар, 30, стр. 2
Единая справочная служба: (095) 974-21-31
E-mail: mgl@logosgroup.ru
contact@logosgroup.ru

Мелкооптовая торговля:
117192, Москва, Мичуринский пр-т, д. 12/1
Тел./факс: (095) 932-74-71

ООО «Унитрон индастри». Книжная ярмарка в СК «Олимпийский».
г. Москва, Олимпийский пр-т, д. 16, метро «Проспект Мира».
Тел.: 785-10-30. E-mail: bookclub@cityline.ru

Дистрибьютор в США и Канаде — Дом книги «Санкт-Петербург»
Тел.: (718) 368-41-28. **Internet: www.st-p.com**

Всегда в ассортименте новинки издательства «ЭКСМО-Пресс»:
ТД «Библио-Глобус», ТД «Москва», ТД «Молодая гвардия»,
«Московский дом книги», «Дом книги на ВДНХ».
ТОО «Дом книги в Медведково». Тел.: 476-16-90
Москва, Заревый пр-д, д. 12 (рядом с м. «Медведково»)

ООО «Фирма «Книинком». Тел.: 177-19-86
Москва, Волгоградский пр-т, д. 78/1 (рядом с м. «Кузьминки»)

ГУП ОЦ МДК «Дом книги в Коптево». Тел.: 450-08-84
Москва, ул. Зои и Александра Космодемьянских, д. 31/1